Deutsches Museum

von Meisterwerken der Naturwissenschaft
und Technik

Redaktion: F. Heilbronner (Leitung),
R. Gutmann (Produktion, Koordination), B. Heilbronner
Photos: R. Zwillsperger, H.-J. Becker; Pläne: B. Boissel

Autoren: K. Allwang, O. Blumtritt, A. Brachner, J. Broelmann, R. Bülow,
H.-L. Dienel, G. Filchner, S. Fitz, F. Frisch, W. Glocker, G. Hartl,
F. Heilbronner, W. Heinzerling, S. Hladky, H. Holzer, G. Knerr, M. Knopp,
O. Krätz, W. Kretzler, H. Kühn, K. Maurice, L. Michel, H. Petzold, G. Probeck,
W. Rathjen, K. Rohrbach, E. Rödl, M. Seeberger, L. Schletzbaum, H. Schmiedel,
H. Straßl, F. Thomas, H. Tietzel, H. Trischler (alle Deutsches Museum)

Deutsches Museum

Führer
durch die Sammlungen

Herausgegeben
vom Deutschen Museum

Verlag C. H. Beck München

Herausgeber: Deutsches Museum, Museumsinsel 1, 8000 München 22
Telefon 089/21791

Das Luftbild vom Deutschen Museum auf der Umschlagvorderseite
wurde freigegeben von der Reg. v. Obb. unter der Nr. G 30/11069
Photo: M. Prugger

*Mit 266 Abbildungen, davon 164 in Farbe
sowie 60 Pläne*

CIP-Titelaufnahme der Deutschen Bibliothek

*Deutsches Museum von Meisterwerken der Naturwissenschaft
und Technik (München):*
Deutsches Museum : Führer durch die Sammlungen / hrsg. vom
Deutschen Museum. [Red.: F. Heilbronner (leitung). Autoren:
K. Allwang . . .]. – 3., überarb. und erw. Aufl. – München :
Beck, 1991
    ISBN 3 406 34857 2
NE: Heilbronner, Friedrich [Red.]; Allwang, Karl: Deutsches
Museum; HST

ISBN 3 406 34857 2

3., überarbeitete und erweiterte Auflage. 1991
© Deutsches Museum und
C. H. Beck'sche Verlagsbuchhandlung (Oscar Beck), München 1986
Alle Bildrechte beim Deutschen Museum
Reproduktion der Abbildungen: Brend'amour, München
Satz und Druck: Appl, Wemding
Papier: BVS matt; holzfrei, matt gestrichenes Bilderdruckpapier,
100 g/m², der Papierfabrik Scheufelen, 7318 Lenningen
Bindung: Großbuchbinderei Monheim
Printed in Germany

Inhaltsübersicht

Zum Geleit

Dieser Führer soll Sie ins Deutsche Museum einladen, Sie im Museum willkommen heißen und Ihnen helfen, sich im Museum zu orientieren.

Der Führer wurde geschaffen von den Mitarbeitern des Museums, von Menschen also, die das Museum nicht nur genau kennen, sondern auch lieben und die Ihnen etwas von dieser Hingabe mitteilen möchten.

Das Deutsche Museum ist ein großes Museum, eines der größten der Welt. Sein Inhalt ist anspruchsvoll. Darum gestatten Sie mir für Ihren Besuch zwei Ratschläge:

Durchwandern Sie nicht das ganze Museum auf einmal; das Ergebnis wäre nicht Vergnügen, sondern Strapaze. Treffen Sie lieber eine Auswahl, die Ihrer verfügbaren Zeit entspricht.

Und gehen Sie nicht völlig planlos umher; das Ergebnis könnte Verwirrung und Entmutigung sein. Folgen Sie lieber dem didaktischen Aufbau der Ausstellungsabteilungen.

Wir vom Deutschen Museum freuen uns über Ihren Besuch. Wir wünschen, daß Ihr Besuch Ihnen Vergnügen und Gewinn bereitet – und wir hoffen, daß dieser Führer dazu beiträgt.

München, im Dezember 1985

Otto Mayr
Generaldirektor
des Deutschen Museums

ÜBERSICHTSTEIL

Die Pläne sollen Ihnen bei der Orientierung im Hause behilflich sein. Auf den hinter den einzelnen Begriffen angegebenen Seiten beginnen die dazugehörigen Kapitel. Weitere Stichworte finden Sie in den Verzeichnissen ab Seite 328.

Zeichenerklärung:

ⓘ Information

WC WC

 WC für Behinderte

👥 Aufzug

♿ Behinderten-Aufzug

→ Führungslinie

☕ Imbißraum/Café

🍴 Restaurant

✚ Erste Hilfe/Sanitätsraum

◳ Babywickelraum

▦ Filmvorführungen

☎ Telefon

▨ nicht zugänglich

Ausstellungsabteilungen und Übersichtspläne

Erdgeschoß/Untergeschoß*

* Zugang nur über das Erdgeschoß

Untergeschoß

Zugang nur über das Erdgeschoß

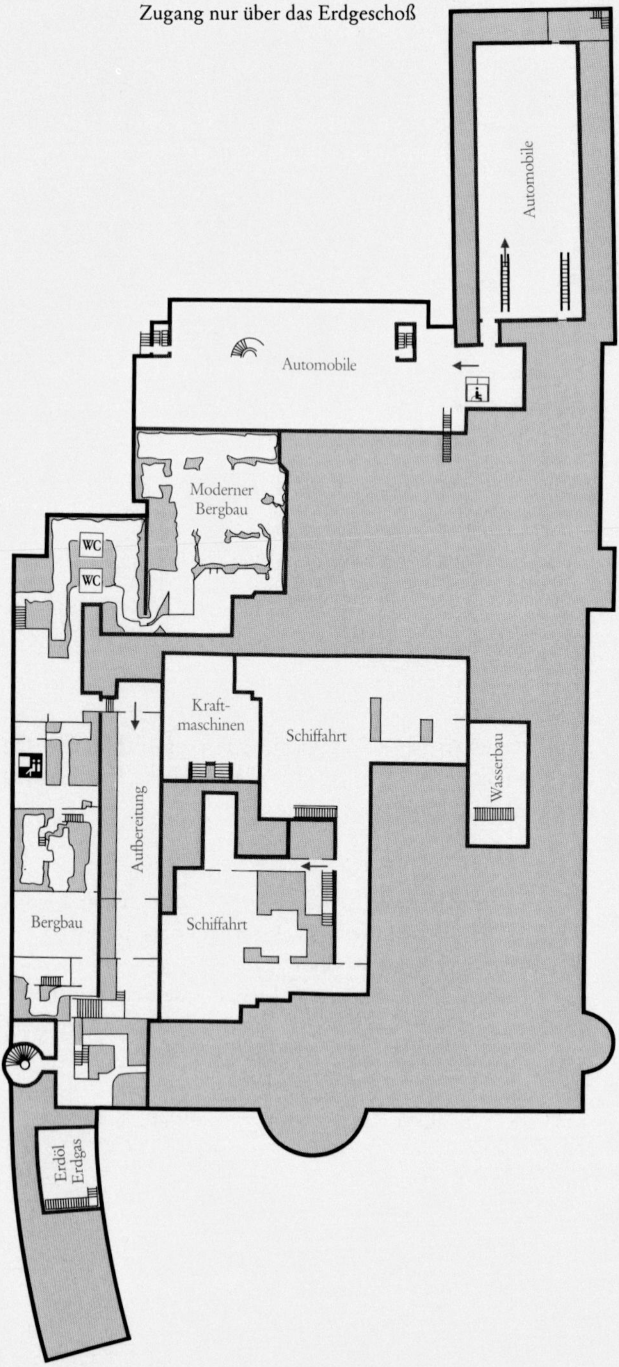

Automobile

Automobile

Moderner
Bergbau

WC

WC

Kraft-
maschinen

Schiffahrt

Wasserbau

Aufbereitung

Bergbau

Schiffahrt

Erdöl
Erdgas

Erdgeschoß

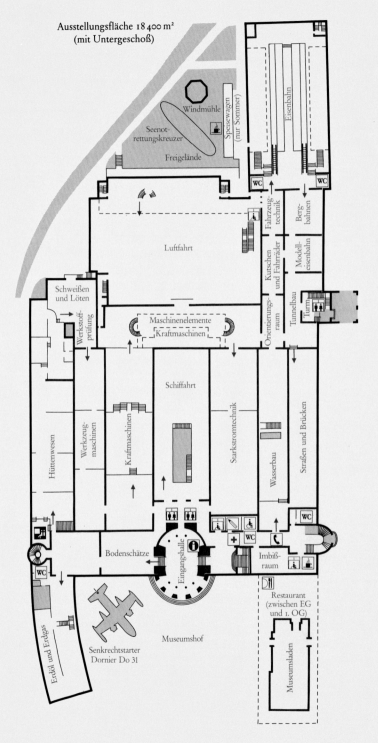

Ausstellungsfläche 18 400 m²
(mit Untergeschoß)

Windmühle

Seenot-
rettungskreuzer

Speisewagen
(nur Sommer)

Freigelände

Eisenbahn

Berg-
bahnen

WC   WC

Luftfahrt

Fahrzeug-
technik

Kutschen
und Fahrräder

Modell-
eisenbahn

Schweißen
und Löten

Werkstoff-
prüfung

Maschinenelemente

Kraftmaschinen

Orientierungs-
raum

Tunnelbau

Turm

Schiffahrt

Hüttenwesen

Werkzeug-
maschinen

Kraftmaschinen

Starkstromtechnik

Wasserbau

Straßen und Brücken

WC

WC

Bodenschätze

Eingangshalle

Imbiß-
raum

Restaurant
(zwischen EG
und 1. OG)

Erdöl und Erdgas

Senkrechtstarter
Dornier Do 31

Museumshof

Museumsladen

1. Obergeschoß

1. Obergeschoß

Ausstellungsfläche 16 400 m²

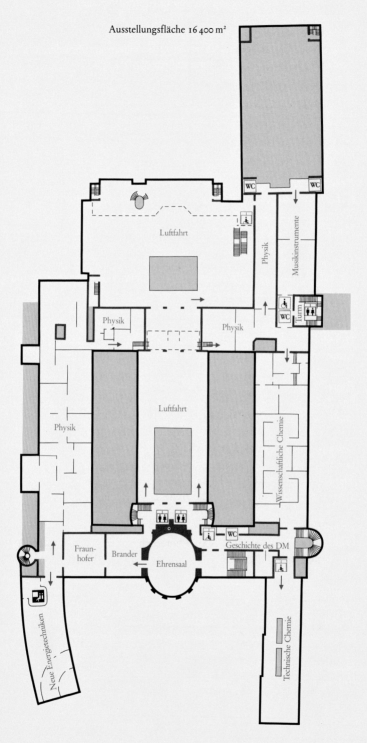

2. Obergeschoß

2. Obergeschoß

Ausstellungsfläche 3 800 m²

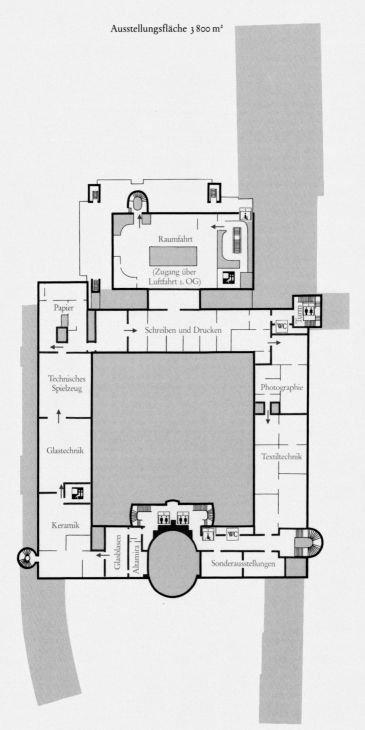

3. Obergeschoß

3. Obergeschoß

Ausstellungsfläche 3 000 m²

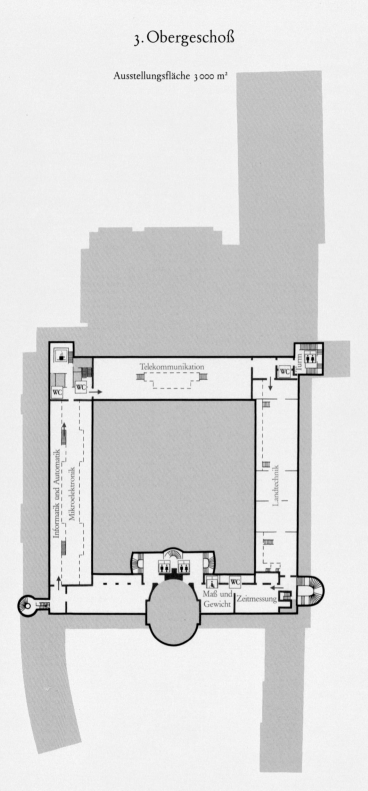

4. Obergeschoß

Amateurfunk 319

Oststernwarte (nicht zugänglich)
Weststernwarte 326 (Zugang im 3. Obergeschoß bei der Abteilung
Zeitmessung).

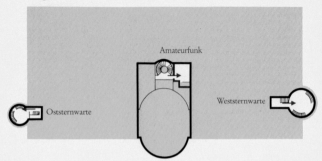

5. Obergeschoß

Astronomie 321
Geschichte und Grundbegriffe der Himmelskunde 321
Entwicklung der Planetarien 324

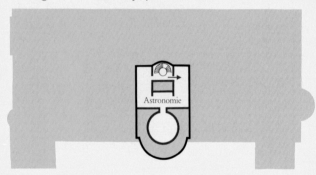

6. Obergeschoß

Planetarium 326
Eintrittskarten an der Information in der Eingangshalle erhältlich.
Simulation der Himmelsphänomene durch ein Zeiss-Projektionsgerät.

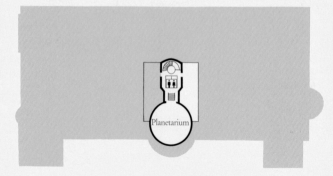

Vorführungen und Filme

Die Vorführungen werden von unserem Vorführ- und Aufsichtsdienst kostenlos in den Sammlungen durchgeführt. Der Treffpunkt ist jeweils an den Hinweisschildern mit dem roten Punkt. Zahlreiche Filme stehen ebenfalls kostenlos in den Filmsälen (Fs.) Hüttenwesen und Bergbau zur Verfügung. Änderungen sind vorbehalten. Bitte erkundigen Sie sich an der Information in der Eingangshalle.

Uhrzeit	Vorführung (Dauer 15–20 Min.)	Geschoß	Film (ca. 30 Min.)
9.45	Bergbau (60 Min.)	EG	
10.00	Modelleisenbahn	EG	Erdöl und
	Luftfahrt	1. OG	Erdgas
(außer Mi.)	Autom. Ziegelfertigung (60 Min.)	2. OG	(Fs. Hütten-
	Planetarium	6. OG	wesen)
	Schiffahrt	EG	
10.30	Lokomotiven	EG	
	Formen und Gießen von Metallen	EG	
	Luftfahrt	EG	
	Handschöpfen von Papier	2. OG	
	Sternwarte (bis 11.30 Uhr geöffnet)	3. OG	
10.45		UG	Bergbau (Fs.)
11.00	Hochspannungsanlage	EG	
	Modelleisenbahn	EG	
(Mo.–Fr.)	Experimente in der Chemie	1. OG	
	Raumfahrt	2. OG	
	Glasblasen	2. OG	
	Amateurfunk	4. OG	
11.30	Lokomotiven	EG	Hüttenwesen
	Kraftmaschinen	EG	(Fs.)
	Kunststoffverarbeitung (Technische Chemie)	1. OG	
	Landtechnik	3. OG	
12.00	Modelleisenbahn	EG	
	Planetarium	6. OG	
13.00	Modelleisenbahn	EG	
13.30	Lokomotiven	EG	
	Geschichte d. Photographie (45 Min.)	2. OG	
13.45	Bergbau (60 Min.)	EG	
14.00	Modelleisenbahn	EG	Erdöl und
	Hochspannungsanlage	EG	Erdgas
	Schiffahrt	EG	(Fs. Hütten-
	Luftfahrt	1. OG	wesen)
	Tasteninstrumente	1. OG	
(außer Mi.)	Autom. Ziegelfertigung (60 Min.)	2. OG	
	Glasblasen	2. OG	
	Landtechnik	3. OG	
	Planetarium	6. OG	
14.30	Formen und Gießen von Metallen	EG	
	Luftfahrt	EG	
	Kraftmaschinen	EG	
	Alte Apotheke	1. OG	
14.45		UG	Bergbau (Fs.)
15.00	Modelleisenbahn	EG	
	Textiltechnik	2. OG	
(Mo.–Mi.)	Langsiebpapiermaschine	2. OG	
	Raumfahrt	2. OG	
15.30	Lokomotiven	EG	Hüttenwesen
	Kunststoffverarbeitung (Technische Chemie)	1. OG	(Fs.)
16.00	Hochspannungsanlage	EG	
	Modelleisenbahn	EG	
	Planetarium	6. OG	

Informationen für Ihren Besuch

Thema des Deutschen Museums ist die Entwicklung der Technik und der Naturwissenschaften von den Ursprüngen bis heute. Vor dem allgemeinen kulturgeschichtlichen Hintergrund versucht es, Höchstleistungen der Forschung, Erfindung und Gestaltung darzustellen und deren Bedeutung und Wirkung zu erklären.

Das Deutsche Museum wirkt durch Ausstellungen, Publikationen und Vorträge. Diesen Aufgaben entsprechend umfaßt die Museumsinsel drei Bauteile: den Sammlungsbau, den Bibliotheksbau und den Kongreßbau.

Das Deutsche Museum wurde von Oskar von Miller 1903 gegründet, die Sammlung 1906 in provisorischen Ausstellungen eröffnet. Durch Krieg und Inflation verzögert, wurde der endgültige Museumsbau erst 1925 fertig. Die Bibliothek wurde 1932 eröffnet, der Kongreßbau 1935. Nach der Zerstörung im 2. Weltkrieg erfuhr der Sammlungsbereich durch Um- und Anbauten mehrere Erweiterungen. Das Deutsche Museum ist eine rechtsfähige Anstalt des öffentlichen Rechts. Es hat das Recht der Selbsverwaltung im Rahmen einer Satzung und steht unter Schutz und Aufsicht der Bayerischen Staatsregierung. Es hat jährlich ca. 1,5 Millionen Besucher. Mit ca. 55 000 m² Ausstellungsfläche ist das Deutsche Museum vermutlich das größte technisch-naturwissenschaftliche Museum der Welt.

Seine systematischen Dauerausstellungen umfassen die meisten Gebiete der Technik und die wichtigsten Gebiete der Naturwissenschaften, vom Bergbau bis zur Astrophysik. Neben historischen Originalen, darunter wertvolle Unikate wie das erste Automobil, die Magdeburger Halbkugeln oder der erste Dieselmotor, bietet das Museum Modelle, Experimente und Demonstrationen zum Selbstbetätigen von Hand oder durch Knopfdruck. So liefert der Museumsbesuch nicht nur unaufdringliche Belehrung, sondern auch Unterhaltung und Erlebnis. Darüber hinaus setzen sich temporäre Ausstellungen mit aktuellen Themen auseinander. Regelmäßig finden Führungen und Vorführungen statt. Für Besuchergrupen, wie z.B. Schulklassen, stehen Hörsäle für Vor- oder Nachbereitung zur Verfügung.

Öffnungszeiten
Museum und Bibliothek sind täglich von 9 bis 17 Uhr geöffnet. Die Sondersammlungen sind montags bis freitags von 13–17 Uhr geöffnet. *Geschlossen* sind Museum und Bibliothek am 1. Januar, Faschingsdienstag, Karfreitag, Ostersonntag, 1. Mai, Pfingstsonntag, Fronleichnam, 1. November, 24., 25. und 31. Dezember und ab 14 Uhr am 2. Mittwoch im Dezember.

Eintrittspreise
Tageskarte DM 8,– (Kinder unter 6 Jahren frei); Schüler, Studenten (mit Ausweis) DM 2,50; ermäßigte Tageskarte DM 4,–; Gruppen ab

20 Personen DM 4,– pro Person; Zehnerkarte (gemeinsam mit dem Tierpark Hellabrunn) DM 40,–. Planetarium zusätzlich DM 1,50 pro Person (Eintrittskarten in der Eingangshalle an der Information). Bibliothek und Sondersammlungen freier Eintritt.

Mitgliedschaft

Als Mitglied haben Sie freien Eintritt in das Museum und in das Planetarium mit Ihrem Ehegatten/Ihrer Ehegattin und bis zu 2 Ihrer Kinder (Höchstalter 18 Jahre) oder einer sonstigen Begleitperson. Die Mitgliedskarte ist auf Ihren Ehegatten übertragbar. Sie erhalten jährlich vier Ausgaben unserer *Museumszeitschrift „Kultur & Technik"* sowie weitere Vergünstigungen. Die Mitgliedschaft für ein Kalenderjahr kostet DM 58,–.

Schüler und Studenten bezahlen für ein Kalenderjahr DM 34,–, haben freien Eintritt in das Museum und Planetarium und erhalten vier Ausgaben unserer Zeitschrift „Kultur & Technik".

Weitere Auskunft erteilt Ihnen unsere Mitgliederabteilung (Tel. 089/ 2 17 93 10); beachten Sie auch S. 336.

Rat und Hilfe

Wenn Sie Rat und Hilfe benötigen, wenden Sie sich bitte an den Dienstleiter. Sie finden ihn in der Leitzentrale (vom Eingang nach rechts die kleine Treppe hinauf; Tel. 089/2 17 93 41).

Führungen

organisiert das *Referat Führungsbüro* (Tel. 089/2 17 92 52); bitte mindestens eine Woche vorher schriftlich anmelden; Dauer ca. 2 Stunden, maximale Teilnehmerzahl 25 Personen. Gebühren: DM 80,– für allgemeine Übersichtsführungen und DM 100.– für Fremdsprachen- und Fachführungen.

Spezialführungen der Volkshochschule jeden Sonntag von 11–13 Uhr, Treffpunkt Eingangshalle, Gebühr DM 5,– pro Person, ermäßigter Eintritt.

Führungen durch die Bibliothek finden jeden 2. Sonntag im Monat um 11 Uhr kostenlos statt. Zu sehen sind u. a. Lesesäle und Magazine.

Vorführungen und Filme

werden in den verschiedenen Abteilungen regelmäßig angeboten. Zeit- und Ortangaben finden Sie auf S. 19.

Behinderte Besucher

Rollstuhlfahrer gelangen über Rampen und Aufzüge in die meisten Ausstellungen. Treppen und Stufen sind den Lageplänen zu entnehmen. Behindertentoiletten befinden sich im Erdgeschoß (Eingangsbereich) und im 1. Obergeschoß (Abteilung Musikinstrumente). Der Aufzug zum Restaurant ist vom Imbißraum im Erdgeschoß aus zugänglich.

Essen und Trinken

Restaurant zwischen Erdgeschoß und 1.Obergeschoß, Neueröffnung im April 1991, vorwiegend Selbstbedienung.

Imbißraum im Erdgeschoß, Selbstbedienung mit umfangreichem Angebot an Getränken, kalten und warmen Speisen; Mitgebrachtes darf verzehrt werden.

Café im 3.Obergeschoß mit Blick nach Süden bis zu den Alpen, Getränke, kleine kalte und warme Speisen.

Speisewagen im Freigelände, nur während der Sommermonate, Getränke, kleine kalte und warme Speisen.

Der Museumsladen

bietet die Führer und Kataloge des Deutschen Museums sowie ein großes Sortiment an technik- und wissenschaftsgeschichtlicher Literatur (deutsch und englisch), wissenschaftliche Instrumente, Modell- und Experimentalbaukästen, technisches Spielzeug (z.B. Drachen, Papier- und Holzmodellbau), anspruchsvollere und einfachere Geschenkartikel usw. sowie alle lieferbaren Veröffentlichungen des Deutschen Museums (Tel. 089/299931). Das *Gesamtverzeichnis der lieferbaren Veröffentlichungen des Deutschen Museums* ist ebenfalls im Museumsladen kostenlos erhältlich, wird Ihnen aber auch auf schriftliche oder telefonische Anfrage von der Publikationsstelle des Deutschen Museums zugesandt (Tel. 089/2179247).

Photographieren

(auch mit Blitz) und Videoaufnahmen für private Zwecke sind erlaubt. Gewerbliche Photo-, Film-, Ton- und Fernsehaufnahmen sind nach Absprache mit der Pressestelle (Tel. 089/2179250) gegen Gebühr gestattet.

Sonderveranstaltungen

(Matineen, Vorträge usw.) werden in einem vierteljährlich erscheinenden Veranstaltungsprogramm angezeigt, welches über das Referat *Sonderveranstaltungen* zu beziehen ist (Tel. 089/2179246).

BESCHREIBUNGSTEIL

Im folgenden finden Sie ausführliche Beschreibungen aller Museums-
abteilungen, geordnet nach Geschossen. Innerhalb jedes Geschosses
entspricht die Reihenfolge einer denkbaren Führungslinie. Beachten
Sie bitte, daß einige Abteilungen nur in einer bestimmten Richtung
sinnvoll begehbar sind.

Jede der Beschreibungen liefert zunächst einen historischen Überblick
des Gegenstands und dann Informationen *„Zur Ausstellung"*.

Vorschläge für Rundgänge

Um alle Ausstellungsabteilungen des Museums anzusehen, brau-
chen Sie mehrere Tage. Bei begrenzter Zeit bietet sich, je nach Ihrem Interesse, eine vielfältige Auswahl. Von der Eingangshalle aus
haben Sie drei Möglichkeiten, die Ausstellungen zu betreten:

1. Die linke Treppe führt zu den Ausstellungen *Bergbau* und *Hüttenwesen.* Dieser Rundgang beginnt bei den Grundstoffen (Erdöl, Erz, Kohle) und führt über die Metallgewinnung (Hüttenwesen) und Metallbearbeitung zu den Fertigprodukten und
   Maschinen.

2. Der mittlere Zugang führt, wenn Sie sich nach links wenden,
   zu den *Kraftmaschinen;* der Rundgang endet bei der elektrischen Energieerzeugung und Hochspannungstechnik; Abzwei-
   gungen führen zu den Verkehrsabteilungen.
   Geradeaus vor Ihnen liegt die *Schiffahrt* – eine in sich geschlossen aufgebaute Ausstellung.

3. Die rechte Treppe führt in das 1. Obergeschoß. Hier bietet sich,
   wenn Sie den Ehrensaal durchqueren, ein systematischer
   Rundgang durch die wissenschaftlichen Ausstellungen *Physik*
   und *Chemie;* dabei kommen Sie auch zu den *Musikinstrumenten.* Ebenfalls im 1. Obergeschoß beginnt der Rundgang durch
   die Ausstellungen *Luft-* und *Raumfahrt.*

Abkürzungen bei den Bildunterschriften:

(O)	Original	(V)	Vorführung durch das
(N)	Nachbildung		Aufsichtspersonal
(R)	Rekonstruktion	(Di)	Diorama
(M)	Modell	(D)	Demonstration

Bodenschätze

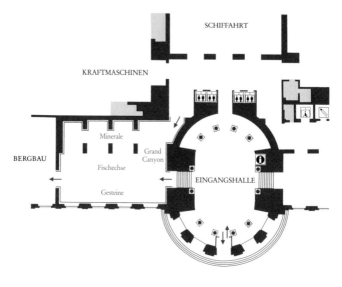

Die Wissenschaft von der stofflichen Beschaffenheit, vom Bau und von der Geschichte unserer Erde ist die Geologie. Begleitende Wissenschaftszweige der Geologie sind die Mineralogie, die Petrographie oder Gesteinskunde; die Paläontologie, deren Aufgabe es ist, aus den versteinerten Resten früher lebender Pflanzen und Tiere ein zeitlich und räumlich geschlossenes Ordnungssystem zu erarbeiten; die Tektonik als Lehre vom Bau der Erdrinde; die Geophysik und Geochemie als Wissenschaftszweige, die sich mit dem physikalischen Verhalten und der chemischen Zusammensetzung der Erde beschäftigen.

Geologie, das Wissen von unserer Erde, ist nicht nur wissenschaftlicher Selbstzweck. Sie dient dem Menschen tagtäglich in vielfältiger Weise. Schlagworte wie Erz, Kohle, Salz und Erdöl drängen sich auf. Der Straßenbau, der Hoch- und Tiefbau, der Bau von Brunnen, die Versorgung mit Baumaterialien (Sand, Kies, Gips, Ton), der Bau von Tunnels und Eisenbahntrassen: all dies sind praktische Anwendungsgebiete der Geologie.

Das in den letzten Jahren immer drängender werdende Problem des Umweltschutzes brachte neue Aufgaben für die Baugrund- und Hydrogeologie. Günstigste Standorte für Haus- und Sondermüll ohne Beeinträchtigung des Grundwassers sind eines der mannigfaltigen Probleme. Zu den traditionellen Aufgaben der Geologie kam nach 1945 ein neues Arbeitsfeld: die Meeresgeologie. Der steigende Bedarf an Rohstoffen erforderte eine Ausweitung der Rohstofforschung in den marinen Bereich. Manganknollen, Phosphoritknollen, Erzschlämme und – vor allem – Öl sind heute Rohstoffreserven, die zu erforschen, zu erschließen und zu fördern ein Ziel der Meeresgeologie ist.

Aber es ist nicht nur das Streben nach materiellen und wirtschaftlichen Vorteilen, das die Menschen seit alters bewogen hat, sich mit den verschiedenen Arten der Gesteine, mit den inneren und äußeren Kräften der Erde, mit Vulkanen, Erdbeben und Überflutungen zu befassen. Für Heraklit (ca. 500 v. Chr.) gibt es nichts Festes und Bleibendes in der Welt. Alles ist in Veränderung begriffen. Etwa gleichzeitig beschreibt Herodot versteinerte Schalen von Meeresmuscheln in den Bergen Ägyptens und folgert daraus eine einstige Bedeckung Unterägyptens durch das Meer. Seit der Antike bis in die Neuzeit beschäftigten sich immer wieder Gelehrte mit den Fragen der Entstehung und dem Bau der Erde, aber erst im Jahre 1765 wurde in Freiberg/Sachsen die erste Bergschule gegründet. Abraham Gottlob Werner war die unbestrittene Autorität dieses ersten Lehrstuhls für *Geognosie.* Weitere Neugründungen von Bergschulen folgten: Schemnitz 1770; St. Petersburg 1783; Paris 1790. Leopold v. Buch, Horace Bénédicte de Saussure, Alexander v. Humboldt, James Hutton, William Smith, George Cervier, Alexandre Brongniart u. a. folgten dem Beispiel Werners. Die Geologie wurde zur eigenständigen wissenschaftlichen Disziplin.

Der vom Menschen bewohnbare, benutzbare Teil der Erde ist die äußere Erdkruste. Sie reicht bis in eine Tiefe von etwa 35 km. Sie schwimmt auf dem zähplastischen Material der äußeren Mantelzone. Es folgt die innere Mantelzone, die bei etwa 2900 km Tiefe an den zweigeteilten Erdkern anschließt. Der äußere Teil des Erdkerns ist flüssig, der innerste fest. Die Temperaturen liegen hier bei 2000° bis über 4000 °C. Im inneren Kern werden Drücke von mehr als 3,5 Mio. bar angenommen.

Zur Ausstellung

Die Ausstellung liegt am Beginn der bergbautechnischen Abteilungen und wird aus der Eingangshalle über die linke Treppe betreten. Eine Führungslinie ist entlang der im folgenden geschilderten Bereiche zweckmäßig:

Minerale, Kristalle, Gesteine

Ein Mineral ist ein in sich einheitlicher, natürlich entstandener fester Bestandteil der Erdkruste. Fast alle Minerale entwickeln bestimmte Kristallformen, d. h. stofflich einheitliche Körper mit regelmäßigem Gitterbau der Atome, Ionen oder Moleküle. Sie sind streng geometrisch gestaltet und haben als Begrenzung vorwiegend glatte Flächen. Der Aufbau des Kristallgitters bestimmt die äußere Kristallform, Härte und Spaltfähigkeit, Art des Bruchs, Dichte und andere Eigenschaften.

Die verschiedenen Kristallgestalten werden in sieben Kristallsysteme gruppiert. Es gibt mehr als 2000 Minerale, von denen jedoch nur etwa 100 von Bedeutung sind. Am Aufbau der Gesteine haben nur etwa zwei Dutzend Minerale wesentlichen Anteil.

Mineralien oder Mineralgemenge mit einem nutzbaren Metallgehalt sind Erze. Ein Gestein ist ein Gemenge von natürlich entstandenen Mineralien. Man untergliedert sie in drei Hauptgruppen: Magmatite, Sedimente und Metamorphite.

1. Ausgangsmaterial für die *Magmatite* (magmatische Gesteine) ist die zäh- und glutflüssige Schmelze des Erdinnern, das Magma. Dringt diese Schmelze in die unteren Teile der Erdkruste ein, entstehen die *Plutonite*. Ergießt sich magmatisches Material als Lava über die Erdoberfläche, bilden sich *Vulkanite*.

Zwischen beiden Gruppen liegen die Ganggesteine.

Plutonite	*Ganggesteine*	*Vulkanite*
Granit	Granitporphyr	Quarzporphyr
Syenit	Syenitporphyr	Trachyt
Diorit	Dioritporphyr	Porphyrit
Gabbro	Gabbroporphyrit	Basalt
Peridotit		Pikrit

2. *Sedimentgesteine* (Absatzgesteine) sind Gesteine, die letztlich immer auf die Verwitterung anderer Gesteine an der Erdoberfläche zurückgehen, d. h. verwittertes Gesteinsmaterial wird in fester oder gelöster Form transportiert (Wasser, Wind) und an anderer Stelle wieder abgelagert

Grand Canyon (Di)
Der Grand Canyon, das Tal des Colorado-Flusses im Südwesten der Vereinigten Staaten, bietet wie kaum ein anderes Gebiet Einblick über lange Zeiträume der Erdgeschichte. Der Basiskomplex, gleichsam das Fundament des 1600 m mächtigen Stapels von flach gelagerten Sandsteinen, Mergeln und Kalken, besteht aus Glimmerschiefern, deren Alter etwa 1500 Mio. Jahre beträgt. Die Kalke des obersten Canyon-Randes sind aber «nur» 200 Mio. Jahre alt. Es wäre aber falsch zu glauben, daß das 1600 m mächtige Sedimentpaket, wie es sich im Grand Canyon dem Beschauer darbietet, eine lückenlose 1300 Mio. Jahre alte Geschichte von Meer- und Landsedimenten darstellt, denn es fand zwischen den Zeiten reger Ablagerung auch wieder Abtragung (ca. 1000 m) statt. Dadurch entstanden zeitliche Lücken. Trotz allem zeigt der Grand Canyon eine gewaltige Spanne unserer Erdgeschichte.

oder chemisch ausgefällt. Mikroorganismen spielen bei der chemischen Fällung eine bedeutende Rolle. Ein wesentliches Merkmal der Sedimente ist die fast immer vorhandene Schichtung. Zwischen dem Stadium des unverfestigten Sediments (Ton, Sand, Kies, Schotter) und dem festen Sedimentgestein (Tonstein, Sandstein, Konglomerat, Breccie) liegt der Bereich der chemischen und mechanischen Verfestigung, der als Diagnese bezeichnet wird. Eine spezielle Gruppe von Sedimentgesteinen sind die Sintergesteine und Salze sowie die Kohlen.

Sintergesteine entstehen dort, wo unterirdische Wässer austreten und aufgrund von Druck- und Temperaturänderungen die im Wasser gelösten Bestandteile (Kalk, Kieselsäure) ausgefällt werden. Bekannt sind die porigen Kalktuffe (Travertin) aus den Sabiner Bergen bei Rom (Petersdom, Kolosseum) oder aus der Gegend von Bad Cannstatt.

Salzgesteine entstehen in abgeschnürten Meeresbuchten bei trockenem Klima. Während das Meerwasser, das nur zeitweilig Verbindung mit dem offenen Meer hat, stetig verdunstet, bleiben die im Wasser gelösten Salze zurück und reichern die Restflüssigkeit immer stärker an, bis der Fällungspunkt erreicht ist. Die bekanntesten Salzgesteine sind: Steinsalz, Anhydrit- und Gipsstein, Sylvinit, Hartsalz, Carnallitgestein und Kainitgestein.

Kohlegesteine, auch Anthrazide genannt, sind organischen Ursprungs und deshalb strenggenommen keine echten Gesteine. Da sie aber meist derart verändert auftreten, daß ihre organische Herkunft kaum mehr erkennbar ist, zählt man sie dennoch zu den Sedimenten.

Glieder der Inkohlungsreihe	Kohlenstoffgehalt [%]
Holz	50
Torf	60
Braunkohle	73
Steinkohle	83
Anthrazit	94
Graphit	100

Kalkstein ist das am weitesten verbreitete organogene Sediment. Es entsteht unter Mitwirkung von Organismen – wie Algen, Muscheln, Foraminiferen, Korallen, Brachiopoden und Schnecken – vorzugsweise im Meer. Vereinzelt bilden sich in Seen Süßwasserkalke. Die angeführten Lebewesen bauen aus dem im Wasser gelösten Kalk ihre Stützgerüste auf. Nach dem Absterben sinken sie zu Boden, wo sich aus den Hartteilen Kalkschlamm bildet. Bei vielen Kalksteinen kann man die Hartteile einstiger Organismen noch deutlich erkennen (Fossilien). Diese Ansammlung von Organismenresten können zusammen mit chemisch-physikalischer Kalkausfällung in Jahrmillionen Gesteinspakete von mehreren hundert Metern Mächtigkeit bilden. Hauptbestandteil der Kalkgesteine ist das Mineral Calcit ($CaCO_3$).

Dolomitstein (kurz Dolomit) ist dem Kalkstein nahe verwandt. Er wurde im Meer durch Verbindung von Kalk und dem im Wasser enthaltenen Magnesium gebildet. Seine Verbreitung ist geringer als die von Kalk. Er besteht aus dem Mineral Dolomit ($CaMg[CO_3]_2$).

Ichthyosaurus (Fischechse) *Stenopterygius quadriscissus* (Qu. em. E. Fraas)
Alter: Lias (ca. 190 Mio. Jahre). Fundort: Holzmaden/Württemberg (O)
Die Posidonienschiefer, benannt nach der Muschel Posidonia, ein typisches Fossil für
eine Stufe des Schwarzen Jura (Lias ε), sind reich an versteinerten Resten von Lebewesen aus dem ehemaligen Jurameer. Bei Holzmaden/Württemberg findet man besonders schöne Exemplare solcher Versteinerungen, wie das Beispiel des ausgestellten Ichthyosauriers, der in seiner Körperform heute lebenden Delphinen ähnlich war,
zeigt.

Kieselgesteine bestehen aus abgestorbenen Resten (Stützgerüsten) von
Kieselalgen (Diatomeen), Radiolarien und Kieselschwämmen. Durch
Verfestigung des Ausgangsmaterials, durch Aus- und Umkristallisation
entstehen Kieselschiefer, Radiolarit und Feuerstein.
Versteinerungen (Petrefakten, Fossilien) sind zu Stein gewordene Über-
reste von Organismen bzw. Lebensspuren. Dabei werden die organischen Teile nicht unmittelbar umgewandelt oder erhalten, sondern lediglich Formen und Strukturelemente überliefert. Tiere und Pflanzen in
versteinerter Form, die – weltweit verbreitet – nur in ganz bestimmten
geologischen Epochen gelebt haben, bezeichnet man als Leitfossilien.
Sie sind bedeutende Hilfsmittel, um die Schichtenfolge im Laufe der
Erdgeschichte zu ordnen.

3. *Metamorphite* (Umwandlungsgesteine) gehen aus der Umwandlung
irgendwelcher Gesteine durch Druck und Temperatur hervor. Man unterscheidet die durch Aufdringen von magmatischem Material verursachte Kontaktmetamorphose und die durch mächtige Gesteinsüberla-
gerung verursachte Regionalmetamorphose.
Typische Vertreter der Regionalmetamorphose sind Fruchtschiefer,
Granatfels, Hornfels und kristalliner Marmor. Bei der Regionalmetamorphose unterscheidet man je nach Intensität von Druck und Temperatur drei Bildungszonen: Die Epi-, die Meso- und die Katazone.
Wird das Ausgangsgestein noch tiefer in die Erdkruste hineinverlagert,
so erfolgt erneute Aufschmelzung (Anatexis): Das Gestein wird wieder
Bestandteil des Magmas.

Lagerstätten

Nutzbare Stoffe in der Erde wie Mineralien, Gesteine, Erdöl, Erdgas,
heiße Quellen und selbst das Grundwasser werden gemeinhin als Bodenschätze bezeichnet. In der Wissenschaft findet der Ausdruck Lagerstätte bevorzugt Anwendung. Lagerstätten erscheinen in verschiedenen

Formen: als Flöze, Lager, Gänge, Stöcke, Stockwerke, Horizonte, Imprägnationen, Nester oder als Seifen. Wie bei den Gesteinen unterscheidet man bei den Erzen, den eigentlichen Erzmineralien, eine magmatische, eine sedimentäre und eine metamorphe Entstehung.

Edel- und Schmucksteine. Seit der Antike sind Edelsteine bekannt und begehrt. Sie dienten vornehmlich der Herstellung von Schmuck, manchmal auch als vermeintliche Mittel gegen Krankheit und Zauberei. Bis zum 16. Jahrhundert wurden Edelsteine meist ungeschliffen, in ihrer natürlichen Form verarbeitet. Erst im 16. Jahrhundert gelang der Facettenschliff.

Eine allgemein gültige Definition für den Begriff Edelsteine gibt es nicht. Wichtigste Eigenschaften der Edelsteine sind Härte, Farbgebung, Durchsichtigkeit und Lichtspiel.

Die Gewichtseinheit im Edelsteinhandel ist das Metrische Karat (mct) = 0,2 g. Verwirrung schaffen die im Handel verwendeten Namen für Edelsteine, die oft nicht mit den mineralogischen Definitionen übereinstimmen, z. B. Arkansas-Diamant (Handelsname) = Quarz (Mineralname). *W. Kretzler*

Rammelsberg (Di)
Urkundliche Erwähnung findet der Erzbergbau am Rammelsberg erstmals für die Zeit von 961 bis 968. Die Lagerstätte enthält Zinkblende, Bleiglanz, Schwefel- und Kupferkies. In den Nebengemengteilen sind Metalle wie Antimon, Cadmium, Wismut und – in geringerer Konzentration – Edelmetalle enthalten. Der Rammelsberg enthält zwei Erzlager: das Alte und das Neue Lager. Das Alte Lager strich früher auf einer Länge von ca. 500 m über Tage aus. Hier begannen erste bergbauliche Tätigkeiten, die sich vorwiegend auf die Gewinnung von silberhaltigen Erzen konzentrierten. Das Alte Lager ist inzwischen abgebaut; das Neue Lager liegt tiefer und wird heute nur noch im untersten Teil abgebaut.

Erdöl und Erdgas

Galerie   Erdgeschoß   Untergeschoß

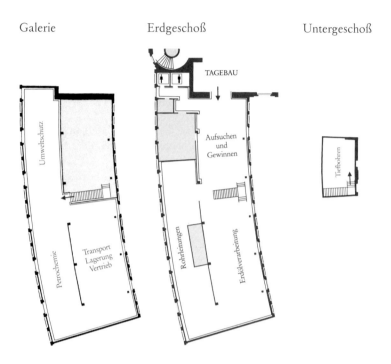

Die Nutzbarmachung des Erdöls

Spricht man von der Geschichte des Erdöls, so meint man über Jahrtausende zunächst die Geschichte des natürlich vorkommenden Erdpechs, Bitumen oder Teers. Es wurde als Dichtungs- und Baumaterial und – wie auch zum Teil noch heute – als Heilmittel verwendet (zum Beispiel Steinöl, Ichthyol).

Tempel und Paläste der Sumerer aus luftgetrockneten Lehmziegeln waren mit Bitumen verpicht. Dem Turmbau von Babylon unter Nebuchadnezar II. soll dieses Konstruktionsprinzip ebenfalls zugrunde gelegen haben.

In Deutschland finden Teerkuhlen aus der Gegend um Celle erstmals im Jahre 1013 in einer Beschreibung der Bistumsgrenzen zwischen Minden und Hildesheim Erwähnung. In den *Tegernseer Pamphleten,* um 1440, werden die Wohltaten des *St. Quirin-Öls* beschrieben. Eine Kundenliste aus dem 16. und 17. Jahrhundert nennt unter anderem die Königin Magdalena v. Ungarn (1571), Kurfürst Ludwig v. Heidelberg (1579), Herzog Maximilian v. Bayern (1619) und andere.

Bis in die Mitte des 19. Jahrhunderts wurden Teer, Öl, Bitumen *(Erdölderivate)* entweder an natürlichen Austritten gesammelt oder in flachen Schächten zugänglich gemacht.

Mit dem Einsetzen der industriellen Entwicklung in Deutschland begann auch die gezielte Suche nach Rohstoffen. Unter anderem wurden von der Königlich-Hannoverschen Regierung dreizehn Bohrungen genehmigt, die von Georg Christian Konrad Hunaeus, Professor für Geognosie an der Polytechnischen Schule Hannover, geleitet wurden. Drei dieser Bohrungen sollten die Herkunft des Teers in den Kuhlen von Wietze, Hänigsen und Eidesse aufklären. Die Bohrarbeiten begannen Anfang April 1858 und endeten Anfang Mai 1859 in 35,6 m Tiefe bei beträchtlichem Ölzufluß. Damit ist auch die oft aufgestellte Behauptung widerlegt, der Amerikaner Edwin Drake *(Colonel Drake)* habe die erste Erdölbohrung durchgeführt. Drake bohrte von Anfang August bis 27. August 1859. Am 28. August sah sein Assistent, Bill Smith, Öl auf dem Wasser.

Die Erfolge von Hunaeus riefen in der Folgezeit ein *deutsches Ölfieber* hervor. Geschäftemacher und Spekulanten stellten sich ein. Das Grand-Hotel in Peine war überfüllt und wurde in Neu-Pennsylvanien umbenannt. Die Grundstückspreise stiegen von 1 Mark pro Morgen auf 6000 Mark. 1880 bis 1883 brachten über 100 Gesellschaften fast 600 Bohrungen nieder. Diesem Raubbau folgte aber schon bald die Ernüchterung. Erst in den zwanziger Jahren dieses Jahrhunderts übernahm die Preussag die Restbetriebe und explorierte planmäßig.

Weniger spektakulär als in Niedersachsen verliefen die Aufschluß- und Förderaktivitäten im Oberrheintal und im Voralpenland. Seit 1498 waren bei Pechelbronn und Lampertsloch im Oberrheintalgraben natürliche Vorkommen von Bitumen bekannt. 1742 begann die Erdölgewinnung in Pechelbronn durch den Franzosen de la Sablionère, der aus 30 m tiefen Schächten Ölsand gewann. Er errichtete hierfür eine eigene Aufbereitungsanlage. Ab 1885 wurden aus der Grube Messel bei Darmstadt Ölschiefer gewonnen und ausgeschwelt.

Im Alpenvorland, bei Robogen am Tegernsee, an einem Ölaustritt in der Nähe der St. Quirinskapelle, wurden ebenfalls im 19. Jahrhundert Schächte und Bohrungen bis 200 m Tiefe niedergebracht. Daraus wurden 200 t Öl gefördert.

Aufschlußbohrungen und Förderung in Niedersachsen, Schleswig-Holstein, im Oberrheintal und im Alpenvorland wurden seither mit unterschiedlicher Intensität und Erfolg weiter betrieben. In den letzten 125 Jahren wurden in Deutschland ca. 20000 Bohrungen niedergebracht.

Bohrtechnik

Der Arbeitsvorgang *Bohren* war der vorgeschichtlichen Technik nicht unbekannt. Der Engländer Feinders Petrie weist 1885 sogar die Verwendung eines Diamantkernbohrverfahrens beim Bau der Gizeh-Pyramide nach. Die Wiederanwendung dieses Verfahrens wird allgemein als Erfindung des 19. Jahrhunderts angesehen.

Bei einer Aufzählung all derer, die sich mit dem Problem des *Erdbohrens* beschäftigt haben, findet man auch Leonardo da Vinci.

Die erste maschinentechnisch interessante Konstruktion eines Tief-
bohrapparates dürfte die des Zellerfelder Maschinenmeisters Johann
Bartels (1713) gewesen sein. Die Maschine arbeitet nach dem schon bekannten *stoßenden Seilbohrverfahren.* 1714 erscheint in Leipzig Johann
Christian Lehmanns Beschreibung eines Bohrapparates, der in den obe-
ren Teufen drehend und in größeren Teufen stoßend arbeitet. Die zahlreichen positiven Beurteilungen in zeitgenössischen Fachpublikationen
zeigen, daß die Lehmannsche Bohrtechnik der deutschen und europäischen Tiefbohrentwicklung im 18. Jahrhundert wesentliche Impulse gegeben hat.

Es darf angenommen werden, daß das stoßende Bohren mit steifem Gestänge – in der zweiten Hälfte des 19. Jahrhunderts als *englisches Bohrverfahren* und bei Verwendung eines Abfallstückes (freier Fall) als *deutsches Bohrverfahren* bezeichnet – seinen direkten Ausgang in Lehmanns
Bohrverfahren hat.

Industrie- und Bevölkerungswachstum im 19. Jahrhundert erforderten
eine verstärkte Nutzung der wichtigen Bodenschätze Salz, Kohle, Erz
und Öl. In diesem Zusammenhang ist Karl Christian Friedrich Glenck
(1779–1845) zu nennen, der als erster deutscher Bohrfachmann systematisch und erfolgreich nach Salzvorkommen bohrte. Seine Arbeiten in
der Gegend von Weimar brachten ihn in engen Kontakt zu Goethe, der
seine Eindrücke von den Bohrerfolgen Glencks in einem Brief vom
13. November 1829 an seinen Freund Zelter wiedergibt.

Treibende Kraft bei dem Bestreben, Salzvorkommen oder Solequellen,
entsprechend den süddeutschen, aufzusuchen und zu verwerten und
damit von Einfuhren unabhängig zu werden, waren wirtschaftspoliti-
sche Bestrebungen des preußischen Staates.

Die maximal erreichbare Bohrteufe beim Bohren mit starrem Gestänge
lag zu diesem Zeitpunkt bei ca. 400 m. Größere Teufen waren aber nötig. Carl von Oeynhausen überwand mit seiner Erfindung der Rutsch-
schere (1834) die Schwierigkeiten der Gestängebrüche beim Bohren mit
starrem Gestänge, ermöglichte größere Teufen und erhöhte die Wirtschaftlichkeit.

Die Fortschritte in der Bohrtechnik in der zweiten Hälfte des 19. Jahrhunderts durch Ingenieure und Konstrukteure wie Karl Gotthelf Kind,
Josef Kindermann, Joseph Chaudron oder Friedrich Hermann Poetsch
blieben auch nicht ohne Einfluß auf den Steinkohlenbergbau.

Die Möglichkeit des Schachtbohrens mit großem Durchmesser (bis
4,53 m) führte im Ruhrbergbau zur Umstellung vom Stollenbau zum
Tiefbau.

Die 2000-m-Marke wurde erstmals (1893) bei einer Bohrung nach dem
Köbrichschen Bohrverfahren überschritten (2003 m). Bergrat Köbrich
benutzte sowohl das 1846 in Frankreich erfundene Spülbohrsystem wie
auch das auf der *Pariser Weltausstellung* (1867) gezeigte Diamantbohr-
system nach Leschot in Kombination mit der altbewährten Schwengel-
bohreinrichtung mit Freifall. Dazu führte er erstmals die Verrohrung
mit Mannesmann-Röhren durch.

1886 erscheint der erste Band einer sechsbändigen Tiefbohrkunde von

Dahlbusch-Rettungsbombe (N) *und Lengede-Rohr* (O)
Die Anwendung der Tiefbohrtechnik bei Grubenkatastrophen hat in den letzten Jahrzehnten vielen Bergleuten das Leben gerettet. Besondere Beachtung verdient die Rettungsaktion im Herbst 1963 auf der Eisenerzgrube Lengede-Broilstedt. Dort konnten 14 Tage nach dem Unglück 11 Überlebende mit Hilfe einer Dahlbusch-Rettungsbombe aus 56 m Tiefe gerettet werden.

Theodor Tecklenburg. 1894 wird der Verein der Bohrtechniker gegründet, und 1895/96 macht Anton Raky die epochemachende Erfindung eines Schnellschlagbohrgerätes mit elastisch gelagertem Schwengel, das eine Steigerung der Bohrleistung um fast 100% erbrachte.
Raky war aber nicht nur genialer Ingenieur, sondern auch ein erfolgreicher Kaufmann. In der Zeit von 1895 bis 1907 erreichte seine Bohrgesellschaft die enorme Gesamtbohrleistung von 1 Mio. Bohrmeter. Sie hatte 120 Bohranlagen mit Dampfantrieb im Einsatz, beschäftigte 240 Bohrmeister und 3000 Bohrarbeiter.

Die Entstehung von Erdöl und Erdgas

Erdöl entsteht durch die Ansammlung abgestorbener Kleinstlebewesen unter Mitwirkung von Bakterien bei Sauerstoffmangel sowie Druck- und Temperaturerhöhung. Der entstehende Faulschlamm wird bei langsam absinkendem Meeresboden von kalkigen und tonigen Ablagerungen bedeckt. Druck und Temperatur verdichten den Faulschlamm in langen Zeiträumen zu Erdölmuttergestein. Die organische Substanz verwandelt sich dabei in flüssige und gasförmige Kohlenwasserstoffe: Erdöl und Erdgas. Der Druck der überlagernden Gesteinsschichten preßt das Erdöl und Erdgas aus dem Muttergestein in das porösere

Speichergestein, wo es sich an den strukturell höchsten Stellen sammelt. Dies sind auch die Stellen, nach denen bei der geologischen und geophysikalischen Vorerkundung (Exploration) gesucht wird. Es handelt sich dabei im wesentlichen um Verbiegungen, Verfaltungen und Schiefstellungen der Gesteinsschichten, an deren höchsten Stellen sich möglicherweise Erdöl und Erdgas gesammelt haben. Diese Stellen sind es – nicht das Erdöl oder Erdgas selbst –, nach denen bei der Exploration gesucht wird. Geologische Vorerkundung und geophysikalische Methoden, vor allem Seismik, sind die Hilfsmittel, mit denen *höffige Strukturen* im Untergrund aufgespürt werden.

Flaschenzug, Spülkopf und Drehtisch einer Rotary-Bohranlage, 1976 (O)
Das Kernstück einer Rotary-Bohranlage ist der Drehtisch, der über eine viereckige Mitnehmerstange (Kelly) das an einem Flaschenzug hängende Bohrgestänge in Drehung versetzt. Der Antrieb erfolgt durch Dieselmotoren.

1. Die *Bohrtechnik* steht von Anfang an in enger Beziehung zur Gewinnung von Erdöl. Zwar hat die Entwicklung der Bohrtechnik ihre historischen Wurzeln im Bergbau, doch die wesentlichsten Entwicklungen und Verfeinerungen sind auf das Erdöl zurückzuführen. Erste Berichte von Bohrungen bis zu Tiefen von 500 m sind aus China bekannt. Nach derselben Methode, nämlich dem Seilbohren, wurden auch noch im 19. Jahrhundert in Nordamerika (Pennsylvania) Erdöllagerstätten erschlossen. In Europa wurden allerdings schon zu dieser Zeit Bohrungen mit starrem Gestänge niedergebracht.

Beim Rotary- oder Drehbohrverfahren, seit Beginn des 20. Jahrhunderts die gebräuchlichste Bohrmethode, wird das Gestein nicht schlagend durch einen herabfallenden Meißel zertrümmert, sondern von einem sich drehenden Bohrmeißel zermalmt. Neuartige Rollen- und Diamantmeißel, besondere Spülflüssigkeiten und andere Neuerungen bringen heute unter günstigen Bedingungen Bohrfortschritte bis zu mehreren hundert Metern pro Tag. Gab man sich in den ersten Jahrzehnten der Erdölgewinnung noch mit der Ölmenge zufrieden, die aufgrund des Lagerstättendrucks aus dem Bohrloch floß, so setzte man später Tiefpumpen ein, erhöhte den Lagerstättendruck durch Einpressen von Wasser und in jüngster Zeit von Wasserdampf und chemischen Zusätzen, um das Öl vollständig aus dem Speichergestein zu lösen.

Mit dem zunehmenden Bedarf an Erdöl und Erdgas wurden in den letzten Jahren in immer größerem Maße unterseeische Lagerstätten für die Produktion erschlossen. Eigene Geräte und Anlagen wurden entwickelt und gebaut: Meßschiffe, Bohrinseln, Bohrschiffe, Produktionsplattformen, Rohrverlegeschiffe, Klein-U-Boote usw.

2. Der *Transport* von Erdöl geschah in Holzfässern (barrel = 159 l), bis im Jahre 1865 die erste gußeiserne Rohrleitung von Titusville (Pennsylvania) zur nahegelegenen Bahnstation verlegt wurde. Heute sind Pipelines und Großtanker ausschließliche Transportmittel für Erdöl und das erst in jüngster Zeit genutzte Erdgas.

3. Das *Naturprodukt Rohöl* ist ein Gemisch vieler chemischer Verbindungen. Hauptbestandteile sind Verbindungen von Kohlenstoff und Wasserstoff (Kohlenwasserstoffe). Um verbrauchsfähige Produkte aus Rohöl zu erhalten, sind im wesentlichen vier Verarbeitungsverfahren notwendig:

Die Destillation, das Trennen des Rohöls nach leichter und schwerer siedenden Anteilen (z.B. Benzine, Petroleum, Dieseltreibstoff).

Das Umwandeln (Kracken) der Destillationsrückstände in zusätzliche Benzine und Mitteldestillate.

Das Reinigen (Raffination) der Rohölprodukte.

Das Verbessern (Reformieren) der Benzinqualität.

4. Erhebliche Bedeutung für die *Versorgung* der Verbraucher mit Erdöl und Erdgas und deren Produkte hat die Lagerung. Sie geschieht meist in großen Lagertanks, in jüngster Zeit aber auch unterirdisch in leergeförderten Erdöl- und Erdgaslagerstätten.

5. Die *Weiterverteilung* von Erdöl und Erdölprodukten erfolgt auf dem Wasser-, dem Schienen- und dem Straßenweg. Im überregionalen Bereich übernimmt diese Aufgabe die Pipeline.
Erdgas wird fast ausschließlich durch Rohrleitungen transportiert.

6. Der *Einsatz* von Erdöl, Erdgas und deren Umwandlungsprodukten diente in den letzten dreißig Jahren vor allem zur Deckung des Energiebedarfs. Gleichzeitig entwickelte sich aber ein immer größerer Bedarf an Erzeugnissen, deren Grundstoff Erdöl oder Erdgas sind. In der petrochemischen Industrie werden Kunststoffe, Kunstfasern, Lösungsmittel, Waschmittel u. v. a. hergestellt.

7. In der Bedeutung des Erdöls für unser tägliches Leben übersieht man häufig den Bereich der *Schmiermittel.* Dabei sind viele technische Abläufe ohne den Einsatz hochspezialisierter Gleitstoffe überhaupt nicht denkbar.

Zur Ausstellung

Ein Rundgang durch die Abteilung beginnt mit dem Bereich Aufsuchen und Gewinnen. Danach wendet sich die Führungslinie nach rechts und geht in einer Schleife zurück zur Treppe, die auf die Galerie führt; dort wird vor allem das Thema Umweltschutz dargestellt.

Unterwassererschließung von Erdöl und Erdgas, 1976 (M)
Für die Erschließung und Förderung von Erdöl und Erdgas aus unterseeischen Lagerstätten wurde in den letzten Jahrzehnten eine immer größer werdende Zahl von Anlagen, Spezialschiffen und Geräten entwickelt:
Meß- und Ortungssysteme, Bohrinseln unterschiedlicher Bauart, Bohrschiffe zu Explorations- und Forschungszwecken, Produktions- und Unterwasserförderanlagen, Rohrverlegeschiffe und Unterwasserbagger, Vermessungs-, Sicherheits- und Versorgungsschiffe, Klein-U-Boote usw.

Aufsuchen und Gewinnen

Hier verschafft man sich einen allgemeinen Überblick über die Entstehung, Prospektion und Fördermöglichkeit von Erdöl und Erdgas, zu dem auch im Untergeschoß eine Ausstellung über Tiefbohren gehört. Ein weiterer Bereich zeigt den Bau und Betrieb von Rohrleitungen.

Erdölverarbeitung

Der Bereich Erdölverarbeitung gibt einen Überblick über die Weiterverarbeitung des Rohproduktes in Raffinerien. Fließgraphiken und Modelle veranschaulichen die einzelnen Prozeßschritte.

Transport, Lagerung und Vertrieb

Die oberirdische Lagerung in Großtanks, die unterirdische Lagerung in Porenspeichern und der Schiffstransport von Flüssiggas werden hier ebenso gezeigt wie die Verteilung von Petroleum mit Pferdewagen in der Zeit um 1900.

Öl und Gas als Brennstoff

Dieser Bereich zeigt die Möglichkeiten der energetischen Nutzung im Wohnbereich und in der Industrie.

Petrochemie

Die Petrochemie, ein Industriezweig, der, wie kaum ein anderer, in den täglichen Bedarf der Menschen einbezogen ist, wird anhand von Graphiken, Modellen und Produkten dem Verständnis näher gebracht.

Schmiermittel (in Planung)

Umweltschutz

Die Folgen eines sorglosen Umganges mit den Rohstoffen Erdöl und Erdgas werden im Bereich Umweltschutz gezeigt. Gleichzeitig werden aber auch Alternativen und Schutzmaßnahmen vorgeführt.

Tiefbohren

Die Einrichtung und Durchführung einer Bohrung richtet sich nach dem Zweck der Bohrung (Baugrundbohrung, Prospektion auf Erze, Erdöl oder Salz usw.). Man unterscheidet Erkundungs-, Aufschluß- und Produktionsbohrungen. Eine Sonderstellung nehmen Entlastungs- und Rettungsbohrungen ein. Hilfseinrichtungen dienen der Sicherung einer Bohrung.

W. Kretzler

Bergbau

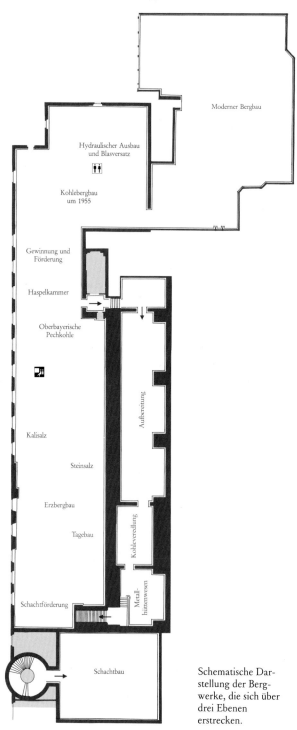

Moderner Bergbau

Hydraulischer Ausbau
und Blasversatz

Kohlebergbau
um 1955

Gewinnung und
Förderung

Haspelkammer

Oberbayerische
Pechkohle

Aufbereitung

Kalisalz

Steinsalz

Erzbergbau

Tagebau

Kohleveredlung

Schachtförderung

Metall-
hüttenwesen

Schachtbau

Schematische Dar-
stellung der Berg-
werke, die sich über
drei Ebenen
erstrecken.

Die Geschichte des Bergbaus ist – ähnlich wie die Geschichte des Akkerbaus – so alt wie die Menschheit selbst. Das härteste Material, das dem Menschen in der Steinzeit zur Anfertigung von Jagdwaffen und Geräten zur Verfügung stand, war der Feuerstein. Es galt ihn zu sammeln oder nach ihm zu graben. Bestätigung hierfür findet man in zahlreichen Grabungen, z. B. in England.

Frühgeschichtliche Kulturgegenstände und Schmuck aus Gold, Silber oder Kupfer legen Zeugnis dafür ab, daß der Mensch diese Metalle zuerst als verwendbar und dauerhaft erkannte. Der Grund hierfür ist sicherlich darin zu suchen, daß diese Metalle gediegen in Bächen und Flüssen zu finden waren und damit ein Verhüttungsprozeß entfiel.

Zwischen ca. 7000 und 2500 v. Chr. dürfte im vorderen Orient die Entdeckung gemacht worden sein, daß man zufällig gefundene Stücke von gediegenem Gold, Kupfer und – in geringerem Maße – Silber nicht nur mit Steinwerkzeugen bearbeiten und umschmelzen, sondern auch aus geeigneten Erzen Kupfer direkt erschmelzen kann.

Damit war der Grundstein für einen systematischen Erzbergbau gelegt. So bezogen z. B. die Sumerer ihr Kupfererz aus den Bergen von Makan, einem Gebiet, das wahrscheinlich identisch ist mit den nördlichen Teilen des heutigen Sultanats Oman, einer kupferreichen Bergregion. Die altägyptische Kultur deckte ihren Kupferbedarf überwiegend aus Bergbauexpeditionen auf die Halbinsel Sinai (u. a. aus Timna, nördlich der heutigen Hafenstadt Eilat).

Zeugnisse ur- und frühgeschichtlicher Bergbautätigkeit in Mitteleuropa findet man vor allem bei Mitterberg, im Salzburger Land und auf der Kelchalpe bei Kitzbühel. In diesem Revier wurden seit der frühen Bronzezeit bis weit in die Eisenzeit hinein (zwischen 1900 und 600 v. Chr.) Kupfererze abgebaut.

Die ökonomische und machtpolitische Bedeutung des Bergbaus zeigt sich erstmals deutlich in der Antike. Das Laurion-Silber, das aus silberhaltigen Bleierzen gewonnen wurde, oder auch das Silber der archaischen Bergwerke auf der Kykladeninsel Sifnos spielte im ägäisch-griechischen Wirtschaftsraum eine ähnliche Rolle wie im westlichen Teil des Mittelmeeres die reichen Silbererzvorkommen Spaniens für die Wirtschaft Karthagos und Roms.

Ein nicht zu unterschätzender Einfluß auf den Bergbau ging von der Einführung des Münzsystems aus. Geprägtes Edelmetall (Silber, Gold) als Zahlungsmittel, wie zum Beispiel die Attische Tetradrachme, erhob den Bergbau zu einem wirtschaftspolitischen Machtinstrument.

Die Römer waren mit dem Bergbau erst im Verlauf ihrer territorialen Expansion in Berührung gekommen. Einen römischen Bergbau oder eine römische Bergbautechnik gab es bis dahin nicht. Ihre Fähigkeit, sich das Wissen unterworfener Völker zunutze zu machen, versetzte sie in die Lage, Beiträge zur Ingenieurtechnik ihrer Zeit zu leisten. So errichteten sie offenbar in Rio Tinto (Spanien) die erste Schulungsstätte für den bergbaulichen Nachwuchs.

Mit dem Untergang des römischen Westreiches war auch ein Niedergang im Bergwesen verbunden, und nur vereinzelt wird deutlich, daß römische Bergtechnik und in vermehrtem Maße islamisches Wissen im Hütten- und Bergwesen im mitteleuropäischen Raum erhalten und weitergegeben wurden. Der mehr als 1000 Jahre alte Bergbau am Rammelsberg im Unterharz legt hierfür deutliches Zeugnis ab. Nach einer Blütezeit des Bergbaus in Mitteleuropa, in der vor allem deutsche Bergbauspezialisten als «Entwicklungshelfer» im benachbarten Ausland (Italien, Frankreich) gefragt waren, erfolgte im 13. und 14. Jahrhundert eine Stagnation, lokal sogar der völlige Niedergang.

Der steigende Bedarf, vor allem von Silber, Kupfer und Zinn, führte zu immer tieferen Stollen, Schächten und Streben. Damit ergab sich das ständig größer werdende Problem der Bewältigung von Grubenwasser, das mit den damaligen technischen Möglichkeiten nicht zu lösen war.

In der Renaissance kam es im Bergbau zu einem erneuten Aufschwung. Eine bürgerliche Mittelschicht, die bereit war zu Neuerungen, griff aktiv in die industrielle Produktion ein. Das hervorragendste schriftliche Zeugnis des Montanwesens der Renaissance gab zweifellos Georg Agricola aus Glauchau (1494–1554) in Sachsen.

An dieser Stelle muß die Bergbautätigkeit in Tirol und insbesondere in Schwaz im Unterinntal erwähnt werden. Um 1520 waren in Tirol ca. 50000 Menschen im Bergbau beschäftigt, etwa 10000 davon allein in Schwaz. Machtpolitische Interessen der Habsburger und wirtschaftliche Interessen ausländischer Kapitalanleger (Fugger) trafen sich beim Schwazer Silber.

Die gesellschaftliche Sonderstellung der im Bergbau Beschäftigten zeigte sich vor allem in rechtlicher Hinsicht. Die besonderen Arbeits- und Produktionsverhältnisse führten schon im Mittelalter zu eigenen, regional verschiedenen Kodifizierungen des allgemeinen Bergrechts. Das Interesse der Landes- und Lehensherren führte zu Privilegien für den Bergmann, wie sie kein anderer Stand dieser Zeit – sieht man von Adel und Klerus ab – inne hatte. So waren in vielen Gebieten Bergleute von Steuern befreit und durften z. B. in Schwaz und Rattenberg in den Pfarrkirchen einen liturgischen Ehrenplatz, das Knappenschiff, beanspruchen.

Nach Beendigung des Dreißigjährigen Krieges befand sich das Montanwesen in einem trostlosen Zustand. Dort, wo überhaupt noch Bergbau betrieben wurde, begann ein Kampf ums Überleben. Die kriegsbedingte Nachfrage nach Eisen und Buntmetall war gesunken; die Preise verfielen. Technische Neuerungen waren zu dieser Zeit natürlich nicht zu erwarten.

Zwar hat es im ausgehenden 17. Jahrhundert nicht an Versuchen gefehlt, neue Techniken bei der Wasserhebung, der mechanischen Lasthebung usw. zu entwickeln (u. a. Gottfried Wilhelm Leibniz, Christian Huygens), doch blieb die praktische Verwendbarkeit meist hinter den theoretischen Erwartungen zurück.

Erst die Einführung der Sprengtechnik und die Verwendung der Dampfmaschine führten zu neuen Dimensionen im Bergbau. Diese Entwicklung führte weiter über die Einführung des Drahtseils (Wilhelm August Julius Albert, 1834), die Einführung von Schienenbahnen zur

Das Kehrrad (N)

Im 15. Jahrhundert entwickelte man zur Schachtförderung das Kehrrad, ein Wasserrad, das sowohl über Tage wie auch in unterirdischen Radstuben eingebaut wurde. Das Rad hatte doppelte Schaufelung, der wechselweise Wasser zugeleitet werden konnte, wodurch sich die Drehrichtung änderte. Die Geschwindigkeit änderte der Treibmeister durch Regelung der Wassermenge und durch eine auf den Radkranz wirkende Bremse.

Streckenförderung bis zur elektrischen Grubenlokomotive (1882). Es darf aber nicht übersehen werden, daß die Arbeit vor Ort noch keineswegs den Erfordernissen einer neuen Zeit entsprach. Kinderarbeit in den Bergwerken Englands beschäftigte noch 1844 das Parlament.

Die technische Entwicklung im Bergbau nahm in der 2. Hälfte des 19. Jahrhunderts einen rapiden Aufschwung. Einige Beispiele: Der Bau von Doppelschächten – einer für die Förderung und einer für die Bewetterung, Ziegel- bzw. Betonausbau, Einführung des Metallausbaus, Entwicklung von Sicherheitslampen, Benutzung von elektrischer Energie und Preßlufttechnik, schneidende und schälende Gewinnung u. v. a.

Zur Ausstellung

Die Bergbau-Abteilung bildet räumlich eine der größten Sammlungen des Deutschen Museums. Sie wurde zuletzt 1990 modernisiert und ist in vier Gruppen gegliedert: in den Bergbau im engeren Sinne wie Schachtbau, Schachtförderung usw., in den Tagebau, in die Bergwerke mit Darstellung der Erz-, Salz- und Kohlegewinnung sowie des Grubensicherheitswesens und in eine vierte Gruppe mit Bergwerksmaschinen, Aufbereitung und Kohleveredlung. Die Bergwerke sind sehr kompliziert aufgebaut, so daß im Plan der Führungsweg nicht angegeben werden kann. Wegen der Treppen und Stiegen ist ein Besuch mit Rollstühlen oder Kinderwagen leider nicht möglich. Der Durchgang entlang der Führungslinie dauert etwa eine Stunde. Es ist möglich, daß wegen vorausgehender Führungen der Eingang zweimal täglich für etwa eine Stunde verschlossen ist.

Schachtbau

Um ein Bergwerk zu betreiben, muß eine Lagerstätte zunächst von der Erdoberfläche aus zugänglich gemacht werden. Dies geschieht entweder durch waagerechte *Stollen* oder durch senkrechte *Schächte*. In Ausnahmefällen werden auch schräge (tonnlägige) Schächte angelegt. Man unterscheidet Förder-, Wetter-, Seilfahrt- und Materialschächte.

Eines der ältesten seiner Art ist das im Deutschen Museum ausgestellte Schachtbohrgerät nach Kind-Chaudron aus dem Jahre 1914. Obwohl heute das Abteufen eines Schachtes mit wesentlich größeren und moderneren Maschinen geschieht, so muß doch noch in vielen Fällen in bewährter Weise mit Bohrhammer und Sprengungen vorgegangen werden. Um Standfestigkeit zu erreichen und Wasserzufluß zu vermeiden, werden Schächte mit gußeisernen Ringen (Tübbings) durch Mauerwerk oder Beton ausgebaut. Voraussetzung für einen erfolgreichen Schachtbau ist die Wasserhaltung. Das Modell einer Thomsonschen Wasserziehmaschine ist ein Beispiel früher Mechanisierung.

Arbeit mit Schlägel und Eisen im Erzbergbau (N)
Die Mühsal der bergmännischen Arbeit vor der Erfindung moderner Gewinnungsmethoden wird deutlich in einer Szene, in der ein Bergmann mit Schlägel und Eisen eine Strecke vortreibt. Geschichtliche Dokumente belegen, daß der Fortschritt in hartem Gebirge etwa 10 m pro Mann in einem Jahr betrug.

Hängebank und Fahrkunst, 19. Jahrhundert (M, V)
Der Schacht ist in ein Fördertrum und ein Fahrtrum geteilt. Auf der Hängebank, dem obersten Ende des Fördertrums, werden die gefüllten Erzkübel abgesetzt und in Wagen gekippt. Das Fahrtrum ist durch Bühnen unterteilt, die mit Leitern (Fahrten) zum Ein- und Ausfahren der Bergleute versehen sind. 1833 entwickelte Georg Dörell die *Fahrkunst,* zwei sich gegeneinander bewegende, mit Trittbrettern und Handgriffen versehene Holzgestänge. Durch wechselseitiges Umsteigen von einem Gestänge zum anderen kann der Bergmann vor Ort oder zu Tage fahren.

Schachtabteufen von Hand, um 1925 (M)
In standfestem Gebirge wird mit Preßluftbohrhämmern die Schachtsohle abgeteuft. Mit einem Förderkübel kann das gebrochene Gestein (wie auch Personen) nach oben befördert werden. Eine dampfbetriebene Abteufpumpe entwässert den Schacht.

▲ *Füllort mit Gestellförderung und elektrischer Wagen-Aufschiebevorrichtung, 1925* (N)
Als Füllort wird der Umschlagplatz des gewonnenen Erzes usw. von der Streckenförderung in die Schachtförderung bezeichnet. Eine Aufschiebevorrichtung drückt die beladenen Wagen in das Fördergestell. Dabei werden gleichzeitig leere Wagen aus dem Fördergestell auf die gegenüberliegende Seite des Füllorts geschoben. Die gezeigte Szene ist dem früheren Klenzeschacht in 750 m Tiefe des Kohlebergwerks Hausham nachgebildet.

Schachtförderung

Förderung (Material) und *Fahrung* (Personal) waren in der Frühzeit des Bergbaus mühselig und zeitaufwendig. Erste Schritte der Mechanisierung und zugleich Humanisierung begannen im 15. Jahrhundert mit dem Einsatz von Wasserkraft als Energiequelle. Die Erfindung des *Kehrrades* zur Materialförderung und – wesentlich später – der *Fahrkunst* zur Personenfahrung erleichtert die Arbeit des Bergmannes.

Den Stand der Fördertechnik um 1925 zeigt der Nachbau eines *Füllorts* aus dem 720 m tiefen Klenze-Schacht des Kohlenbergwerks in Hausham/Obb. Ein Förderkorb nimmt in mehreren Etagen die vollen Förderwagen auf, die durch eine Aufschiebevorrichtung einzeln in den Korb eingeschoben werden. Gleichzeitig wird auf der anderen Seite des Korbes ein leerer Wagen herausgedrückt.

Erzbergbau, Grubenvermessung

Vorbei an einer Anzahl von Gezähe (Werkzeug) des Bergmannes aus prähistorischer und neuerer Zeit sowie an verschiedenen *Modellen aus dem Erzbergbau* des 19. Jahrhunderts gelangt man in einen Bereich, der

Grubenbeleuchtung; offene Lampen; Sicherheitslampen
Das älteste bergmännische Geleucht ist der Kienspan. Kleine Tongefäße zum Verbrennen von pflanzlichen und tierischen Ölen und Fetten folgten, und es entwickelten sich im Laufe der Zeit eigene lokal verschiedene Lampenformen. Neue Materialien wie Bronze, Messing und Eisen wurden verwendet, doch die Leuchtkraft blieb unzureichend, und die Gefahr von Schlagwetterexplosionen wuchs mit zunehmender Verbreitung des Bergbaus. 1815 schufen Sir Humphry Davy und George Stephenson die erste brauchbare Sicherheitslampe; zahlreiche Verbesserungen folgten. Die gängigste Art des bergmännischen Geleuchts ist heute die elektrische Helm-Akku-Lampe.

◄ *Kahnförderung im Oberharzer Erzbergbau auf dem Ernst-August-Stollen, 364 m unter Tage, 1835–1892 (M)*
Mit dem Vordringen der Grubenbaue in größere Tiefen wuchs das Problem der Wasserhaltung. Die Lösung hierfür boten Wasserlösungsstollen, die von Taleinschnitten in Richtung der Erzgänge vorgetrieben wurden. Der Ernst-August-Stollen war zur damaligen Zeit der längste Wasserlösungsstollen mit einer Länge von 26 km. Er diente auch zur Förderung von Erz mit Kähnen, wobei sich Kahnführer an einem unter der Firste des Stollens gespannten Seil vorwärtszogen.

Grubenvermessung mit dem Hängezeug (M)
Wichtigstes Hilfsmittel bei der Grubenvermessung waren seit Beginn des 17. Jahrhunderts bis in das 19. Jahrhundert der Hängekompaß und der Gradbogen. Beide Geräte werden an einer straff gespannten Schnur aufgehängt, die von einem nach Höhe und Lage bekannten Punkt zu einem neu zu vermessenden Punkt gespannt wird. Aus dieser Anwendungsart entstand der Begriff *Hängezeug*.

in Einzelszenen einen Überblick über historische Abbau- und Streckenvortriebsmethoden gibt.

Die Erzgewinnung durch *Feuersetzen* wird hier ebenso gezeigt wie eine *Heinzenkunst,* eine Wasserhebemaschine aus dem 16. Jahrhundert. Die *Förderung* von Erz in *Kähnen* war eine Möglichkeit des Transportes, die speziell im Harz Verbreitung fand. Wasserlösungsstollen – hier eine Nachbildung des Ernst-August-Stollens bei Clausthal – boten hierzu die Voraussetzung.

Die Gewinnung von Bleiglanz, Zinkblende, Kupferkies mit Feldspat und Quarz als Ganggestein wird in einer Szene dargestellt, die den *Firstenbau* in steilstehenden Erzgängen zeigt.

Die folgenden Darstellungen widmen sich der Arbeit des *Markscheiders* (Vermessungsingenieur).

Tagebau

Der Tagebau ist die wohl älteste Methode des Menschen, Bodenschätze zur wirtschaftlichen Nutzung zu gewinnen. Bereits in der mittleren Steinzeit wurden Knollen von Feuerstein in primitiven Tagebauen zur

Herstellung von Waffen gewonnen. Aber auch in der Neuzeit begann man, zunächst Erzlager und Kohleflöze dort abzubauen, wo sie an der Erdoberfläche zu Tage traten.

Heute werden etwa 70% der Weltförderung an Erz und Kohle im Tagebau gewonnen. Neben Eisen-, Mangan-, Kupfer-, Chrom-, Molybdän-, Bauxit- und Magnesiumerz wird vor allem Kohle im Tagebau gefördert.

Die größten Tagebaue der Bundesrepublik Deutschland liegen im Rheinland zwischen Köln, Aachen und Düsseldorf. Es sind die Braunkohlentagebaue mit rund 55 Mrd. t an Vorräten.

Der Bereich *Tagebau* beginnt mit einer historischen Einführung in früheste Techniken des Tagebaus in der Steinzeit und in der Antike. Exemplarisch hierfür stehen die Gewinnung, Bearbeitung und Nutzung des Feuersteins sowie die frühe Goldgewinnung am Beispiel der «Sage vom Goldenen Vlies».

Den größten Teil der Ausstellung nimmt der Braunkohlentagebau im Niederrheinischen Revier als Beispiel für die Bergbautechnik im Lokkergebirge ein. In chronologischer Reihenfolge zeigen drei Halbreliefs die Gewinnung von Braunkohle in der vorindustriellen Zeit (1700 bis 1850). Dem gegenübergestellt wird das Modell eines modernen Braunkohlentagebaus. Geologisch-paläontologische Tafeln und Texte erläutern die Umstände der Entstehung der Braunkohle. Eine Vitrine mit Fundstücken aus den niederrheinischen Tagebauen vermittelt einen Eindruck von der Siedlungsgeschichte in diesem Raum. Die Rekultivierung, die Wiederherstellung eines naturnahen Zustands, nimmt heute im Braunkohlentagebau einen wichtigen Platz ein. Anhand eines Doppelmodells wird die Situation einer Landschaft im Tagebaubetrieb um 1930 und nach der Rekultivierung im Jahre 1990 dargestellt.

Ein allgemein wenig bekannter, im Tagebau gewonnener Rohstoff ist Bernstein. In den dreißiger Jahren wurde Bernstein bei Palmnicken (Ostpreußen) im Tagebau gefördert.

Als Beispiel für den Tagebau im Festgestein wird der Eisenerztagebau in der Steiermark/Österreich gezeigt.

Salzbergbau

Die Gewinnung von Salz beginnt mit der Nachbildung einer natürlichen und einer künstlich gefaßten *Solequelle* und dem Modell des Brunnenhauses von Bad Reichenhall.

Einblicke in ein *Spritzwerk* und ein *Sinkwerk* erklären die Möglichkeit, Salz mit Hilfe von Wasser aus dem Gestein unter Tage zu lösen und als 26%ige Sole abzupumpen. Bergmännisch wurde dagegen im 18. Jahrhundert Salz im *Kammerabbau* von Wieliczka bei Krakau gewonnen. Das dort vorkommende sehr reine Steinsalz wurde in Block- oder Tonnenform ohne weitere Aufbereitung in den Handel gebracht.

Durch den Nachbau einer *Abbaukammer eines Kalibergwerks* um 1925 aus dem südlichen Harzrand gelangt man in einen *Filmraum,* der nach einer Strecke im Kalibergwerk Hattorf modelliert wurde.

Sprenglochbohrung im Kalisalz-Kammerabbau, 1925 (N)
1861 begann die Entwicklung der Kaliindustrie, nachdem Justus von Liebig kurz vorher den Wert der Kalisalze für die landwirtschaftliche Düngung erkannt hatte. Bei flacher Lagerung der Salzflöze geschieht die Gewinnung im Kammerbau, bei dem quadratische Pfeiler zur Stützung des Gebirges stehenbleiben. Das noch heute vorwiegende Gewinnungsverfahren im deutschen Salzbergbau ist die Bohr- und Sprengarbeit.

Kohlenbergbau

Das *Kohlebergwerk* beginnt mit der Darstellung der Gewinnung oberbayerischer Pechkohle um 1900. Die seit dem 16. Jahrhundert betriebene Förderung wurde 1971 eingestellt. 70 cm mächtige Flöze wurden von Hand abgebaut. Der Ausbau bestand aus Holzstempeln. *Grubenpferde* zogen bis zu zehn gefüllte Förderwagen zum Füllort.

Die Darstellung der Technik um 1955 beginnt mit der *Haspelkammer* für einen *Blindschacht,* einem Förderschacht, der einzelne Sohlen untereinander verbindet, jedoch nicht bis an die Tagesoberfläche reicht.

Die Druckluft ist das beherrschende Antriebselement beim anschließenden *Drehschlagbohren* für Sprenglöcher im Streckenvortrieb ebenso wie bei der Demonstration eines *Wurfschaufelladers.*

Eine weitere Szene zeigt den Abbau von Kohle in einem *steilstehenden Flöz*. Die Gewinnung erfolgt in Stufen mit dem Preßluftabbauhammer. In der darauf folgenden *Teilsohlenstrecke* mit bogenförmigem, nachgiebigen Ausbau aus Profilstahl wird neben einer Akkumulatoren-Grubenlokomotive, einer Kippvorrichtung zum Verfüllen eines ausgekohlten Strebs und einem Blindschachtfüllort vor allem der Eindruck von schwierigen Arbeitsbedingungen in *geringmächtigen* Flözen vermittelt. Ein *flachgelagertes* Flöz wird durch eine preßluftbetriebene *Schrämmaschine* vorgeschlitzt, die Kohle bricht durch den Gebirgsdruck herein, wird auf einen *Stauscheibenförderer* geschaufelt und gleitet hinab zur Füllstelle.

Der Beginn moderner Abbautechnik wird an einem 2 m mächtigen flachgelagerten Kohleflöz demonstriert. Ein *Kohlehobel,* ein mit Meißeln besetztes Gleitgerät, das von elektrischen Winden am Kohlenstoß hin- und hergezogen wird, dringt bei jedem Hobelgang 8 bis 10 cm tief in den Kohlenstoß ein. Die darüberliegende Kohle bricht dann durch das Eigengewicht und den Gebirgsdruck nach. Durch seine pflugscharähnliche Ausbildung schiebt der Hobel die losgebrochene Kohle auf einen *Doppelkettenförderer,* der sie zu einem Förderband transportiert. Durch Druckluftzylinder werden Förderer und Hobel an die Kohlenfront gedrückt. Der Ausbau besteht aus nachgiebigen *Stahlstempeln* mit Keilverschlüssen. Im hinteren Teil des Strebes wird der *hydraulische Ausbau* gezeigt. Das Kohlebergwerk schließt mit der Darstellung des *Blasversatzes.* Kleingebrochene Berge (taubes Gestein) werden durch eine Rohrleitung in die ausgekohlten Felder geblasen. Im Bereich des hydraulischen Ausbaus erfolgt *Bruchbau,* der aber nur in großen Tiefen, dort wo keine Bergschäden zu erwarten sind, betrieben wird.

Moderner Bergbau

Während der letzten 30 Jahre hat sich der Bergbau zu einer High-Tech-Branche der Wirtschaft entwickelt. In vielen Gegenden sind Gewinnung und Verarbeitung heute vollautomatisiert. Um die für diese Arbeit notwendigen großen und schweren Maschinen zum Einsatz zu bringen, war es erforderlich, die Verkehrs- und Transportwege – die Strecken – zu erweitern. Mit dieser Erweiterung erhielten die Bergleute einen Arbeitsplatz, der heller, breiter und sicherer ist und der wenig gemein mit dem engen, dunklen unterirdischen Arbeitsplatz aus früheren Zeiten hat. Die Einführung der modernen Technik in den Bergbau erhöhte die Produktivität pro Mann und Schicht um das Drei- bis Vierfache.

Der moderne Steinkohlenbergbau

Die Ausstellung beginnt mit der Nachbildung eines Querschlags, eines «Hauptverkehrswegs» unter Tage. Eine Einschienen-Hängebahn für Material- und Personaltransport, Wassertrag-Explosionssperren, Streckenausbau mit Stahlbögen und Spritzbeton vermitteln einen er-

Streckenauffahrung mit einer Teilschnittmaschine, 1981 (O)
Neben dem Vortrieb durch Sprengung werden untertage kontinuierlich arbeitende
Maschinen eingesetzt; Teilschnittmaschinen lösen das Gestein in einzelnen Segmen-
ten im Gegensatz zu Vollschnittmaschinen, die den gesamten Streckenquerschnitt
ausfräsen.

sten Eindruck von der untertägigen Arbeitswelt in unserer Zeit. In einer szenischen Darstellung wird die Vorbereitung für eine Kontrollbe-
fahrung einer durch eine Brandmauer abgeschlossenen aufgelassenen
(ehemaligen) Strecke gezeigt.
Bei seinem weiteren Rundgang gelangt der Besucher in eine Förderstrecke. Gezeigt werden der mechanische Vortrieb durch eine Teilschnittmaschine und die verschiedenen Arten des Transports von Kohle und Nebengestein durch Kettenkratzerförderer und Gummiförder-
band. Die eigentliche Gewinnung der Kohle findet im anschließenden
Streb statt. Ein hydraulischer Panzerschildausbau und ein Walzen-
schrämlader vermitteln hier sinnvoll den Einsatz moderner Technik
unter Tage. Beeindruckend sind hier nicht nur der Gegensatz zur
Bergbautechnik der fünfziger Jahre, die Dimensionen, Gewichte, Maschinenleistungen, sondern auch der ungleich höhere Stand der Sicherheit und die verbesserten und erleichterten Arbeitsbedingungen für
den Bergmann.
Der Rundgang im modernen Kohlebergwerk endet mit der Darstellung einer Kopfstrecke (Fußstrecke = Förderstrecke), die durch
Sprengarbeit vorgetrieben wird. Das anfallende Material wird durch
einen Seitenkipplader auf einen Kratzerförderer geschüttet, der es dem
Strebförderer zuführt. Die Kopfstrecke, in der sich auch der Steuer-
stand und die Hydraulikpumpe für den Schildausbau des Strebs befinden, dient im wesentlichen dem Materialtransport und der Frischluft-
zuführung (Bewetterung).

Der Erz-Kammerbau

In der Darstellung des Erz-Kammerbaus werden die drei wichtigsten Arbeitsabläufe unter Tage gezeigt: Das Bohren von Sprenglöchern, das Besetzen (= Laden) der Bohrlöcher mit Sprengstoff und das Fördern des gesprengten Erzes. Das Erzlager selbst ist die Nachbildung eines Abbaus auf der 1982 geschlossenen Grube Haverlahwiese bei Salzgitter.

Der an das Erzbergwerk anschließende Raum ist vorgesehen für eine zukünftige Ausstellung zum Thema «Forschung und Sicherheit im Bergbau».

Gewinnung und Förderung

In diesem Raum läßt sich die Entwicklung von Dreh-, Stoß-, Schlag- und Hammerbohrmaschinen, von Abbauhämmern und Grubenstempeln, Förderwagen, Schrämmaschinen und Rammgeräten verfolgen.

Fahrdraht-Grubenlokomotive Siemens & Halske, Berlin, 1883 (O)
Die erste Fahrdraht-Grubenlokomotive für die Streckenförderung wurde 1882 auf der Zeche Zaukeroda bei Dresden in Betrieb genommen. Bereits ein Jahr später, im September 1883, wurde die jetzt im Deutschen Museum ausgestellte Lokomotive mit einer Leistung von ca. 7,5 kW auf der Steinkohlenzeche Cons. Paulus Hohenzollern bei Beuthen in Oberschlesien in Dienst gestellt. Die Förderlänge betrug 750 m. Die Züge bestanden aus 15 Wagen mit 550 kg Fassungsvermögen. Damit wurde eine stündliche Förderung von 50 t Kohle erreicht.

Glanzstück dieser Ausstellung ist eine der ersten praktisch eingesetzten elektrischen *Fahrdrahtlokomotiven* von 1883. Modelle von Schachtförderanlagen und Abbauverfahren ergänzen den Gesamteindruck.

Aufbereitung

Das im Bergbau gewonnene Produkt ist Rohmaterial. Erst die Trennung von taubem Gestein, das Klassieren und Sortieren, erlaubt eine Weiterverarbeitung im Hüttenprozeß oder den Einsatz als Energieträger (Kohle). Im Bereich *Aufbereitung* wird dies erkennbar. Von der Schüssel des Goldwäschers bis zur Schubzentrifuge zur Salzgewinnung wird anhand von Originalen, vorführbaren Modellen und Dioramen die Entwicklung von Geräten und Anlagen gezeigt.

Kohleveredlung

Im Raum *Kohleveredlung* wird das Thema Kohle als Energieträger und Rohstoff in seinen verschiedenen Varianten behandelt. Von der Herstellung von Braunkohlebriketts, der Kohlevergasung über die Wirbelschichtfeuerung bis zur modernsten Art der Rauchgasentschwefelung werden die Verwendungsmöglichkeiten von Stein- und Braunkohle gezeigt.   *W. Kretzler*

Luftgesteuerte Kohlensetzmaschine (M, V)
Versuchssetzmaschine Schüchtermann & Kremer-Baum AG, 1952. Rohkohle enthält noch einen erheblichen Anteil an Gesteinsmaterial, der abgetrennt werden muß. Als Trennmaterial benutzt man Wasser, das durch einen pulsierenden Luftstrom in eine Vertikalbewegung versetzt wird. Das leichtere Material, die Kohle, wird dadurch angehoben und an einem Überlauf ausgetragen, wogegen das schwere Gestein auf dem Boden des Setzgefäßes liegenbleibt, von wo es zu einer gesonderten Austragsöffnung gelangt.

Hüttenwesen

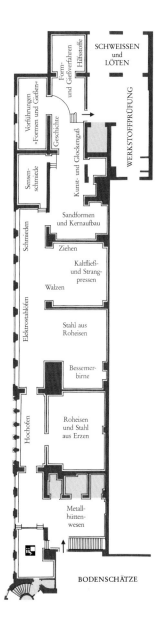

SCHWEISSEN und LÖTEN

Form- und Gießverfahren

Hilfsstoffe

Vorführungen »Formen und Gießen«

Geschichte

WERKSTOFFPRÜFUNG

Kunst- und Glockenguß

Sensenschmiede

Sandformen und Kernaufbau

Schmieden

Ziehen

Kaltfließ- und Strangpressen

Walzen

Elektrostahlöfen

Stahl aus Roheisen

Bessemerbirne

Hochofen

Roheisen und Stahl aus Erzen

Metallhüttenwesen

BODENSCHÄTZE

Die große Bedeutung der Metalle in der Kulturgeschichte spiegelt sich in der Bezeichnung ganzer Epochen nach den in ihnen vornehmlich verwendeten Metallen wider, z. B. Bronzezeit, Eisenzeit. Wie kein anderer Werkstoff hat die Nutzbarmachung der Metalle die kulturelle Entwicklung beeinflußt. So wurde z. B. die Verbesserung des Buchdrucks durch Johannes Gutenberg aus Mainz nach 1400 erst durch die

Serienfertigung von gegossenen Lettern aus leichtschmelzenden Blei-Zinn-Antimon-Legierungen möglich.

Gold und Kupfer als gediegen vorkommende Metalle waren den Menschen wohl zuerst bekannt und wurden zu Schmuck- und Ziergegenständen verarbeitet (ca. 7000 Jahre alte Funde). Größere Metallteile aus Gold und Kupfer herzustellen wurde erst möglich, als nach der Erfindung der Töpferei feuerfeste Tiegel zum Schmelzen und Gießen verwendet werden konnten.

Der Beginn der Metallgewinnung aus Erzen ist unbekannt. Älteste Spuren von Verhüttungsverfahren führen 6000 Jahre zurück. Die Ägypter reduzierten Malachit vom Berge Sinai in ca. 1 m hohen Schachtöfen mit Holzkohle zu Kupfer. Kupfer war das erste vom Menschen in großem Umfang verwendete Metall. Durch gleichzeitige Verhüttung von oxidischen Zinn- oder Zinkerzen wurden vor ca. 5000 Jahren die ersten Zinnbronzen und vor ca. 4000 Jahren das erste Messing hergestellt. Die erste Gewinnung des Eisens aus Erzen schreibt man den Hethitern im kleinasiatischen Raum vor ca. 4000 Jahren zu. Die historischen Gewinnungsverfahren beruhten auf Erfahrungen und waren oft ängstlich gehütete Geheimrezepte, die von Generation zu Generation weitergegeben wurden.

Das Erz mußte auf eine für den Menschen undurchschaubare Weise stofflich umgewandelt werden. Da man nur verhältnismäßig niedrige Temperaturen bis ca. 1100 °C erzeugen konnte, war die Metallurgie auf gediegen vorkommende Metalle wie Gold, Silber, Kupfer und Quecksilber und leicht reduzierbare Oxide der Elemente Kupfer, Blei, Antimon und Eisen beschränkt.

Die Entwicklung der analytischen Chemie vor ca. 200 Jahren und der physikalischen Chemie vor ca. 100 Jahren bildete die Grundlage für eine wissenschaftliche Durchdringung der Metallurgie. Gegen Endes des 19. Jahrhunderts formte sich die heute übliche Unterscheidung in Eisenhütten- und Metallhüttenwesen aus. Die mengenmäßig überwiegende Eisen- und Stahlindustrie erforderte eine stark differenzierte Berufsausbildung.

Heute sind zwei stark voneinander abweichende Gewinnungsprinzipien eingeführt, die mit hohen Temperaturen arbeitende Pyrometallurgie und die mit chemischen Lösungs- und Ausfällungsprozessen bei niedrigen Temperaturen (bis ca. 300 °C) arbeitende Hydro- oder Naßmetallurgie. Das Bindeglied zwischen diesen beiden Verfahren ist die Schmelzflußelektrolyse, wie sie bei der Aluminiumherstellung vorkommt. Wie bei der Anreicherung der Erze können wir auch bei der Gewinnung und Raffination der Metalle pyro- und hydrometallurgische Prozesse unterscheiden.

Während die Eisengewinnung wohl immer ausschließlich eine Domäne der Pyrometallurgie sein wird (das Metall wird meist flüssig gewonnen), gewinnt bei der Nichteisen-Metallgewinnung die Hydrometallurgie immer mehr an Boden (Lösen der Metalle in Säuren oder Laugen mit nachfolgender Rückgewinnung auf naßchemischem oder naßelektrolytischem Wege).

Zur Ausstellung

Das Fachgebiet Hüttenwesen gliedert sich in die Bereiche Metallhüttenwesen, Eisenhüttenwesen, Umformungsverfahren sowie Formen und Gießen.

Der Bereich Metallhüttenwesen beginnt im Untergeschoß in Fortsetzung des Führungsweges Bergbau und Aufbereitung. Im Erdgeschoß leitet ein Filmraum mit Übersichtsdarstellungen zum Bereich Eisenhüttenwesen über.

Das Eisenhüttenwesen stellt im ersten Raum die Roheisen- und Eisenschwammherstellung dar, im zweiten Raum die Stahlgewinnungsverfahren aus Roheisen und Schrott und im dritten Raum die Umformverfahren.

Der Bereich Formen und Gießen zeigt grundlegende Verfahren aus Geschichte und Gegenwart und bietet zweimal täglich praktische Vorführungen aus dem Gießereiwesen.

Metallhüttenwesen

Die Gewinnung der Nichteisenmetalle aus den Rohstoffen umfaßt in der Regel zwei Stufen: die Reduktion zum Rohmaterial und dessen Raffination auf einen Reinheitsgrad von 99%, meist aber 99,9% oder noch höher.

Bei ihrer Durchführung muß Wärmeenergie, chemische Energie oder elektrische Energie aufgewendet werden. Vorbereitende Verhüttungsprozesse bei schwefelhaltigen Erzen sind das Anreichern, das Rösten (oxidierend oder sulfatisierend) und das Sintern.

Rösten im 16. Jahrhundert (Di)
Die in sulfidischen Erzen an Schwefel gebundenen Metalle erfordern nach der Anreicherung einen weiteren vorbereitenden Prozeß: das Rösten. Im 16. Jahrhundert erfolgte die Erhitzung des zerkleinerten Erzes auf eine Temperatur unterhalb des Schmelzpunktes in Haufen und Stadeln. Das ungehinderte Entweichen der schwefeldioxidhaltigen Röstgase führte zu schweren Schäden an der Vegetation der Umgebung.

Hüttentechnik im 16. Jahrhundert: Scheideraum (N)
Die Weiterverarbeitung des beim Treiben gewonnenen Blicksilbers, d. h. goldhaltigen
Rohsilbers, auf Reinsilber und Gold erfolgte durch das 1493 in Goslar entwickelte Sal-
petersäureverfahren, das *Scheiden durch die Quart.* Silber löste sich durch die Salpeter-
säure (Scheidewasser) zu Silbernitrat; Gold blieb als feiner Schlamm zurück, der im
Tiegel eingeschmolzen wurde.

Die Fortsetzung des Bereichs Metallhüttenwesen im Erdgeschoß führt
zu den Gewinnungsverfahren zur Zeit Agricolas (16. Jahrhundert) mit
den verschiedenen Räumen für das Scheiden, Treiben und Schmelzen
der Metalle.
Der Freiberger oder Plattner-Ofen (19. Jahrhundert) und die Proben
zur Probierkunde weisen auf die Verfahren hin, den Edelmetallgehalt
der Mineralien festzustellen.
Schnittmodelle von Elektrolyseöfen veranschaulichen die Aluminium-
und Magnesiumherstellung.
Eine Stufenbank zeigt die verschiedenen Formen, in denen die Erzeugnisse der Hüttenwerke in den Handel kommen.

Eisenhüttenwesen

Der Weg des Eisens vom Erz zum Halbzeug aus Stahl wird in geschichtlicher Entwicklung und in den Produktionsstufen Roheisenge-
winnung, Stahlherstellung und Umformen gezeigt. Dabei erscheinen
immer wieder grundlegende Begriffe, die hier vorangestellt werden.
Die Begriffe Eisen, Eisenwerkstoffe und Stahl bedeuten:
Eisen bezeichnet das Element Fe und den Werkstoff mit einem Reinheitsgrad von 99,8 bis 99,9% Fe;

Eisenwerkstoffe sind alle Metall-Legierungen, bei denen der mittlere Gewichtsanteil an Eisen höher liegt als der jedes anderen Elements; Stahl umfaßt alle Eisenwerkstoffe, die im allgemeinen eine Eignung für die Warmformgebung aufweisen, Stahl enthält höchstens ca. 2% Kohlenstoff (mit Ausnahme einiger chromreicher Stähle); Roh- und Gußeisen liegen mit ihrem Kohlenstoffgehalt über rund 2%; eine Formgebung ist nur durch Gießen möglich.

Roheisen- und Eisenschwammherstellung
Geschichtliche Darstellungen der Rennfeuer und der Ofenentwicklungen führen zu den Hochofenprozessen und deren Produkten.
Die Erzeugung von flüssigem Roheisen aus Erzen erfolgt im Hochofen durch *Reduktion* (Trennung des Sauerstoffs vom Eisen) mit Koks. Das flüssige Roheisen wird im Stahlwerk mit Sauerstoff zu Stahl *gefrischt* (Senkung des Kohlenstoffgehalts und unerwünschter Beimengungen auf vorgegebene Werte). Bei den Verfahren der Direktreduktion fällt das Produkt Eisenschwamm in fester Form an und wird in Elektrostahl-werken zu Stahl erschmolzen. Zur dominanten Herstellungslinie Hochofen – Sauerstoffblas-Stahlwerk – Strangguß kommt die noch schwache Linie Direktreduktion – Elektrostahlwerk – Strangguß.

Stahlherstellung aus Roheisen und Schrott
Das Frischfeuer- und das Puddelstahl-Verfahren lieferten Stahl in teigiger Form, den *Schweißstahl*.
Stahl in flüssigem Zustand, *Flußstahl*, fiel bei den Verfahren nach Bessemer, Siemens-Martin, Thomas und beim Tiegelstahlverfahren an.

Siegerländer Rennfeuer, La-Tène-Zeit ab 500 v. Chr. (Di)
Zur Gewinnung von schmiedbarem Eisen und Stahl aus manganhaltigen reichen Er-zen betrieben die Kelten auf den Höhen und Hängen des Siegerlandes seit 500 v. Chr. zahlreiche Rennfeuer mit natürlichem Zug. In die ca. 1,7 m hohen Schachtöfen wurde auf ein Holzkohlenfeuer abwechselnd Holzkohle und zerkleinertes Erz aufgegeben. Die Tagesproduktion erbrachte ca. 25 kg schmiedbares Rennfeuereisen und Stahl.

Bessemer-Birne, 1874 (O)
Henry Bessemer (1813–1898)
erhielt 1855 ein Patent für sein
Verfahren, flüssiges Roheisen durch
Einblasen von Luft in Stahl zu
überführen. Das Zeitalter der
Massenstahlerzeugung war damit
eingeleitet. Dieser Konverter
(Birne) arbeitete 30 Jahre lang bei
einem Einsatzgewicht von 6,5 t.
Die Dauer des Blasens betrug 14
Minuten, die der gesamten Schmelze
25 Minuten. Nach 20 bis 24 Schmel-
zungen mußte der Boden erneuert
werden.

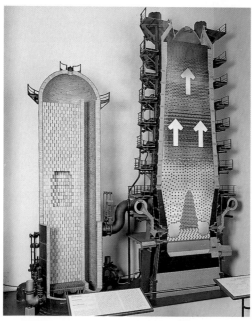

Hochofen und Winderhitzer, 1951 (M)
Das Haupterzeugnis des Hochofens ist Roheisen, das aus den Erzen reduziert und erschmolzen wird. Das Schnittmodell zeigt den Aufbau eines Hochofens und eines
Winderhitzers, die Fließgraphik im Ofenschacht veranschaulicht die Vorgänge im
Ofen. Jedem Hochofen sind zwei bis fünf Winderhitzer zugeordnet, die die Verbren-
nungsluft für die Vorgänge der Erzreduktion und des Schmelzens auf ca. 1200 °C vor-
wärmen.

Die Unterscheidung von Schweißstahl und Flußstahl erübrigte sich, als das Puddelverfahren allmählich verschwand (Anfang des 20. Jahrhunderts). Heute liefern Elektro- und Sauerstoffblas-Stahlwerke den Stahl.

Umformen

Die Einteilung der Umformverfahren erfolgt heute unter dem Gesichtspunkt der wirksamen Spannungen in der Umformzone (Druck-, Zugdruck-, Zug-, Biege- und Schub-Umformen). Die Verfahren *Schmieden*, *Walzen* und *Ziehen* sind in diesem Raum vorherrschend.

Schwarzwälder Sensenschmiede, um 1800 (O)
Die vielen Arbeitsgänge der Sensenherstellung werden anhand von Mustern vorgestellt. Der Bauart nach haben wir einen Schwanzhammer vor uns, der neben dem Stirn- und dem Aufwurfhammer zu den Stielhämmern gerechnet wird. Die meist von einem unterschlächtigen Wasserrad angetriebene Welle war mit Nocken bestückt, die das mit einem eisernen Ring verstärkte Stielende niederdrückten.

Hirsch aus Bronze, 1926, Rohguß nach dem Wachsausschmelzverfahren (O)
Das Wachsausschmelzverfahren reicht bis zu den Anfängen des Gießens zurück und
besitzt heute unter der Bezeichnung Feinguß große wirtschaftliche Bedeutung. Seit
der Antike wird dieses Verfahren besonders im Bereich des Kunstgusses durch eindrucksvolle Monumentalbronzen hervorgehoben. Der Rohguß des Hirsches weist
noch das sorgfältig durchdachte System der Eingüsse und Steiger auf.

Das Schmieden hat die älteste Tradition. Zu Beginn waren die Schmiede
auch Bergleute, Köhler und Schmelzer. Geschmiedet wird in freier
Form oder in Gesenken, mit Hämmern oder mit Pressen.

Das Walzen ist heute das bedeutendste Umformverfahren; über 90% der
gesamten Rohstahlproduktion werden durch Warmwalzen plastisch
umgeformt.

Das Ziehen reicht in der Drahtherstellung weit in die Vergangenheit zurück. Heute werden meist Draht und Stangen von runden oder profi-
liertem Querschnitt sowie Rohre gezogen.

Formen und Gießen

Durch Gießen werden schmelzflüssige Werkstoffe in geometrisch bestimmte Teile mit bestimmten Eigenschaften überführt. Neben dem
Schmieden stellt das Gießen das wohl älteste Fertigungsverfahren dar
(seit mehr als 5000 Jahren bekannt), das sehr früh eine hohe Qualitäts-
stufe erreicht hat.
Heute bezeichnet man den weit gefächerten Bereich der Form- und
Gießverfahren mit Urformen.

F. Frisch

Schweißen und Löten

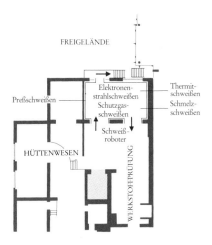

Schweißen und Löten gehören zur Verbindungstechnik, einem der wenigen Fertigungsverfahren, die in besonderem Maße dem Gesetz der rasch fortschreitenden Wandlung unterliegen und bei noch heute steigender Bedeutung auf eine lange geschichtliche Entwicklung zurückblicken können. Die Ursprünge der Verbindungstechnik reichen bis in die Steinzeit zurück.

Seit etwa 6000 Jahren ist in Ägypten das Feuerschweißen bei der Verarbeitung von Meteoreisen bekannt. Das Bleischweißen zur Herstellung von Rohren und Behältern wurde um 3400 v. Chr. erstmals in Mesopotamien praktiziert und bei den Römern, die Bleirohre in genormten Formaten herstellten, perfektioniert. Dieses in Vergessenheit geratene Verfahren hat man erst im 13. Jahrhundert wiederentdeckt.

Die Kunst des Lötens, die sich bis zum heutigen Tage erhalten hat, ist nachweislich mindestens 5200 Jahre alt, wahrscheinlich aber älter. Eine wichtige Erfindung für die Löt- und Gießtechnik kam um 1580 v. Chr. aus Ägypten: das künstliche Gebläse. Damit konnten Schmelz- und Lötverfahren vereinfacht und beschleunigt werden.

Das früheste Beispiel eines Gießschweißens ist der ab 1500 v. Chr. im europäischen Raum an Bronzearbeiten vorgenommene sogenannte Reparaturguß, der im 9. Jahrhundert v. Chr. seinen Höhepunkt erreichte. Das Kaltpreßschweißen fand um 800 v. Chr. erstmals in Irland bei der Verarbeitung von Gold- und Silberblechen Anwendung. Schriftlich erwähnt wurde das Verfahren aber erst 1597 von Andreas Libavius.

Frühe handwerkliche Meisterleistungen der Schweißtechnik, die Erwähnung verdienen, sind das Feuerschweißen von Platin-Gold-Legierungen (500 v. Chr. bis 500 n. Chr.), das Verschweißen von Stahlstreifen unterschiedlichen Kohlenstoffgehalts zu Damaszenerklingen (300 n. Chr.) und die Herstellung von Riesengeschützen bis 5 m Rohrlänge aus geschweißten Eisenbarren (15. Jahrhundert).

Seit Mitte des 19. Jahrhundert machten sowohl das Löten wie auch das Schweißen eine eindrucksvolle Entwicklung durch. Das Autogenschweißen mit einem Wasserstoff-Luft-Gemisch wurde 1838 von E. Desbassayns de Richemont, das mit einer Acetylen-Sauerstoff-Flamme 1901 von Edmond Fouché erfunden.

Gießschweißen von Gußeisen ist zuerst in Belgien (1860) nachweisbar. Das Widerstandsschweißen geht auf Elihu Thomson (1867) zurück, der 1879 auch das Preßstumpfschweißen einführte. 1885 wurde von Nicolas von Benardos das Lichtbogenschweißen und 1899 von Hans Goldschmidt das Thermitschweißen praktiziert.

Während die Aktivitäten auf schweißtechnischem Gebiet bis etwa 1910 vorzugsweise auf das Gasschweißen gerichtet waren, gab es nun nach Einführung des Wechsel- und Drehstroms Fortschritte bei der Lichtbogenschweißtechnik.

Um 1930 erfand man das Schutzgas- und zehn Jahre später das Unterpulverschweißen. Nach dem 2. Weltkrieg fertigte man große, schwierig zu bearbeitende Maschinenkörper, die bislang aus Grauguß erstellt wurden, überwiegend in Schweißbauweise mittels Elektroschweißung. Das Gewicht der Maschinen konnte hiermit gesenkt, die Festigkeit und Biegesteifigkeit aber erhöht werden. Im Werkzeugmaschinenbau hat man die sogenannte «Leichtbauweise» fünfzehn Jahre früher eingeführt.

Zwischen 1950 und 1970 wurden weitere Sonderschweißverfahren entwickelt: das Reib-, Kaltpreß-, Plasma- und Laserstrahlschweißen.

Zur Ausstellung

Im Laufe der letzten achtzig Jahre sind einige hundert Schweißverfahren entwickelt worden, wovon etwa fünfzig eine größere Bedeutung erlangten. Eine kleine Auswahl der allerwichtigsten Verfahren und Gerätschaften wird hier gezeigt.

Löten

Löten ist ein Verfahren zum Verbinden metallischer Werkstoffe mit Hilfe eines geschmolzenen Zusatzmaterials, dem *Lot*, gegebenenfalls unter Anwendung von Flußmitteln, Schutzgasen oder im Vakuum.

Die Löttechnik ermöglicht es, verschiedenartige, auch nichtmetallische Werkstoffe miteinander zu verbinden. Die benötigte Wärmeenergie und der Verzug der Verbindungselemente werden dabei gering gehalten. Löten gestattet außerdem ein sicheres Verbinden stark unterschiedlicher Teile und in vielen Fällen einen automatisierten Arbeitsablauf. Zu den Nachteilen der Löttechnik gehören unter anderem die geringe Festigkeit von Weichlötverbindungen, erhöhte Korrosionsgefahr, Abfall der Festigkeit bei hoher Temperatur und unerwünschte Flußmitteleinschlüsse.

Die Exponate der Gruppe *Löten* werden dem Besucher in einer großen Standvitrine präsentiert.

Schweißen

Unter Schweißen versteht man das Verbinden metallischer Werkstoffe bei Anwendung von Wärme oder Druck oder bei gleichzeitiger Einwirkung von Wärme und Druck mit oder ohne Zusetzen von artgleichem Werkstoff, mit gleichem oder nahezu gleichem Schmelzbereich. Je nachdem, ob im teigigen oder schmelzflüssigen Zustand gearbeitet wird, unterscheidet man zwischen Schmelz- und Preßschweißen.

Beim Schmelzschweißen dient eine Brenngas-Sauerstoff-Flamme oder ein elektrischer Lichtbogen zum Erwärmen bzw. Schmelzen der Schweißstelle und des Zusatzwerkstoffes. Die Verbindung wird im Schmelzfluß ohne Druck erreicht.

Beim Preßschweißen erfolgt die Verbindung meistens ohne Zusatzwerkstoffe unter Druck oder unter Druck und elektrischer Wärme.

Der Besucher hat in dieser Gruppe die Möglichkeit, anhand von zum Teil funktionsfähigen Objekten die Arbeitsweise und Funktion beider Schweißverfahren zu studieren. Vorgefertigte Werkstücke an den Wandtafeln geben Aufschluß über die verschiedenen Schweißnähte.

Lichtbogen-Schweißgerät, 1889 (O)
Das älteste Gerät ist diese Kohlelichtbogen-Schweißapparatur von H. Zerener. Nach seinem Verfahren brennt der offene Lichtbogen zwischen zwei Kohleelektroden; ein Elektromagnet lenkt ihn auf die Schweißstelle. Das Zerener-Verfahren wurde überwiegend beim Schweißen von Dünnblechen angewandt. Obwohl es heute kaum mehr Bedeutung hat, fußen viele neuzeitliche Schweißtechniken auf diesem Verfahren.

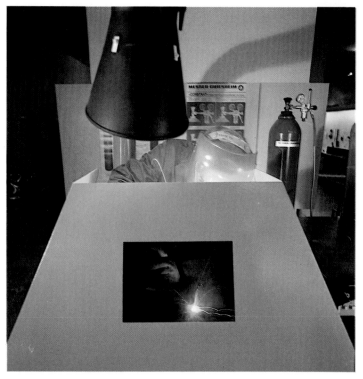

Moderner Schweißplatz, 1985 (O)
Im Rahmen von Führungen wird die Schutzgasschweißung nach dem WIG- und
MIG-MAG-Verfahren demonstriert. Durch die Lichtscheibe ist der Lichtbogen ge-
fahrlos zu beobachten.

Brennschneiden

Beim autogenen Brennschneiden wird das im Stahl enthaltene Eisen zu
Eisenoxid verbrannt und anschließend durch den Druck des Schneid-
sauerstoffstrahls aus der Schnittfuge geblasen.
Brennschneidbar sind alle unlegierten und niedriglegierten Stähle, wäh-
rend hochlegierte Stähle, Grauguß und Nichteisenmetalle nur durch
Spezialverfahren thermisch getrennt werden können.
Das Brennschneiden wird im Deutschen Museum anhand einer funk-
tionsfähigen Hand-Brennschneidmaschine erläutert.

K. Allwang

Werkstoffprüfung

Die Werkstoffprüfung wird bei der Erprobung und Verbesserung neuer Werkstoffe, bei der Fehlerkontrolle in der Metallindustrie, bei der Untersuchung von Schadensfällen und bei der Grundlagenforschung der theoretischen Festigkeitslehre herangezogen. Nach den zu ermittelnden Eigenschaften oder nach den angewandten Verfahren unterscheidet man zwischen zerstörenden und zerstörungsfreien Prüfungen.

Die Werkstoffprüfung kennt man seit etwa 100000 Jahren, als der Mensch begann, Steine zu Werkzeugen zu formen. Eine wissenschaftliche Grundlage erhielt das Sachgebiet, als vor ca. 2300 Jahren der griechische Mathematiker und Techniker Archimedes als erster die Eigenschaften von Werkstoffen zuhilfe nahm, um die Echtheit einer Goldkrone nachzuweisen. Die nächsten bekannten Versuche stammen aus dem 15. und 16. Jahrhundert, sind also fast 1800 Jahre jünger. Es sind die Versuche Leonardo da Vincis zur Bestimmung der Festigkeit von Drähten und Galileo Galileis Biegeuntersuchungen von einseitig eingespannten Balken.

Im Zusammenhang mit weiteren Untersuchungen auf diesem Gebiet finden wir die Namen Robert Hooke, der 1678 das Gesetz von Kraft und Formänderung formulierte, Charles Augustin de Coulomb, der 1776 die richtige Formel für die Biegespannung angab, A. Duleua, der 1812 den Elastizitätsmodul von Schmiedeeisen bestimmte, und Louis-Marie-Henri Navier, der neun Jahre später die allgemeinen Gleichungen der Elastizitätstheorie entwickelte.

Um 1850 baute Johann Ludwig Werder eine Materialprüfmaschine, und 1856 begann August Wöhler mit Dauerversuchen, um das Verhalten von Werkstoffen bei Dauerbeanspruchungen und Schwingungen zu ermitteln. Die dazu benötigten Maschinen konstruierte er selbst. 1871 wurde in Berlin die *Königlich Mechanisch-Technische Versuchsanstalt* gegründet, ein Vorläufer der heutigen *Bundesanstalt für Materialprüfung*, und 1900 führte Georg Chapry die erste Kerbschlagbiegeprüfung durch. Im gleichen Jahr stellte Johan August Brinell auf der *Pariser*

Dauerzugversuchsmaschine von August Wöhler, 1860 (O)
Bei der Maschine handelt es sich um eines von vier Originalen, die das Deutsche
Museum von August Wöhler besitzt. Auf ihnen hat er die Versuche durchgeführt, die
der Formulierung seiner Gesetze zur Dauerfestigkeit von Werkstoffen vorausgingen.

Weltausstellung ein nach ihm benanntes Verfahren zur Härteprüfung
vor. Die Härteprüfverfahren von S. P. Rockwell und der Firma Vickers-
Armstrong Ltd. entstanden 1908 bzw. 1925.
Um 1930 führten S. Sokolow und O. Mühlhäuser die Ultraschall-Prü-
fung ein, und auf dem Markt erschienen die ersten praktikablen Rönt-
genprüfgeräte.

Zur Ausstellung

Gezeigt wird – entsprechend der Bedeutung der metallischen Werkstoffprüfung – eine stattliche Reihe von Prüfmaschinen, Proben und
Darstellungen. Es handelt sich dabei um Maschinen, die zum Teil aus
historischer Sicht von besonderem Interesse sind, z. B. die Dauerzugversuchsmaschine von August Wöhler aus dem Jahre 1860, als auch um
solche, die gegenwärtig in der Industrie Verwendung finden, z. B. die
Universalprüfmaschinen UEDE 40 von 1974. Bis auf einige historische
Exponate sind alle Prüfmaschinen noch funktionsfähig und können auf
Wunsch bei genügender Beteiligung vorgeführt werden.

K. Allwang

Werkzeugmaschinen

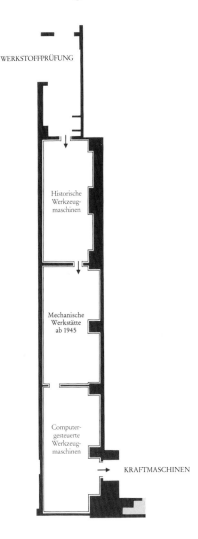

WERKSTOFF-PRÜFUNG

Historische
Werkzeug-
maschinen

Mechanische
Werkstätte
ab 1945

Computer-
gesteuerte
Werkzeug-
maschinen

KRAFTMASCHINEN

Man hält es in unserer Zeit für selbstverständlich, Gebrauchs- und Ver-
brauchsgüter in großen Mengen herzustellen. Allgemein besteht die
Meinung, daß die Verwirklichung von Erfinderideen unseren Kon-
sumwünschen und der Erhaltung unseres Wohlstandes dienen muß.
Nur ein kleiner Bruchteil der Menschheit weiß, daß alle benötigten
Güter vorab in irgendeiner Weise, mittelbar oder unmittelbar, durch
den Einsatz von Werkzeugen und Werkzeugmaschinen hergestellt
werden müssen. Es ist eine lange Entwicklung gewesen vom Arbeiten
des Urmenschen mit bloßer Hand über die ersten in seine Hand pas-
senden Gegenstände bis zu dem, was wir heute *Werkzeuge* nennen.
Waren es anfänglich in der Natur gefundene Dinge, die dem Zweck
entsprechend gestaltet und verbessert wurden, so folgten erst nach lan-

ger Zeit zusammengesetzte Geräte als Vorläufer von Maschinen. Die vermutlich erste Werkzeugmaschine – eine Bohrvorrichtung, bei der ein Fidelbogen einen Bohrer in Drehbewegung versetzt – wurde vor etwa 6000 Jahren gebaut. Es folgten Drehbänke und andere Maschinen einfacher Art, die im Laufe von Jahrtausenden allmählich verbessert werden konnten.

Durch Eroberungszüge, Völkerwanderungen, Entdeckungsfahrten und Handelsbeziehungen kam ein gewisser Erfahrungsaustausch in Gang. Es läßt sich deshalb heute nicht mehr genau angeben, wann und wo alle die bis ins Mittelalter hinein erfundenen Maschinenelemente in den einzelnen Arbeitsmaschinen erstmals auftauchten. Erst um 1500 erhalten wir durch das Anfertigen von technischen Zeichnungen ein genaueres Bild über Ergänzungen und Verbesserungen an Werkzeugmaschinen.

In den meisten Geschichtsbüchern wird die um 1700 erfundene und im gleichen Jahr mehrmals verbesserte Dampfmaschine als die Grundlage der industriellen Revolution des 19. Jahrhunderts und der Industriegesellschaft betrachtet. Untersucht man die geschichtliche Entwicklung der neuen Kraftmaschine etwas genauer, so wird man feststellen, daß die umwälzenden Veränderungen der Produktionsmethoden und der gesellschaftlichen Verhältnisse im vorigen Jahrhundert nur zu einem Teil durch den Bau und die Verwendung von Dampfmaschinen vorangetrieben wurden. Ein zumindest genauso wichtiger Anteil an der Veränderung und Überwindung der handwerklichen Fertigungsverfahren sowie der damaligen gesellschaftlichen Verhältnisse ist der Werkzeugmaschine zuzuschreiben.

Erst durch grundlegende Verbesserungen an den Bohr- und Drehmaschinen sowie durch die Erfindung neuartiger Werkzeugmaschinen in der zweiten Hälfte des 19. Jahrhunderts war es möglich, die für die Weiterentwicklung der Dampfmaschine notwendige Präzision zu erreichen und austauschbare Maschinenteile in großer Stückzahl anzufertigen. In unserem Jahrhundert erlebte der gesamte Werkzeugmaschinenbau zwei revolutionäre Neuerungen:

1. Der bis etwa 1930 ausschließlich verwendete Gruppenantrieb mit seinem Riemenwald wurde durch Einführung des Einzelantriebs verdrängt. Jede Maschine erhielt allmählich einen eigenen Elektro-, später einen hydraulischen oder pneumatischen Motor.

2. 1950 kommen in den USA die numerisch, überwiegend mit Lochstreifen gesteuerten NC-Werkzeugmaschinen auf den Markt. Ab 1955 finden sie zunehmend Eingang in Europa. Mit diesem Steuerungssystem setzte ein Wandel im Werkzeugmaschinenbau ein, in dessen Verlauf der Mensch als Maschinenbediener und als direkter Steuerer der Arbeitsvorgänge in der Produktion immer mehr abgelöst wird. Alle Werkzeugmaschinenarten, wie Einzweck-, Mehrzweck-, Sondermaschinen, Transferstraßen und Bearbeitungszentren, sind inzwischen computergesteuert lieferbar. Der Trend geht zu einer Einbindung der Maschinensteuerungen in computergesteuerte Produktionsabläufe. Ziel ist letztlich die Vernetzung aller Daten und Programme eines Betriebes zu einer computerintegrierten Fabrik.

Zur Ausstellung

Die 600 m² große Ausstellung wurde neu gestaltet (Wiedereröffnung 1991). Sie zeigt die Entwicklung der spanabhebenden Werkzeugmaschinen in drei Räumen. Schwerpunkte sind Werkzeugmaschinen im 18. und 19. Jahrhundert, ihre Entwicklung nach 1945 und moderne computergesteuerte Maschinen seit etwa 1985.

Der gesamte Maschinenpark ist funktionsfähig und wird auf Wunsch vorgeführt und erläutert.

Mechanische Werkstatt im 19. Jahrhundert

Die Nachbildung eines ägyptischen Reliefs aus dem 4. Jahrtausend v. Chr. zeigt die älteste überlieferte Bohrvorrichtung. In vier Dioramen ist die Entwicklung der frühen Dreh- und Bohrgeräte während eines Zeitraumes von über 1000 Jahren dargestellt.

Dreh-, Hobel-, Fräs- und Zahnradbearbeitungsmaschinen aus dem 18. und 19. Jahrhundert, wie in einer Werkstatt dieser Zeit aufgestellt, werden über Vorgelege und eine gemeinsame Transmissionswelle funktionsfähig angetrieben.

Die Beleuchtung und der Fußboden sind auf das Werkstattambiente abgestimmt.

Bohrgerät, 4. Jahrtausend v. Chr. (N)

In der jüngeren Steinzeit, im 4. Jahrtausend v. Chr., treten, wie Fundstücke erkennen lassen, in erstaunlichem Maße verbesserte Bohrungen auf. Man vermutet deshalb, daß seit dieser Zeit die Verwendung primitiver Bohrgeräte anstelle der bloßen Hand getreten ist. Belege dafür fehlen, und alle Rekonstruktionen, so überzeugend sie auch sein mögen, beruhen auf Annahmen. Robert Forrer hat um die Jahrhundertwende nach Einzelfunden und Bohrversuchen eine Vorrichtung entworfen und erprobt, die im wesentlichen dieser Ausführung entspricht. Sie besteht aus zwei hölzernen Pflöcken und dem mit einem Stein belasteten Querbalken, der den Knochenbohrer festhält und den erforderlichen Bohrdruck erzeugt. Den Antrieb übernimmt ein Fidelbogen.

Blick in den historischen Werkzeugmaschinenraum
Im Vordergrund steht die älteste in Deutschland erhaltene Drehmaschine (um 1810); daneben eine Spindelpresse (1855) und dahinter eine Plandrehmaschine (1830).

Mechanische Werkstatt Mitte 20. Jahrhundert

Die Entwicklung der meisten Werkzeugmaschinentypen war bis 1930 abgeschlossen. Entscheidende Weiter- bzw. Neuentwicklungen wurden erst wieder nach 1945 durchgeführt. Die neuen Maschinen zeichneten sich durch eine starre, schwingungsfreie Konstruktion, hohe Maßhaltigkeit und Antriebsleistung aus. Die Einführung von Hartmetall- und Keramikschneiden hatte innerhalb von hundert Jahren um das Zweihundertfache höhere Schnittgeschwindigkeiten möglich gemacht.

Leider kann aus der Vielfalt der neueren Werkzeugmaschinen-Entwicklung aus Platzgründen und Bodenbelastbarkeit nur ein kleiner Ausschnitt gezeigt werden.

Computergesteuerte Werkzeugmaschinen

Der Raum zeigt neueste Werkzeugmaschinen seit 1985. Schwerpunkte sind:

Kopierdrehmaschine, 1954 (O)
Beim Kopieren wird der Umriß einer Schablone oder eines Meisterstückes abgetastet. Elektrische und hydraulische Einrichtungen steuern die Bewegung des Drehmeißels und übertragen die Modellform auf das Werkstück. Die röhrengesteuerte und hydraulisch betätigte Kopiereinrichtung ist hier Teil des konstruktiven Aufbaus. Zur Bedienung sind nur 3 Hebel für die Schaltung der Spindeldrehzahlen nötig, alle anderen Bewegungsvorgänge werden durch Schalter elektrisch ausgelöst.

Lasercav, 1990 (O)
1989 gelang dem Werkzeugmaschinen-Hersteller Maho erstmals, einen Hochleistungslaser in eine fünfachsige Fräsmaschine einzubauen. Der Strahlerzeuger der Fa. Trumpf ist so kompakt, daß er in die Maschine integriert und fest mit dem Maschinenrahmen verbunden werden kann. So läßt sich die Fräsmaschinengenauigkeit der CNC-gesteuerten MAHO Lasercav zur Laserbearbeitung nutzen. Mit ihren 5 Achsen kann der Laserstrahl über beliebig gekrümmte Flächen geführt und dabei in härteste und elektrisch nicht leitfähige Werkstoffe feinste und genaueste Strukturen einbringen, was bisher nur durch Formfräswerkzeuge oder durch Erodieren möglich war.

- moderne Fertigungsgruppe für Fräsen, Drehen, Schleifen und Erodieren mit NC-Programmierplatz;
- Drehzelle mit automatischem Werkzeugwechsel als Komplett-Bearbeitungszentrum;
- zwei fünfachsige Maschinen mit konventionellen Fräsern und mit Laser als Werkzeug;
- Modell einer computerintegrierten Fabrik. Das teils bewegliche Modell zeigt den kompletten Produktionsprozeß eines Maschinenteiles vom Eingang des Auftrages über die Konstruktion und Fertigung bis hin zur Qualitätsprüfung und Auslieferung.

K. Allwang

Kraftmaschinen

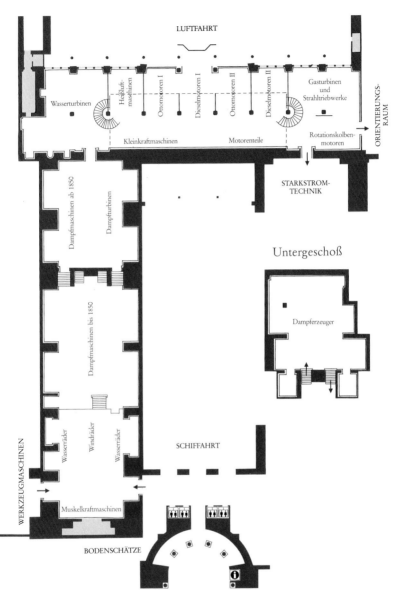

Kraftmaschinen wandeln verschiedene Energieformen so in mechanische Energie um, daß sie in der Regel in Form einer Drehbewegung technisch genutzt werden kann.

Ohne Kraftmaschine ist unser heutiges Leben nicht vorstellbar. Man denke nur an die gewaltigen Turbinen, die in den Kraftwerken über Generatoren elektrischen Strom erzeugen, an die Strahltriebwerke, mit deren Hilfe Flugzeuge in kürzester Zeit auch größte Entfernungen überbrücken, oder an die Motoren, die in der Industrie, in Gewerbebetrieben, in der Landwirtschaft und im Haushalt die Arbeit erleichtern. Und wer möchte schließlich trotz Umweltverschmutzung und anderer Nachteile das Auto missen, das auch von einer Kraftmaschine – dem Verbrennungsmotor – angetrieben wird? Die Zahl von 450 Millionen – so viele Kraftfahrzeuge waren laut Statistik 1984 weltweit auf den Straßen unterwegs – spricht für sich. Dabei vergißt man leicht, daß über Jahrtausende hinweg die Muskelkraft von Mensch und Tier die wichtigste Energieform war. Durch Muskelkraft wurden Lasten zu Land und zu Wasser bewegt, Werkzeug- und andere Arbeitsmaschinen angetrieben; Bergbau und Landwirtschaft waren praktisch allein auf sie angewiesen. Auf die menschenunwürdige Arbeit an der Muskelkraftmaschine, die lange Zeit überwiegend durch Sklaven und Leibeigene ausgeführt wurde, weist die bis heute noch gebräuchliche Redewendung «in die Tretmühle geraten» hin.

Der erste Schritt aus der Tretmühle wurde mit der Nutzung der Wasserkraft getan. Sieht man von den Schöpfrädern ab, werden Wasserräder, die in Rom und in Asien Getreidemühlen antrieben, im 1. Jahrhundert v. Chr. erstmals erwähnt. Ihre weitere Verbreitung vollzog sich nur schleppend – die Muskelkraft war ja damals sehr billig –, und es verging ein weiteres Jahrtausend, bis sie außer in Mühlen nach und nach Eingang in gewerbliche Betriebe und andere Bereiche fanden. Erst in unserem Jahrhundert wird die Wasserkraft durch Turbinen in großem Umfang genutzt. Der zweite Schritt aus der Tretmühle erfolgte, als man mittels Windrädern die Windkraft zu nutzen begann. Dies geschah etwa im 7. Jahrhundert im Orient und in verstärktem Maße vom 11. Jahrhundert an im Mittelmeerraum sowie an den Küsten Mitteleuropas. Die angetriebenen Arbeitsmaschinen waren vorwiegend Getreidemühlen und Wasserschöpfwerke.

Zu den langsamlaufenden Windrädern kamen seit der Jahrhundertwende die schnellaufenden, nach aerodynamischen Gesichtspunkten gebauten Windturbinen, deren Weiterentwicklung zum Einsatz in Großwindkraftwerken heute gefördert wird.

Vor etwa 250 Jahren war der Zeitpunkt erreicht, an dem der rasch steigende Energiebedarf infolge zunehmender Technisierung durch Muskel-, Wasser- und Windkraft nicht mehr gedeckt werden konnte. Zudem standen Wasser- und Windkraft nicht immer und nicht überall zur Verfügung. Betriebe, die mit Wasserkraft arbeiten wollten, waren in der Wahl ihrer Standorte beschränkt. Nicht selten mußten sie sich weitab von Siedlungen an geeigneten Wasserläufen niederlassen und ihre Produkte auf schlechten Wegen zum Verbraucher transportieren. Sollte nicht die gesamte technische Entwicklung zum Stillstand kommen, mußten neue Energiequellen erschlossen und neue Maschinen erfunden werden, die diese nutzen konnten.

Eine solche Maschine – oder besser: *die* Maschine des 18. Jahrhunderts – ist die Dampfmaschine, die großen Anteil an der industriellen Revolution hat. Der entscheidende Schritt im Dampfmaschinenbau war 1769 die Erfindung des Kondensators durch James Watt. Danach ging die Entwicklung zu leistungsfähigeren Maschinen rasch voran.

Eine Verbesserung des Wirkungsgrades und eine weitere Leistungssteigerung pro Einheit gegenüber der Kolbendampfmaschine brachte die Dampfturbine, deren Entwicklung in den achtziger Jahren des 19. Jahrhunderts erste Erfolge zeigte. Heute hat die Dampfturbine wegen ihrer größeren Wirtschaftlichkeit die Kolbendampfmaschine vollständig verdrängt.

Die Dampfmaschine begünstigte eindeutig die Großindustrie, und mit ihrer zunehmenden Verbreitung wurde die Forderung der Kleinbetriebe und des Handwerks nach einer für ihre Zwecke geeigneten Kraftmaschine immer dringlicher. Heißluftmaschine, Verbrennungs- und Elektromotor wurden nicht zuletzt für diese Bedürfnisse entwickelt. Sie führten zu den heute weit verbreiteten, dem jeweiligen Einsatzzweck angepaßten Antriebsformen.

Zur Ausstellung

In der Abteilung werden, soweit möglich, die einzelnen Kraftmaschinenarten in sich geschlossen und in der Reihenfolge ihrer Entstehung ausgestellt.

Muskelkraftmaschinen

Keil, Hebel, Rolle, Welle und Rad sind einfache Elemente, die einen effektiven Einsatz der Muskelkraft ermöglichen. Mehrere solcher Elemente wirken in der Muskelkraftmaschine zusammen. Dieses Zusammenwirken kann an dem zentralen Objekt der Gruppe *Muskelkraft*, einer Färbermangel mit Göpelantrieb aus dem Jahr 1838, demonstriert

Ochsen-Tretscheibe, um 1600 (Di)
Solche Tretscheiben trieben bis zum Anfang des 19. Jahrhunderts Getreidemühlen in der Poebene an. Sie wurden eingesetzt, weil das Gefälle des Po für Wassermühlen nicht ausreichte.

Löffelradmühle, um 1870 (O) Die Mühle stammt aus Rumänien. Löffelräder sind besonders geeignet für kleinere Wassermengen mit größerem Gefälle. Deshalb waren sie vor allem in Gebirgsgegenden verbreitet.

werden. Um dieses Exponat gruppieren sich teils als Originale, teils in Dioramen, die typischen Vertreter der Muskelkraftmaschinen: *Laufräder, Tretwerke* und *Göpel.*

Wasserkraftmaschinen

Unter diesem Begriff zusammengefaßt sind die *Wasserräder, Wassersäulenmaschinen* und *Wasserturbinen.* Die baulichen Gegebenheiten erforderten jedoch bei ihrer Aufstellung eine räumliche Trennung. So finden Sie auf Ihrem Rundgang die *Wasserturbinen* erst im Anschluß an die *Dampfkraftmaschinen.*

Die ersten Maschinen, die die Kraft des fließenden Wassers in eine Drehbewegung umwandeln konnten, waren die *unterschlächtigen Wasserräder.* Als *Wasserschöpfräder* wurden sie jahrtausendelang nahezu unverändert gebaut. Noch heute stehen solche Räder an der Regnitz in Mittelfranken. Das Modell eines fränkischen *Schöpfrades* finden Sie am Eingang in die Abteilung.

Durch künstliche Wasserführung und konstruktive Maßnahmen ließ sich der Wirkungsgrad der *Wasserräder* erhöhen. Beispielhaft dafür drehen sich, in Wandnischen eingebaut, ein *ober-* und ein *mittelschlächtiges Rad* sowie ein *Löffelrad.*

Zu den *Kolbendampfmaschinen* leiten nicht nur räumlich die *Wassersäulenmaschinen* über. Anstelle von Dampf treibt hier Druckwasser den Kolben in einem Zylinder hin und her. Dominierendes Objekt dieser Gruppe ist die *Solehebemaschine,* die 1817 von Georg von Reichenbach gebaut wurde.

Windkraftmaschinen

Die Nutzung der Windkraft begann vor mehr als 5000 Jahren mit dem Schiffssegel. Bis ins 7. Jahrhundert n. Chr. zurück läßt sich die Entwicklung der Windräder verfolgen. Zunächst waren sie, nach der vorherr-

Blick in die 1985 neugestaltete Kraftmaschinenhalle
Um das zentral aufgestellte Windrad aus dem Jahre 1905 gruppiert sich eine Modellreihe, die die wesentlichen Entwicklungsstufen der Windräder dokumentiert. Die Solehebemaschine von Georg von Reichenbach, 1817 (rechts im Bild), und die Ventildampfmaschine der Gebr. Sulzer, 1865 (im Hintergrund), zählen zu den herausragenden Objekten der Halle.

schenden Windrichtung orientiert, fest montiert. Fortgeschrittenere Konstruktionen ermöglichten es, das Rad stets in den Wind zu drehen.

Um das in der Raummitte stehende, *schnellaufende Windrad* aus dem Jahr 1905 ist eine Modellreihe gruppiert, die die wesentlichen Entwicklungsstufen der Windräder dokumentiert.

Dampfkraftmaschinen

In dem einige Stufen tiefer liegenden Raum wird die Entwicklung der Dampfmaschine bis etwa 1860 gezeigt. Modelle zu der 1698 von Thomas Savery entwickelten *kolbenlosen Dampfpumpe* und zu der 1711 von Thomas Newcomen erstmals gebauten *atmosphärischen Dampfmaschine* machen deutlich, daß die weitverbreitete Meinung, James Watt sei der Erfinder der Dampfmaschine, nicht haltbar ist. Seine in den achtziger Jahren des 18. Jahrhunderts gebaute *doppeltwirkende Industriedampfmaschine* mit Drehbewegung veränderte allerdings das Arbeitsleben entscheidend.

Der originalgetreue Nachbau dieser Maschine, eine auf gemauertem Sockel stehende *Balanciermaschine* aus dem Jahr 1813, und die *Ventil-*

Zwillings-Verbund-Dampfmaschine, 1899 (O)
In dieser Verbundmaschine wird der Dampf zweifach zur Arbeitsleistung genutzt: zunächst in dem Hochdruckzylinder und anschließend wegen seines erweiterten Volumens in dem größeren Niederdruckzylinder.

dampfmaschine der Gebr. Sulzer aus dem Jahr 1865 prägen diesen Raum.

Um 1850 war die Dampfmaschine zur alltäglichen Erscheinung geworden. Neue ingenieurwissenschaftliche Methoden, wie die genaue Erfassung thermodynamischer Vorgänge, prägten ihre Weiterentwicklung. *Mehrfach-Expansionsmaschinen* nutzten den Dampfdruck besser aus, und *Schnelläufer* trieben elektrische Generatoren direkt an.

Um die Wende zum 20. Jahrhundert war die Entwicklung der *Kolbendampfmaschine* praktisch abgeschlossen: schon begannen Verbrennungs- und Elektromotoren sowie Dampfturbinen, sie zu verdrängen.

Im letzten Raum der «alten» Kraftmaschinenhalle stehen sich «ausgereifte» Kolbendampfmaschinen und Vertreter der von Carl de Laval und Charles Parsons in den achtziger Jahren entwickelten *Gleich-* bzw. *Überdruckdampfturbinen* gegenüber.

Dampferzeuger

Bevor Sie allerdings die wenigen Treppen zu diesem Raum emporsteigen, sollten Sie noch einen Blick auf die Gruppe *Dampferzeuger* im Untergeschoß werfen. Hier zeigen wir Ihnen, wegen der beträchtlichen Abmessungen meistens anhand von Modellen, die Entwicklung dieser Anlagen. (Bei modernen Turmkesseln sind Höhen von 100 m keine Seltenheit.) Auch auf umweltschützende Maßnahmen bei der Dampferzeugung wird eingegangen.

Wasserturbinen

Die wirksamsten Wasserkraftmaschinen sind die Wasserturbinen. Sie wandeln die Wasserkräfte nahezu verlustlos in Antriebsenergie um. Die bedeutendsten heute verwendeten Turbinenarten sind die *Pelton-, Francis-* und *Kaplanturbinen.*

Die Peltonturbinen kommen bei geringen Wassermengen und bei großem Gefälle zum Einsatz. Das Gefälle beträgt hier häufig über 1000 Höhenmeter. Für das mittlere Gefälle zwischen 20 und etwa 600 Höhenmetern werden Francisturbinen verwendet. Für geringere Fallhöhen bis etwa 80 Meter und für große Durchflußmengen kommen Kaplanturbinen zum Einsatz.

Der Rundgang führt Sie zunächst zu historischen Turbinen, bevor Sie Funktionsmodelle und verschiedene Laufräder mit den modernen Wasserturbinen vertraut machen.

Heißluftmaschinen

Ein Ergebnis verschiedener Versuche, eine für den Handwerker geeignete Antriebsmaschine zu finden, ist die *Heißluftmaschine.* Ihre Entwicklung hat John Ericsson Mitte des 19. Jahrhunderts entscheidend beeinflußt. Sie ist neben der Dampfmaschine die älteste *Wärmekraftmaschine* und hatte ihr gegenüber den Vorteil, daß sie keinen Dampfkessel benötigte. Damit entfielen die strengen, kostentreibenden Vorschriften für Aufstellung, Bedienung und Wartung.

Verschiedene Maschinen in offener und geschlossener Bauweise, ein *Stirlingmotor* aus dem Jahr 1953 eingeschlossen, dokumentieren die Entwicklung auf diesem Motorensektor.

Verbrennungsmotoren

Auch der Verbrennungsmotor entstand aus dem Bestreben, Handwerkern und Gewerbebetrieben eine geeignete Antriebsmaschine anzubieten.

1860 baute Jean Lenoir den ersten brauchbaren *Gasmotor,* der sieben Jahre später in seiner Effektivität durch die *atmosphärische Gasmaschine* von Nikolaus August Otto und Eugen Langen weit übertroffen wurde. Ihre Produktion wurde eingestellt, als 1876 Otto seinen Viertaktmotor in Serie zu bauen begann. Dieser Motor, der das Brennstoff-Luftgemisch vor dem Zünden verdichtet, wurde das Vorbild aller späteren Verbrennungsmotoren.

Die verschiedenen Motorenbezeichnungen, wie Benzin- und Dieselmotor, Klein- und Großmotor, Zwei- und Viertaktmotor oder Fahrzeug- und Flugmotor, sind für den Laien oft verwirrend. Im Prinzip gleichen sie sich jedoch alle. Zunächst muß das Brennstoff-Luftgemisch in einen Zylinder eingebracht werden. Dort wird es zusammengepreßt und dann entzündet. Die bei der anschließenden explosionsartigen Verbrennung frei werdende Energie treibt einen Kolben vor sich her.

Eine Grobunterteilung der Motoren in *Otto-, Diesel-* und *Rotations-kolbenmotoren* ist üblich, und dementsprechend sind sie auch in diesem Ausstellungsbereich angeordnet.

Der erste Dieselmotor,
1897 (O)
1892 begann Rudolf Diesel mit seinem Motor zu experimentieren. Erst sein 3. Versuchsmotor brachte die gewünschten Ergebnisse. Dieser Motor wurde Anfang 1897 fertiggestellt. Er gilt heute als der erste Dieselmotor.

Gasturbinen und Strahltriebwerke

In beiden Maschinentypen wird vorverdichtete Luft in Brennkammern erhitzt. Anschließend durchströmt diese Luft eine Turbine. Die Turbinenwelle ist mit einem Luftverdichter verbunden und bei der Gasturbine auch mit dem anzutreibenden Aggregat, z.B. einem Generator, einer Pumpe oder den Rotorblättern eines Hubschraubers. Im *Strahltriebwerk* treibt die Turbine nur den Verdichter und einige Hilfsaggregate an. Den gewünschten Effekt, nämlich den propellerlosen Vortrieb eines Flugzeuges, bewirken die mit hoher Geschwindigkeit aus einer Schubdüse austretenden Verbrennungsgase durch die Rückstoßwirkung. Die Entwicklung der Gasturbine, die bis in die vierziger Jahre dieses Jahrhunderts nur zögernd voranging, wurde durch die kriegsbedingte sprunghafte Entwicklung der Strahltriebwerke vorangetrieben.
Gas- und Strahlturbinen, die jüngste Kraftmaschinenart, schließen die auf etwa 2000 m² aufgebaute Abteilung Kraftmaschinen ab.   *E. Rödl*

Vorschläge zur Fortsetzung des Rundgangs
Sie haben nun die Wahl, den Rundgang mit der Ausstellung *Starkstromtechnik* (S. 84) fortzusetzen oder bis zu den Wasserturbinen zurückzugehen und über die Wendeltreppe auf der Galerie die Ausstellung *Maschinenelemente* (S. 81) zu besichtigen.

Maschinenelemente

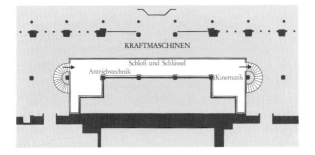

Archimedes und die Ingenieure der Alexandrinischen Schule benutzten um 300 v. Chr. als erste einfache Maschinenelemente wie Hebel, Kurbel, Keile und Schrauben und fügten sie zu einfachen Maschinen zusammen. Der Ausdruck «Maschinenelemente» ist aber erst im 19. Jahrhundert eingeführt worden, als die Ingenieurwissenschaften systematisch unter Einbeziehung von Mathematik und Kinematik betrieben wurden.

Maschinenelemente sind genormte Bauteile, die zur Gestaltung und zum Aufbau von Maschinen, technischen Apparaten und Geräten in gleicher oder ähnlicher Form immer wieder gebraucht werden. Einfache Kleinteile wie Schrauben gehören ebenso dazu wie komplizierte Getriebe.

Kirchenschloß mit Schlüssel, 18. Jahrhundert (O)
Seit etwa 6000 Jahren werden Schloß und Schlüssel mit verschiedenen Schließsystemen zum Schutz von Hab und Gut verwendet. Das gezeigte Kirchenschloß gehört zur Gruppe der Schnappschlösser, die im 15. Jahrhundert entwickelt wurden. Eine Federkonstruktion drückt die vier Fallen nach vorne. Beim Zuwerfen der Türe schnellen die Fallen selbsttätig in die Verschlußlage. Eine Dritteldrehung des Schlüssels holen sie zum Öffnen zurück. Eine komplizierte, zum Bart passende Besatzung sichert das Schloß gegen falsche Schlüssel. Die Herstellung dieses vielteiligen und äußerst präzisen Mechanismus erforderte großes handwerkliches Geschick. Deshalb wurde das Schloß im Laufe des 16. Jahrhunderts zu einem Meisterwerk der Schlosserzunft.

Entsprechend dem Verwendungszweck unterscheidet man
- Verbindungselemente, wie Schrauben und Nieten
- Transportelemente, wie Schläuche und Rohrleitungen
- Antriebselemente, wie Zahnräder und Ketten.

Darüber hinaus sind noch einige Randgebiete, z.B. Passungen, Festigkeit und zulässige Spannungen den Maschinenelementen zuzurechnen, da sie für deren Gestaltung und Berechnung grundlegend sind.

Zur Ausstellung

Eine vollständige Ausstellung des komplexen Gebietes ist aus Platzgründen nicht möglich. Der Schwerpunkt liegt deshalb bei den Antriebselementen. Zur Kinematik oder Getriebelehre zeigen wir wertvolle historische Anschauungsmodelle von Franz Reuleaux (1829 bis 1905). Eine Schlösser- und Schlüsselsammlung aus zwei Jahrtausenden rundet das Thema ab.

K. Allwang

Modell einer Kugelschleifmaschine, 1983 (M)
Friedrich Fischer gilt als der Gründer der Wälzlagerindustrie. 1893 erfand er die erste Kugelschleifmaschine zur industriellen Herstellung von Stahlkugeln. 1983 wurde die vergrößerte Nachbildung des Originals für das Deutsche Museum angefertigt. Der Aufbau entspricht dem Prinzip der Getreidemühle. Die Rohlinge liegen auf dem Kugelteller, der rotierende Schleifstein darüber. Da sich der Kugelteller nur langsam mitdreht, rotieren die Rohlinge zwischen Stein und Teller und werden gleichmäßig und genau geschliffen. Das spitzenlose Schleifen ist heute noch das grundlegende Verfahren in der Kugelindustrie.

Kegelförmige Reibräder, um 1900 (M)
Professor Franz Reuleaux (1829–1905), Rektor an der TH Berlin, führte die Kinematik, auch Getriebelehre genannt, als eigenständiges Lehrfach ein. Für seine Vorlesungen ließ er zahlreiche kinematische Anschauungsmodelle fertigen, um komplizierte Bewegungen anschaulich vermitteln zu können. Die Ausstellung zeigt eine kleine Auswahl.

Starkstromtechnik

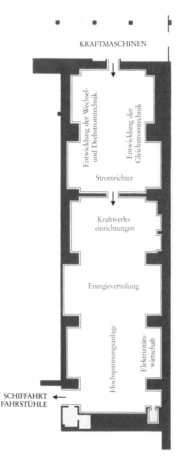

KRAFTMASCHINEN

Entwicklung der Wechsel- und Drehstromtechnik

Entwicklung der Gleichstromtechnik

Stromrichter

Kraftwerks einrichtungen

Energieverteilung

Hochspannungsanlage

Elektrizitäts- wirtschaft

SCHIFFAHRT FAHRSTÜHLE

Elektrische Energie wird fast ausschließlich in mechanisch angetriebenen elektrischen Generatoren erzeugt, also durch Umwandlung aus mechanischer Energie gewonnen. Grundlage für diese Umwandlung bilden die 1831 von Michael Faraday gefundenen Induktionserscheinungen.

1832 baute Hypolite Pixii unter Verwendung von Stahlmagneten den ersten, die Induktionswirkung ausnutzenden elektrischen Generator. Die im Laufe der Jahre verbesserten Stromerzeuger dienten zum Betrieb von Bogenlampen und galvanotechnischen Anlagen; elektrische Energie für Antriebszwecke fortzuleiten, war nicht üblich. Das dynamoelektrische Prinzip, 1866 fast gleichzeitig und unabhängig voneinander durch Alfred Varley, Werner von Siemens und Charles Wheatstone entdeckt, gab der Starkstromtechnik einen kräftigen Impuls und führte schließlich, zusammen mit Verbesserungen wie der Unterteilung des Ankereisens, der technischen Durchbildung von Kollektor, Anker und Feldteil und verbesserter Kühlung zur Konstruktion leistungsfähigerer Maschinen.

Nach der Entwicklung brauchbarer Glühlampen durch Joseph Wilson Swan und Thomas Alva Edison entstanden um 1880 die ersten elektrischen Zentralstationen. Sie lagen im Zentrum ihres Versorgungsgebiets und lieferten Gleichstrom. Später kamen Wechsel- und Drehstromkraftwerke dazu, die wegen der leichten Transformierbarkeit der Spannung auch außerhalb der Verbraucherschwerpunkte errichtet werden konnten.

Neben der Beleuchtung gewann der elektrische Antrieb zunehmende Bedeutung. Die Energieübertragung von Miesbach nach München über 57 km durch Marcel Deprez mit Gleichstrom von 1400 Volt im Jahre 1882 und im Jahre 1891 die Übertragung von Lauffen nach Frankfurt über 175 km mit 15 000 Volt Drehstrom – zwei von Oskar von Miller angeregte Großversuche – bewiesen, daß sich elektrische Energie bei hohen Spannungen auch über große Entfernungen wirtschaftlich transportieren und von günstig gelegenen Kraftwerken aus verteilen läßt.

Mit der Versorgung größerer Gebiete und dem Transport zunehmender Energiemengen stiegen die Übertragungsspannungen und die Anforderungen an Transformatoren und Schaltanlagen. Die Generatorleistungen wuchsen von wenigen Kilowatt (kVA) auf über 1000 Megawatt (MVA), die Übertragungsspannungen von einigen hundert auf mehrere 100 000 Volt an.

Mit der Zusammenschaltung einzelner Netzteile zur großräumigen Deckung des Bedarfs an elektrischer Energie hat sich die ökonomische – und auch die ökologische – Seite der Starkstromtechnik, die Elektrizitätswirtschaft, zu einem eigenständigen Bereich entwickelt, der im in-

Der Weg des Stromes vom Erzeuger zum Verbraucher (Di)
Das Diorama aus dem Jahr 1953 zeigt in einer Voralpenlandschaft die unterschiedlichen Kraftwerkstypen und erklärt den Weg der elektrischen Energie, wie sie über Umspannwerke und Leitungsnetze verschiedener Spannungsebenen zum Verbraucher in Haushalt und Landwirtschaft gelangt.

Erster Dynamo von Werner von Siemens, 1866 (O)

1866 erkannte Werner von Siemens, daß der im Eisen des Elektromagneten eines Generators zurückbleibende Magnetismus ausreicht, um eine zunächst schwache Spannung im rotierenden Anker zu induzieren. Ein dadurch bewirkter Strom läßt sich benutzen, um den Magnetismus im Feldelektromagnet fortschreitend bis zur Sättigung zu verstärken. Diese Selbsterregung wird dynamoelektrisches Prinzip genannt und wurde von Werner von Siemens als erstem in seiner Bedeutung für die Erzeugung elektrischer Energie erkannt.

ternationalen Verbund der UCPTE (Union pour la Coordination et la Production de l'Électricité) noch vor der politischen Einigung Westeuropas ein zusammenhängendes Netz vom Nordkap bis Sizilien für ca. 200000 Megawatt Parallellaufleistung geschaffen hat, in dem elektrische Energie ohne staatlichen Dirigismus, frei von Zollabgaben und von Aus- oder Einfuhrbeschränkungen ausgetauscht wird.

Zur Ausstellung

Die Ausstellungsabteilung *Starkstromtechnik* zeigt im wesentlichen die Erzeugung und Verteilung elektrischer Energie sowie ihre Umwandlung in nutzbringende Wirkungen beim Verbraucher – entsprechend den drei großen Fachrichtungen Elektromaschinenbau, elektrische Anlagentechnik und Hochspannungstechnik. Gemäß dieser Einteilung wurden im Jahre 1953 zwei Säle eingerichtet:

1. Im ersten Saal sind der historische Beginn und die weitere Entwicklung der elektrischen Maschinen dargestellt: links die Gleichstromtechnik, rechts die Wechsel- und Drehstromtechnik.

2. Der zweite Saal bringt die elektrische Anlagentechnik mit ihren wesentlichen Bereichen Kraftwerke und Netze, unter anderem in Form von Generatoren, Schaltanlagen und Schutzeinrichtungen. Die Hochspannungstechnik wird anhand einer vorführbaren Hochspannungsanlage sowie von Transformatoren, Kabeln, Freileitungen und Schaltern gerätemäßig dargestellt. Schließlich findet man noch auf 12 Tafeln einen

Bereich Elektrizitätswirtschaft abgehandelt, der 1986 auf den neuesten Stand gebracht wurde.

Die einzelnen Bereiche mit ihren wichtigsten Objekten sind:

Entwicklung der Gleichstromtechnik
Erste dynamoelektrische Maschine von Werner von Siemens, 1866 (O).

Entwicklung der Wechsel- und Drehstromtechnik
Elektrischer Generator von Hypolyte Pixii, 1832/33 (O).
Ringtransformator von Otto Titus Blathy, Max Déri und Carl Zipernowsky, 1889 (O).
Erster Drehstromgenerator von August Haselwander, 1887 (O).
Erster Drehstrommotor mit Kurzschlußläufer von Michael Dolivo-Dobrowolski, 1889 (O).

Stromrichter
Erster Quecksilberdampf-Stromrichter für Hochspannungs-Gleichstromübertragung von BBC, 1939 (O).

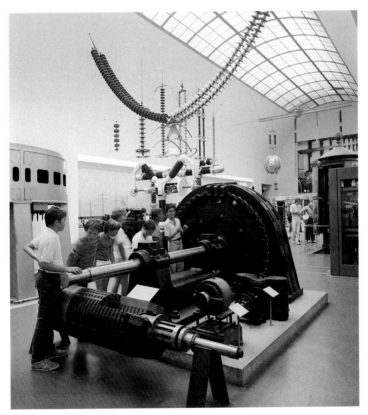

Erzeugung und Verteilung elektrischer Energie
Im Vordergrund ein sehr früher Turboläufer (Firma BBC, 1902), dahinter der Generator der ersten Drehstrom-Übertragung der Welt von Lauffen nach Frankfurt (Klauenpolmaschine, Firma Oerlikon, 1891). Auch die Isolatorketten für Freileitungen sind gut sichtbar, besonders die Tragkette der ersten 735-kV-Übertragung der Welt (Kanada, 1965).

Hochspannungsanlage, 1952 und 1975 (O, V)
Gleitentladungen und Schutzwirkung eines Faradayschen Käfigs bei Wechselspannungen bis 300000 Volt, Spannungsmessen mit einer Kugelfunkenstrecke, elektrisches Feld, Blitzeinschläge in Modellhäuser, Spalten von Holz und Verdampfen eines Drahtes mit Stoßgenerator bei Spannungen bis zu 1 Mio. Volt.

Kraftwerkseinrichtungen

Generator der Kraftübertragung Lauffen-Frankfurt, 1891 (O).
Schirmgenerator für 3000 kVA mit Kaplanturbine, 1953 (O).

Hochspannungsanlage

Die hier täglich dreimal stattfindenden Vorführungen sind neben dem Planetarium das beliebteste Ziel der Museumsbesucher; sie sollen dabei die Hochspannungstechnik mit Wechselspannungen von 50 Hertz und mit Impulsspannungen kennenlernen. Auf Experimente mit Wechselspannung bis zu 300000 Volt (Lichtbogen, Abschirmung u.a.) und mit Wechselströmen bis zu 1000 Ampere (Kraftwirkung) folgen solche mit impulsartigen Spannungen, die Blitzeinschläge simulieren und ihren Höchstwert von 800000 Volt in zwei millionstel Sekunden erreichen. Damit wird mittels Haus- und Kirchturmmodellen die Wirksamkeit unterschiedlicher Erdungsmaßnahmen beim Blitzeinschlag simuliert.

Elektrizitätswirtschaft

Die 12 Tafeln bringen Tabellen, Diagramme und Texte zu den Themen: Stromerzeugung aus Primärenergie und regenerativen Energiequellen, Stromverteilung, Strombedarf, Stromtarife, Umweltschutz u.v.a.

F. Heilbronner

Vorschläge zur Fortsetzung des Rundgangs
Sie können nun links um die Ecke die Rampe hinauf und am Imbißraum vorbei in die Abteilung *Wasserbau* gehen oder gleich rechts zuerst die Abteilung *Schiffahrt* (S.126) besichtigen.

Wasserbau

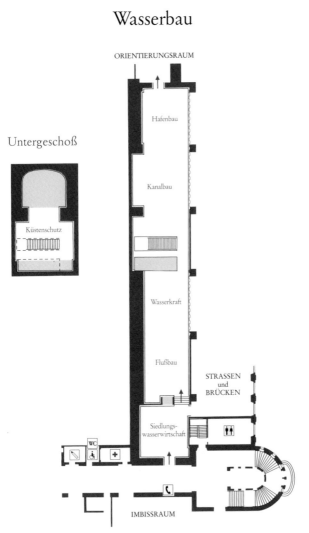

Hafenbau

Untergeschoß

Kanalbau

Küstenschutz

Wasserkraft

Flußbau

STRASSEN
und
BRÜCKEN

Siedlungs-
wasserwirtschaft

WC

IMBISSRAUM

Der Wasserbau, die älteste Ingenieurbaukunst, spielt bei der Entstehung der ersten Hochkulturen in Ägypten, Mesopotamien, Indien und China eine wesentliche Rolle.

Um Kulturland zu gewinnen und vor Hochwasser zu schützen, um fruchtbaren Boden zu bewässern, um Siedlungen mit Trinkwasser zu versorgen und die Abwässer zu beseitigen, um die Kräfte des Wassers auszunutzen, um Flüsse schiffbar zu machen, neue Wasserstraßen anzulegen und um Güter umzuschlagen, bedarf es eines starken Eingriffs in den natürlichen Kreislauf des Wassers.

Zur Ausstellung

Die Ausstellung ist von der Eingangshalle über die rechte Treppe zum Imbißraum direkt erreichbar.

Siedlungswasserwirtschaft

Seit dem Beginn des Industriezeitalters hat ab 1850 die Wassergüte-wirtschaft einen besonderen Rang erhalten. Nur wenig Wasser wird wirklich *ver*braucht; der überwiegende Teil wird nur *ge*braucht und danach wieder in die Gewässer zurückgeführt. Leider wird das Wasser beim Gebrauch nahezu ausnahmslos verschmutzt: Aus Wasser wird Abwasser.

In der Bundesrepublik Deutschland werden heute (1990) von etwa 7,5 Mrd. m³ Wasser für Haushalt, Industrie und Gewerbe (außer dem Kühlwasser für Kraftwerke) rd. 5,5 Mrd. m³ von öffentlichen Wasserversorgungsunternehmen in 20000 Anlagen gewonnen.

Der Zyklus der Siedlungswasserwirtschaft besteht aus fünf Stufen, die in einem 6,50 m langen Modell dargestellt sind: Wassergewinnung, Wasseraufbereitung, Wasserspeicherung und -verteilung, Wasserverbrauch, Abwasserreinigung.

Hochdruck-Schieber, 1912 (O)
Schieber sind Verschlüsse im Zuge von Rohrleitungen; mit ihnen werden an Stauseen und Kraftwerken große Wassermengen unter hohem Druck abgesperrt und reguliert. Das Bild zeigt einen Rohr-Flachschieber der Möhnetalsperre, Westfalen. Eine weitere Schieberbauart sind die Kugelschieber (rechts daneben).

Sektorwehr aus der Reihe «Wehrversuche» (M, D)
Ein Wehr ist ein Bauwerk inmitten eines fließenden Gewässers; es dient dazu, den
Wasserspiegel im Oberwasser gegenüber dem Unterwasser zu heben. Das Sektorwehr
ist eine Stahlkonstruktion, die in den Wehrunterbau versenkt werden kann. Zum Heben des Wehrkörpers wird Wasserdruck aus dem Oberwasser eingesetzt, zum Senken
wird die Wehrkammer in das Unterwasser entleert.

Flußbau

Der Flußbau dient der Flußregelung, Ufersicherung, Grundwasserregel-
lung und dem Hochwasserschutz. Allen Maßnahmen gehen die Untersuchungen von Wasserstand und Wassermenge, Verdunstung, Grund-
wasserbewegung usw. voraus. Dazu werden häufig maßstäbliche Strö-
mungsmodelle gebaut. Durch Baumaßnahmen werden Flußbetten festgelegt und eingetieft und die Ufer abgesichert. Dämme schützen vor
Hochwasser. Staustufen, meist mit beweglichen Wehren ausgestattet,
regulieren die Wassermenge.

Wasserkraft

Jahrtausendelang wurden mit Wasserkraft Räder angetrieben. Seit der
Entwicklung der Dynamomaschine dient das Wasser auch der Erzeugung elektrischer Energie. In Flußläufen, Stauseen und Talsperren wird
es angestaut und gespeichert. Je nach Wassermenge und Fallhöhe verwendet man verschiedene Arten von Turbinen.

Küstenschutz

Dieser Bereich befindet sich im Untergeschoß und behandelt im wesentlichen die Maßnahmen an der Nordseeküste; das flache Land ist
dort durch die starken Gezeiten besonders bedroht.
Um bestehendes Kulturland zu erhalten und neues zu gewinnen, werden Deiche gebaut. Eingedeichte Küstenniederungen werden durch
Deichsiele oder durch Schöpfwerke entwässert. Flutsperrwerke verhindern das Eindringen von Sturmfluten in die Flußmündungen. Die Vor-
ausberechnung der Gezeiten ist daher eine wichtige Aufgabe.

Würzburger Lände, um 1840 (Di)
Die Krananlage am Mainufer plante und baute der Ingenieurmajor Franz von
Neumann von 1768 bis 1773. Sie wurde mit zwei Treträdern von 5 m Durchmesser
angetrieben und war bis 1910 in Betrieb. Im Diorama kann man die Außenwand des
Kranhauses durch Knopfdruck versenken, so daß die Treträder sichtbar werden.

Kanalbau

Schon in früher Zeit wurden natürliche Schiffahrtswege durch Kanäle
ergänzt. Die Technik des Kanalbaus erreichte um 1900 v. Chr. einen ersten Höhepunkt, als in Ägypten der erste schiffbare Kanal der Menschheit entstand; vor allem seit dem 17. Jahrhundert entstanden dann zu-
sammenhängende Wasserstraßennetze. Bis zum ersten Scheitelkanal
mit Stauschleusen im 14. Jahrhundert, dem *Stecknitzkanal,* wurden zur
Überwindung der Höhenunterschiede die Schiffe über schiefe Ebenen
gezogen. Die heutigen Schiffshebewerke arbeiten schnell und ohne
Wasserverlust. – Offene Kanäle werden für die Wasserversorgung
noch dann verwendet, wenn große Wassermengen benötigt werden.

Hafenbau

Früher lagen die Häfen im Inneren der Städte, meist der Bedeutung
entsprechend als Binnenhäfen an großen Flüssen; die Waren wurden
durch Handarbeit verladen. Heute erfordert die Größe der Schiffe
und des Umschlags ausgedehnte Hafenanlagen, deren Ausbau sich
nach den Gütern und dem Umschlagsvorgang richtet; als Beispiele dienen die hamburgischen und bremischen Häfen. Die Bedeutung der
Binnenhäfen ist gegenüber den Seehäfen zurückgegangen.

F. Heilbronner

Kutschen und Fahrräder

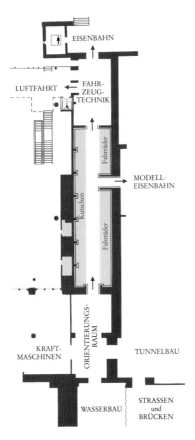

Das Reisen und die Beförderung von Lasten war abseits der Wasserwege Jahrtausende lang sehr beschwerlich. Die vorgeschichtliche Erfindung des Rades wurde für den Landverkehr erst bedeutungsvoll, als im römischen Reich ein gut ausgebautes Straßennetz den Einsatz von Fuhrwerken und Reisewagen ermöglichte. Rind, Esel und Pferd dienten als Zugtiere. Im Mittelalter führte die Verbesserung ihrer Anspannung und das Aufkommen des Hufeisens zu einer wesentlichen Leistungssteigerung. Der Verfall der Römerstraßen machte allerdings eine Fahrt über Land so anstrengend, daß selbst Fürsten, Könige und Kaiser eine Reise hoch zu Roß vorzogen. Für den Transport schwerer Güter wurde der Wintereinbruch als Voraussetzung für den Einsatz von Schlitten abgewartet.

Erst die Neuzeit brachte die gefederte Kutsche. Im 19. Jahrhundert erfuhr sie ihre größte Vollendung. Als Postkutsche oder Omnibus war sie ebenso weitverbreitet wie als Individualverkehrsmittel. Sie leistete Zubringerdienste für die Eisenbahn und diente noch 1925 als Taxi. In den dreißiger Jahren wurde sie dann endgültig vom Automobil abgelöst.

Den größten Teil seiner Muskelkraft benutzt der Mensch zur Fortbe-

Reisewagen, um 1810 (O)
Wohlhabende Bürger reisten in der Biedermeierzeit nicht mit der vielsitzigen Postkutsche, sondern in der privaten «Berline» oder im Landauer. Sie konnten auf diese Weise täglich bis zu 80 Kilometer Wegstrecke zurücklegen.

wegung. Will er damit weiterkommen, als ihn die Füße tragen, so steht ihm seit hundert Jahren das Fahrrad zur Verfügung. Es vergrößert die Reichweite bei gleichem Energieeinsatz auf das Vierfache. Begreiflich, daß es zum meistgebauten Fahrzeug der Welt geworden ist.

Seine heutige Form verdrängte um 1886 das *Hochrad,* ein schnelles, aber auch sehr gefährliches Sportgerät. Die halsbrecherischen Kopfstürze der Hochradfahrer waren die Folge des immer größer werdenden Vorderraddurchmessers bei *Velocipeden,* deren Benutzer sich nicht mehr mit den Füßen vom Boden abstießen, wie die Laufradfahrer vor 1860, sondern ihr Gefährt mittels Tretkurbeln vorwärtsbewegten. Mit zunehmender Geschwindigkeit verunsicherten sie Stadt- und Landstraßen.

Erst als *Niederrad* wurde das Zweirad populär. Obwohl sein Preis dem Halbjahreslohn eines Arbeiters entsprach, wurde es millionenfach gekauft. Noch vor der Jahrhundertwende kamen als Sonderbauformen das *Damenrad,* das *Rennrad,* das *Tandem* und für die Armee des *Klapprad* hinzu. Die Fahrradtechnik befruchtete den gesamten Fahrzeugbau. Der Stahlrohrrahmen, das Kugellager, die Drahtspeichen und 1888 der Luftreifen wurden erstmalig am Fahrrad erprobt. Mehr als die Kutsche wurde es zum Wegbereiter des Automobils.

Zur Ausstellung

Der Weg zur Eisenbahnhalle führt an den Großvitrinen vorbei, die linkerhand sechs Kutschen und rechts die Fahrradentwicklung im Lauf von zwei Jahrhunderten zeigen. Neun weitere, mit Muskelkraft betriebene Fahrzeuge – vom fürstlichen Gartenwagen, 1765 gebaut, bis zum Kindertretauto – sind in der folgenden Vitrine ausgestellt. Erwiesenermaßen wird die Schaulust aber am meisten von den 32 Fahrrädern befriedigt. Vom Erfinder des lenkbaren Laufrades, dem Freiherrn von Drais, stammt das älteste und wertvollste. Selten sind auch die um 1900 gebauten Räder aus Holz und Bambus. Eine viersitzige Schrittmachermaschine aus dieser Zeit fuhr einst den Radrennfahrern voraus und ließ sie in ihrem Windschatten schneller werden. Man fühlte schon damals, was man heute weiß: Der Kraftaufwand zur Überwindung des Luftwiderstandes ist bei einem leichtlaufenden Rennrad bereits ab 12 km/h größer als der Rollwiderstand.

H. Straßl

Die Fahrradgeschichte beginnt mit der Erfindung des lenkbaren Laufrades durch Freiherrn von Drais im Jahre 1817. Zu sehen sind eine Originaldraisine und weitere Nachbauten, die bis Mitte des 19. Jahrhunderts gefahren wurden.

Fahrzeugtechnik

Physik ist die Grundlage aller Maschinen, also auch der Fahrzeuge, deren Verhalten und Eigenschaften besonders durch die Gesetze der Mechanik bestimmt werden.

Die *Fahrzeugtechnik* bemüht sich um die Umsetzung dieser Grundlagen in die individuellen Erfordernisse. Da allen Landfahrzeugen gleiche oder zumindest sehr ähnliche Bedingungen zugrunde liegen, ist die Fahrzeugtechnik universell. So ist z.B. das Rad als Bindeglied zwischen Fahrzeug und Fahrbahn ein wesentlicher Bestandteil der meisten Landverkehrsmittel. Es trägt das Fahrzeug, übermittelt die Kräfte zur Führung in den Kurven und dient in vielen Fällen auch noch zum Antreiben oder Bremsen – Anforderungen also, die beim Fahrrad, beim Automobil, beim Schienenfahrzeug, ja selbst beim rollenden Flugzeug auf der Landebahn gestellt werden. Aber auch bei neuartigen Verkehrssystemen, wie z.B. bei der Magnetschwebebahn, bleibt die konventionelle Fahrzeugtechnik anwendbar. Man spricht sogar vom «magnetischen Rad».

Zu einem großen Problemkreis der Fahrzeugtechnik gehört die Einbindung des Rades in das Fahrzeug. Gefederte Radaufhängungen sind nicht nur aus Gründen des Komforts nötig, denn ohne Federung ist eine

Welle mit Kreuzgelenken (D)
Gelenkwellen dienen im Fahrzeugbau zur Übertragung von Drehbewegungen bei Winkeldifferenzen zwischen den Achsen. Bei einfachen Kreuzgelenken ist die Drehbewegung am Abtrieb ungleichförmig. Deshalb werden in Vorderradantrieben von Kraftfahrzeugen besondere „Gleichlaufgelenke" verwendet.

gleichmäßige Belastung und Bodenhaftung der Räder nicht gewährleistet, und sie könnten ihre Aufgabe nicht sicher erfüllen. Die Federung macht das Fahrzeug aber auch zum schwingungsfähigen Gebilde, was wiederum Maßnahmen zur Schwingungsdämpfung erfordert. Außerdem wird eine flexible Kraftübertragung zwischen dem Antriebsaggregat im Fahrzeug und den angetriebenen Rädern nötig. Die Lösungsmöglichkeiten für diese Probleme sind vielfältig. Die Verbesserung der Straßenlage bei Kraftfahrzeugen oder höhere Geschwindigkeiten im Schienenverkehr resultieren nicht zuletzt aus der Weiterentwicklung der Fahrzeugtechnik in diesem Bereich.

Durch den Wandel im Energiebewußtsein hat in den letzten Jahren die Aerodynamik von Fahrzeugen wieder stärkere Aufmerksamkeit erfahren. Echte Stromlinienformen sind wegen der begrenzten Fahrzeuglänge kaum möglich, und die Strömungsverhältnisse um das bewegte Fahrzeug oder unter dem Fahrzeugboden sind wegen der Beeinflussung durch die Umgebung oft komplexer als in der Luftfahrt.

Obwohl sich die Fahrzeugtechnik im Rahmen fester physikalischer Grundregeln bewegt, sind noch längst nicht alle Möglichkeiten ausgeschöpft. Das rechnergestützte Konstruieren und das Simulieren technischer Vorgänge mit sehr schnellen Computersystemen hat neue Dimensionen für die Weiterentwicklung eröffnet.

Zur Ausstellung

Wegen der Bedeutung der Fahrzeugtechnik innerhalb des Landverkehrs bildet dieser Ausstellungsraum den Übergang von den Bereichen *Kutschen und Fahrräder* zur *Eisenbahnhalle* und zur *Kraftfahrzeug-Ausstellung.*
Die Ausstellung gibt einen Einblick in die allgemeinen physikalischen Grundlagen der Fahrzeugtechnik und erklärt die auftretenden Massenkräfte, die Luftkräfte und die Einflüsse durch die Beschaffenheit der Fahrbahn. Die speziell für Radfahrzeuge zutreffenden Besonderheiten sind an der großen Längswand des Ausstellungsraumes beschrieben. Hier werden die Probleme der Radlagerung, der Kurvenfahrt, das elastische Rad, Kraftschluß, Spurführung, Lenkung sowie Antriebs- und Bremsanlagen anhand von Objekten, Bildern und Graphiken näher erläutert. Beachtenswert sind die Versuche zur Federung, zur Fahrbahnhaftung bei Einfluß von Seitenkräften und zur Spurführung.
Ein kleiner Bereich widmet sich der Schwebetechnik und ihren Analogien zur konventionellen Fahrzeugtechnik.   *L. Schletzbaum*

Vorschläge zur Fortsetzung des Rundgangs
Die Ausstellung *Fahrzeugtechnik* verlassend, betreten Sie nun die *Eisenbahnhalle* (S. 108), in der die Lokomotiven dominieren. Wir schlagen jedoch vor, mit der unmittelbar vor Ihnen liegenden Rolltreppe hinunterzufahren und den Rundgang durch die *Kraftfahrzeughalle* fortzusetzen.

Automobile und Motorräder

Die Geschichte des Kraftwagens ist eng verbunden mit der Entwicklung des Individualverkehrs um die Jahrhundertwende. Millionen von Radfahrern erlebten tagtäglich, welchen Gewinn an Bewegungsfreiheit der Besitz eines eigenen Fahrzeugs bedeutete. Unabhängig von der Eisenbahn und doppelt so schnell wie der Halter einer Pferdekutsche erreichten sie jedes Landziel. Die begrenzte Muskelkraft schränkte allerdings den Aktionsradius ein.

In der Tat wurde der Mensch erst durch das Auto *mobil*. Dazu bedurfte es einer kleinen leichten Kraftquelle mit geringem Treibstoffbedarf. Dampf- und Elektromotor erfüllten diese Anforderungen nicht. Der Verbrennungsmotor setzte sich durch, weil Benzin der energiereichste aller verfügbaren Brennstoffe ist. Sicherlich waren die leisen Dampfwagen und die abgasfreien Elektromobile bei der Stadtbevölkerung beliebter als die lästigen «Schnauferl», aber die Rennerfolge verhalfen den Benzinautos zum Sieg über die Konkurrenz. Für die Entwicklung des

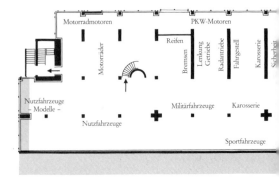

Kraftfahrzeugs waren die Automobilwettbewerbe von größter Bedeutung. Keine zehn Jahre, nachdem Carl Benz 1886 seinen Motorwagen gebaut und Gottlieb Daimler eine Kutsche motorisiert hatte, fanden in Frankreich bereits Rennen statt.

Für Wettbewerbe wurden die besten Automobile gebaut, z. B. der berühmte *Mercedes*-Wagen von 1901. Sein Motor mit 35 Pferdestärken hatte nicht mehr unter dem Rücksitz Platz wie bei den Motorkutschen des 19. Jahrhunderts. Ins 20. Jahrhundert starteten die Automobile mit Frontmotor. Wilhelm Maybach, der Konstrukteur des Mercedes, hatte das Vorbild des Kraftwagens der Zukunft geschaffen.

Hunderte von Automobilfabriken entstanden um diese Zeit meist durch Erweiterung der Maschinen- oder Fahrradproduktion, seltener durch Neugründung.

Der erste Hersteller von Serienautos war die Firma Benz in Mannheim, der bedeutendste war Henry Ford in Detroit, USA. Von seinem Modell *T* wurden 15 Millionen Stück gebaut, ab 1913 in Fließbandferti-

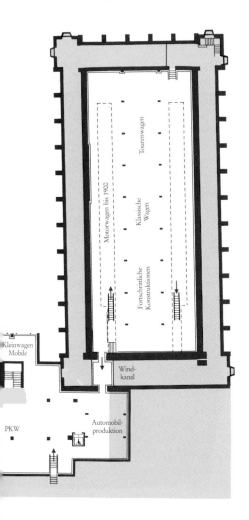

Tourenwagen

Motorwagen bis 1900

Klassische Wagen

Fortschrittliche Konstruktionen

Kleinwagen Mobile

Wind-kanal

PKW

Automobil-produktion

gung. Das «Auto für Jedermann» trat in den Vereinigten Staaten bereits in Konkurrenz zur Eisenbahn, während in Europa der 1. Weltkrieg die Verbreitung des Personenkraftwagens ganz erheblich beeinträchtigte. Motorräder und Nutzfahrzeuge waren nun gefragt. Kleinere Automobilfabriken hatten in der Nachkriegszeit keine Chance mehr. Sie stellten die Produktion entweder ein oder schlossen sich zu größeren Konzernen wie Daimler-Benz, Opel-GM, Auto-Union usw. zusammen. Besser erging es den Motorradherstellern, weil das Kraftrad in Deutschland zum «Auto des kleinen Mannes» geworden war. Der echte *Volks*-Wagen ließ noch auf sich warten.

Obwohl Automobile mit selbsttragender Karosserie, Frontantrieb oder Heckmotor leichter und sparsamer waren, dominierten in den dreißiger Jahren die Rahmenbauweise und der Standardantrieb (Motor vorn, Antrieb hinten), vor allem bei den Luxuswagen. Da diese Limousinen und Kabrioletts eher mobile «Visitenkarten» als Fortbewegungsmittel waren, spielten Gewicht und Benzinverbrauch keine Rolle. Um windschlüpfig auszusehen, kamen schnittige Karosserien in Mode. Echte Stromlinienautos gab es vor dem Krieg kaum.

Im 2. Weltkrieg wurde das Pferd endgültig durch das Kraftfahrzeug ersetzt; der amerikanische *Jeep* und die Militärversionen des *Volkswagens* erreichten ganz und gar dessen Geländegängigkeit und Zuverlässigkeit. Dem Nachkriegs-*Käfer* kam die lange und harte Erprobungszeit zugute. Er wurde zum meistgebauten Auto der Welt. Seine Konkurrenten gaben sich mehr oder minder sportlich. Sie wurden immer niedriger, breiter und schneller. Die Zulassungszahlen schossen in die Höhe – aber auch die Unfallziffern. Zehntausend Autoinsassen starben 1972 in der Bundesrepublik. Eine Pkw-Generation später (1984) betrug die Zahl der tödlich verunglückten Autoinsassen dank Sicherheitsgurt und Knautschzone nur noch die Hälfte.

Die Massenmotorisierung ließ den Personenkraftwagen zum Gebrauchsgegenstand werden. Der kompakte Mittelklassewagen verdrängte einerseits den Kleinwagen, andererseits den Straßenkreuzer. Leichtbauweise und Stromlinienform werden seit der Energiekrise konsequent zur Kraftstoffeinsparung genutzt. Umweltfreundlichere Antriebsanlagen sorgen dafür, daß die «Freude am Fahren» nicht abhanden kommt, denn heute «führt am Auto kein Weg vorbei».

Zur Ausstellung

Die zum hundertjährigen Jubiläum des Automobils 1986 neugestaltete und wesentlich erweiterte Automobil- und Motorradabteilung erreicht man über eine Rolltreppe von der Eisenbahnhalle oder mit dem Lift und Treppen von der Luftfahrtabteilung aus.

Sie gliedert sich in zwei Hallen mit insgesamt 2200 m² Fläche, die durch eine Rampe verbunden sind. Museumsbesucher, die sich mehr für die Automobiltechnik, Rennwagen und Motorräder interessieren, steuern zuerst die Halle II unter der Luftfahrt an, während «Oldtimer-Fans» die Halle I unter der Lokomotivenbrücke bevorzugen. (Ein umfangreicher Abteilungsführer ist im Museumsladen erhältlich.)

Personenkraftwagen bis 1950

Im Untergeschoß der Eisenbahnhalle sind 40 Personenkraftwagen ausgestellt, die jeweils einen bemerkenswerten Schritt in der Automobilentwicklung bis 1950 darstellen. Das Nebeneinander von *Dampfwagen, Elektromobilen* und *benzinbetriebenen Motorwagen,* das sich zu Beginn des Rundgangs durch die Automobilabteilung bietet, entspricht dem Straßenbild um die Jahrhundertwende. Der älteste und zugleich wertvollste Wagen ist das originale *Benz-Dreirad* von 1886. Sein Erfinder stiftete es schon zwanzig Jahre nach der ersten Fahrt dem Deutschen Museum. Hier steht es seitdem am Beginn einer Reihe von Automobilen, die immer stärker und schneller, aber auch schwerer und umweltbelastender wurden.

Eine illustrierte Zeittafel stellt die Entwicklung des Kraftfahrzeugs im

Benz Motorwagen, 1886 (O)
Das erste entwicklungsfähige Kraftfahrzeug mit Benzinmotor

Die ersten Motorwagen von Benz, 1886, 1893 und 1901 *sowie von Opel,* 1899 (O)
Nur wenige tausend Automobile bewegten sich Ende des 19. Jahrhunderts mit Rad-
fahrergeschwindigkeit auf den schmalen holprigen Straßen. Sie besaßen noch Voll-
gummireifen und hatten vorne, wie die Kutschen dieser Zeit, kleinere Räder als hinten. Der Motor war im Heck eingebaut und trieb über Riemen und Ketten die
Hinterräder an.

Adler-Diplomat mit Holzgasanlage, 1938 (O)
Aufgrund der kriegsbedingten Treibstoffknappheit wurde diese Adler-Limousine 1941
auf Holzgasbetrieb umgerüstet. Den Gaserzeuger am Wagenheck füllte man alle
40 Kilometer mit ca. 18 kg Holz und konnte damit bis zu 70 km/h schnell fahren.

Rahmen der Kulturgeschichte dar. Sie befaßt sich mit den Auswirkungen auf die Gesellschaft und regt zur Betrachtung der Originalfahrzeuge unter diesem Aspekt an. Die Gegenüberstellung von motorradähnlichen Gefährten und populären Kleinwagen von *Wanderer, Hanomag, Opel* u. a. sowie Motorkutschen mit Chauffeur, denen Luxuswagen wie z. B. *Mercedes, Bugatti, Minerva, Horch* nachfolgten, weist auf die Standes- und Einkommensunterschiede in der ersten Hälfte des 20. Jahrhunderts hin. Der in dieser Zeit erreichte automobiltechnische Fortschritt ist am *Lancia-Lambda, Citroen 11 CV, Opel Olympia, DKW F7* und *Tatra 87* abzulesen. Sie waren einerseits geräumiger als die Kleinwagen, andererseits leichter und sparsamer als die Luxuswagen. Von Jahr zu Jahr nahmen sie kompaktere Formen an. Trittbretter, freistehende Scheinwerfer und Kotflügel verschwanden. Aerodynamische Gesichtspunkte führten zu immer stärkerer Neigung und Pfeilung der Windschutzscheibe. An Modellen im Durchgang zur Halle II wird diese Entwicklung aufgezeigt und mit Originalfahrzeugen der fünfziger und sechziger Jahre (z. B. *Borgward Hansa 1500, Citroen DS 19, NSU Ro 80*) belegt.
Wie sehr in der Folgezeit sicherheitstechnische Aspekte Einfluß auf die Karosserie- und Fahrwerkskonstruktionen gewannen, zeigen die Längsschnitte moderner Gebrauchswagen.

Automobilproduktion

Im Zuge der Motorisierungswelle wurde die *PKW-Fließbandfertigung* zunehmend automatisiert bis hin zum Einsatz von Montagevorrichtungen und Robotern.

Horch-Sport-Cabriolet, 1939 (O)
Nicht weniger als ein ansehnliches Vorstadthaus kostete einst der elegante Horch
853 A. Die Prominenz aus Film und Sport zog ihn selbst den leistungsstarken Merce-
des-Wagen vor (Typ SS 1932 dahinter), die noch einmal so teuer waren.

Das Zusammenfügen von Karosserie und Fahrwerk des Sportwagens
BMW 325 ix sowie den Einbau der hinteren Tür durch einen Roboter
können Besucher der Halle II mittels Knopfdruck veranlassen. Sie erleben einen täglich tausendmal ablaufenden Vorgang aus der Automobil-
produktion unserer Tage und erahnen den Aufwand, der notwendig ist,
um jede Minute ein Auto vom Band laufen zu lassen.

Rennwagen, Wettbewerbsfahrzeuge

Wer sich von der Luftfahrthalle ins Untergeschoß zu den Automobilen begibt, trifft sogleich auf Autos, deren Verwandtschaft mit den Flugzeugen unverkennbar ist. Beim *Rumpler Tropfenwagen*, den *Silberpfeilen* von Mercedes und Auto-Union, den BMW- und Porsche-Rennwagen waren die Konstruktionsrichtlinien dieselben wie beim Bau von Flugzeugen: geringer Luftwiderstand, niedriges Gewicht – daher Leichtbauweise –, hohe Motorleistung. Vom Alltagsauto entfernten sich diese

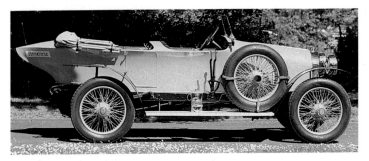

Audi-Alpensieger, 1914 (O)
Mit diesem Wagen gewann August Horch im Jahre 1914 die österreichische Alpenfahrt.

Rumpler-Tropfen-wagen, 1921 (O)
Der Flugzeugkon-strukteur Edmund Rumpler gestaltete als erster eine Se-rienlimousine nach aerodynamischen Gesichtspunkten. Die Form glich ei-nem fallenden Was-sertropfen; ihr gün-stiger Luftwider-standsbeiwert
$c_w = 0,28$ wird erst bei den neuesten Automobilen wie-der erreicht.
Im Hintergrund: *Roboter in der Au-tofertigung,* 1968 (O, V)
Eine Attraktion des Ausstellungsbe-reichs «Automobil-produktion» ist die Vorführung der vollautomatischen PKW-Türen-Mon-tage durch einen Roboter.

Hochgeschwindigkeitswagen immer mehr. Erst der Rallyesport brachte wieder seriennahe PKW-Typen, 1982 z. B. den *Audi Quattro,* ins Renngeschehen.

Nutzfahrzeuge

Um die Jahrhundertwende tauchten die ersten Lastwagen und Omni-busse mit Benzinmotor auf. Sie gewannen rasch an Bedeutung und wurden zu einem wichtigen Wirtschaftsfaktor. In den westlichen Indu-

Auto-Union, 1936 (O)
Grand-Prix-Rennwagen mit 16-Zylinder-Kom-pressor-Motor, 380 kW (520 PS) stark und 340 km/h schnell

striestaaten übertrifft ihr Transportvolumen schon lange Zeit das der Eisenbahn. Ausgestellt werden konnten aus Platzgründen neben 34 Modellen nur sechs Originalfahrzeuge. Das älteste ist der Büssing-Lastwagen von 1903, das größte, die komplette Bodengruppe mit Heckmotor eines M.A.N. Omnibusses, 1965. Bei den Geländefahrzeugen überwiegen der Stückzahl entsprechend die Militärfahrzeuge. Ihr hervorragendes Merkmal ist der Allradantrieb, der sie von Straßen unabhängig macht. Wie die Kraft bei diesen Fahrzeugen vom Motor auf die Räder kommt, zeigt der Antriebsstrang eines dreiachsigen Mercedes-Benz-LKW.

Automobiltechnik

Unterteilt nach *Motor, Fahrwerk* und *Karosserie* werden dem technisch interessierten Besucher in der Halle II alte und neue Automobilbauteile in geschnittener Form dargeboten. Zunehmende Leistungs- und Sicherheitsanforderungen ließen sie immer zweckmäßiger und zuverlässiger werden. An der Entwicklungsreihe der Motoren erkennt man den technischen Fortschritt besonders deutlich.

Motorräder

Am Fuß der Wendeltreppe zur Luftfahrthalle wird die Aufmerksamkeit auf zwei bedeutende Motorräder gelenkt: *Daimler-Maybach 1885* und *Hildebrand & Wolfmüller 1894,* das erste Serienmotorrad der Welt. Die Wegbereiter der Motorisierung kamen jedoch aus Frankreich: Tausende von *De Dion-Bouton*-Dreirädern mit Heckmotor. Eines davon diente *Robert Bosch* zur Erprobung seines 1897 erfundenen «Elektrischen Funkengebers zur Zündung des Explosionsgemisches» im Verbrennungsmotor, der die wichtigste Antriebsquelle des 20. Jahrhunderts werden sollte.

Im Motorrad bestimmt der Motor das gesamte Erscheinungsbild. An seiner Größe ist die Kraft abzulesen, die er entfaltet. 35 Maschinen von 1 bis 100 Pferdestärken (74 kW) zeigen, wie unterschiedlich die Einbaulage, Zylinder-Zahl und -Anordnung sein können. Die Motorradtechnik gipfelt in den Weltrekordmaschinen von BMW und NSU, die 1937 fast 280 km/h und 1956 nahezu 340 km/h erreichten.

H. Straßl

Motorrad von Daimler-Maybach,
1885 (O)
Das erste Motorrad der Welt hieß «Reitwagen» und wurde nur kurze Zeit benutzt.

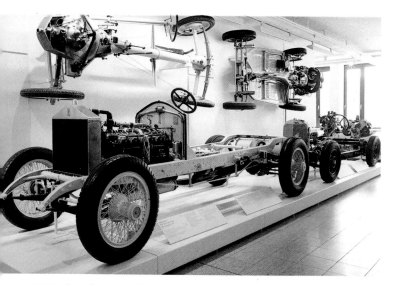

PKW-Fahrwerke vom Rolls-Royce, 1922, bis zum Volkswagen, 1946 (O)
Bevor die selbsttragende Karosserie erfunden wurde, besaßen alle Automobile einen
mehr oder minder schweren Rahmen als Basis für die verschiedenartigsten Aufbauten.
Heute findet man Rahmenfahrwerke nur noch bei Nutzfahrzeugen.

Magirus, 1934 (O)
Kraftfahrdrehleiter mit 30 m Stahl-Leitersatz. 6-Zylinder-Viertakt-Benzinmotor. Lei-
terantrieb vom Fahrmotor aus. Förderleistung der Vorbaupumpe 1 500 l/min, Gas-
strahl-Entlüftung.
Bis 1966 bei der Freiwilligen Feuerwehr der Stadt Amberg/Oberpfalz im Einsatz.

Vorschläge zur Fortsetzung des Rundgangs
Nach dem Besuch der *Motorradausstellung* können Sie nun entweder die
Rundtreppe um die ersten Motorräder hinaufgehen, im Erdgeschoß mit der
Besichtigung der *Flugzeuge* (S. 201) fortfahren und bei der Ecke der Düsen-
flugzeuge die *Eisenbahnhalle* betreten (S. 108), oder Sie gehen zurück in
Halle I, fahren die Rolltreppe hinauf und sehen sich von dort aus die Abteilung
Eisenbahn an.

Eisenbahn

Das Gebiet des Schienenverkehrs umfaßt im weitesten Sinne alle spurgebundenen Transportmittel, bei denen Fahrzeug und Fahrweg eine Einheit bilden.

Die Anfänge des Schienenverkehrs reichen zurück bis zu den Spurbahnen im mittelalterlichen Bergbau, wenngleich das Auftreten von Schienenbahnen nach heutiger Definition erst mit dem Beginn der industriellen Revolution in England im 18. Jahrhundert zusammenfällt. Diese mit Pferden betriebenen Bahnen dienten dort dem Transport von Kohle von den Gruben zu Kanälen und schiffbaren Flüssen.

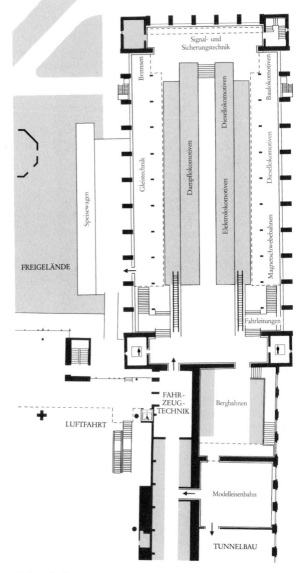

Sie entstanden als Ergänzung einer vorhandenen Infrastruktur und als Begleitung der Industrialisierung. Die Situation in England war damit vollkommen anders als auf dem Kontinent mit seinen zersplitterten und regionalisierten Wirtschaftsräumen ohne Verkehrswegenetz im eigentlichen Sinn. Dort wurde die Eisenbahn einige Jahrzehnte später erst zum Auslöser der Industrialisierung.

Zum endgültigen Erfolg des neuen Transportsystems verhalfen zwei wesentliche Erfindungen des neuen Zeitalters: Einmal die Möglichkeit der mehr oder weniger großtechnischen und billigen Erzeugung von Gußeisen mit mineralischer Kohle statt mit Holzkohle, die Mitte des 18. Jahrhunderts im englischen Coalbrookdale ihren Anfang nahm; die bislang hölzernen «Schienen» der Bahnen konnten durch verschleißfestere Eisenschienen ersetzt werden.

Galerien

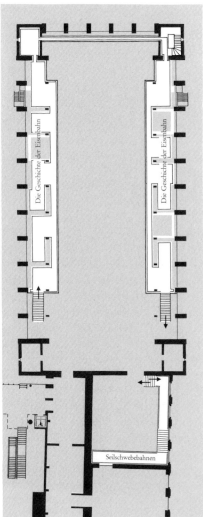

Zum anderen war es die Erfindung der doppeltwirkenden Niederdruckdampfmaschine durch James Watt im Jahre 1782. Der wichtigste «Nebeneffekt» dieser Maschine war die Erzeugung einer Drehbewegung – ein enormer Fortschritt gegenüber der damals üblichen Dampfmaschine der Newcomen-Bauart, die mit ihrer hin- und hergehenden Bewegung nur zum unmittelbaren Antrieb von Kolbenpumpen geeignet war.

Auf der Grundlage der Wattschen Maschine baute Richard Trevithick 1804 die erste Dampflokomotive der Welt, die sich jedoch durch ihr großes Gewicht auf den schwachen gußeisernen Schienen jener Zeit nicht bewähren konnte. Wenige Jahre später hatte William Hedley mit seiner Lokomotive *Puffing Billy* wesentlich mehr Erfolg, und 1825, als die Eisenbahnlinie von Stockton nach Darlington eröffnet wurde, war dem Pferd durch die Lokomotive bereits ein sehr ernsthafter Konkurrent als Antriebskraft erwachsen.

1830 wurde die Eisenbahnstrecke von Liverpool nach Manchester eröffnet, und die Nachricht vom Erfolg dieses «Wunderwerks» drang sehr schnell über die Grenzen und wurde zum Auslöser einer Gründungseuphorie für die Eisenbahn.

Im Mai 1835 fuhr die erste Dampfeisenbahn in Belgien und im Dezember desselben Jahres die erste öffentliche Eisenbahn in Deutschland zwischen Nürnberg und Fürth. Ihnen folgten Bahnen in Frankreich, Österreich, den Niederlanden und Italien.

Das Material für Bau und Betrieb dieser Eisenbahnen mußte größtenteils aus England bezogen werden, das auf dem Gebiet des Maschinenbaus einen enormen Vorsprung besaß. Erst ab 1841 entstanden die ersten deutschen Lokomotivfabriken: Kessler in Karlsruhe, Maffei in München und Borsig in Berlin.

Bis 1855 wurden in Deutschland über 8000 Kilometer Eisenbahnstrecken gebaut, und in dieser ersten Phase brachte der ungeheure Bedarf an Eisenbahnmaterial insbesondere der entstehenden Eisen- und Maschinenbauindustrie einen enormen Aufschwung. Nach dem Zusammenwachsen der Eisenbahnlinien zu einem Netz konnte durch das Erschließen neuer Absatzmärkte die Wirtschaft ganz generell profitieren. Intensive Nutzung der Rohstoffe Eisen und Kohle, Schaffung des Fabriksystems als Form der Produktion und Hervortreten des Kapitals als Produktionsfaktor öffneten die Tür zum Industriezeitalter.

Aber auch die Erfahrungswelt jedes einzelnen wurde verändert. Zeit und Raum schrumpften zusammen. Gegenüber der Postkutsche betrugen die Reisezeiten plötzlich nur noch ein Drittel oder ein Viertel. Der Mensch wurde mobil. Im Einzugsbereich der Städte mußten Wohnort und Arbeitsplatz nicht mehr beieinander liegen. Im letzten Drittel des 19. Jahrhunderts zeichnete sich auch ein Wandel des menschlichen Selbstverständnisses ab. Das Zeitalter der Industrialisierung, mit seiner für den einzelnen immer mehr entfremdeten Arbeit, ließ den Wunsch nach arbeitsfreier Zeit immer stärker werden. Es bildete sich der Begriff «Freizeit». In den Regionen entstanden zahlreiche kleine Ausflugsbahnen und in den Bergen Zahnradbahnen und Seilbahnen.

Dampflokomotive «Puffing Billy», 1814 (N, V)
Die Lokomotive «Puffing Billy» diente dem Kohlentransport auf einer Zechenbahn in der Nähe von Newcastle im Norden Englands. Sie bewährte sich im Betrieb so ausgezeichnet, daß sie fast 50 Jahre lang im Einsatz blieb.

Bis zum Beginn des 1. Weltkriegs umfaßte das deutsche Schienennetz mehr als 60 000 Kilometer Haupt- und Nebenbahnen, für die über 25 000 Lokomotiven zur Verfügung standen. Die Folgen des Krieges waren auch für die Eisenbahnen schwerwiegend. Die Betriebshoheit der Bahnen, die bei den einzelnen deutschen Ländern, wie Preußen, Bayern, Sachsen usw. lag, ging mit Wirkung zum 1. April 1920 an das Deutsche Reich über – die *Deutsche Reichsbahn* wurde gegründet.

Reparationen und Inflation wirkten sich schwer auf die deutsche Wirtschaft und damit auch auf das Transportsystem aus. 1926 waren etwa 3000 Lokomotiven abgestellt, weil sie nicht gebraucht wurden oder schadhaft waren. Die noch in der Weimarer Zeit eingeleitete Erholung der Wirtschaft kam erst in der Folgezeit zum Tragen.

Durch Automobil und Flugzeug wurde zu Beginn der dreißiger Jahre erstmals eine Konkurrenz für die Bahn erkennbar. Die damalige Reaktion auf diese Konkurrenz ist heute noch aktuell: das Reisen schneller, komfortabler und attraktiver zu machen. Ab Mai 1933 fuhr zwischen Berlin und Hamburg der Dieseltriebzug *Fliegender Hamburger*. 1936 waren Köln, Frankfurt, Leipzig, Nürnberg, Stuttgart und München in das Schnelltriebwagennetz einbezogen. Für schwere Fernreisezüge wurden stromlinienverkleidete Dampflokomotiven eingesetzt.

Im 2. Weltkrieg spielte die Eisenbahn auf allen Seiten zum letzten Mal ihre große strategische Rolle, die sie in den Kriegen seit Mitte des

19. Jahrhunderts hatte. Ihre große Transportkapazität wurde zu dieser Zeit aber auch mißbraucht – zur Deportation von Millionen von Menschen – zum Transport in die Massenvernichtung.

Bei Kriegsende im Mai 1945 war auch das deutsche Eisenbahnnetz zum großen Teil zerstört. Das übriggebliebene Netz wurde geteilt. Die Bahn im sowjetisch besetzten Teil Deutschlands führte weiterhin den Namen Deutsche Reichsbahn; für die Eisenbahn der anderen Zonen wurde ab 1949 die Bezeichnung *Deutsche Bundesbahn* eingeführt.

Für die neugegründete Deutsche Bundesbahn wurden die folgenden Jahre trotz Wirtschaftswunder zur «Fahrt ins Defizit». Die Wiederaufbaufinanzierung mußte durch die Bahn selbst erbracht werden. Auto und Lastwagen wurden dagegen als Verkehrsträger eindeutig bevorzugt. Das Straßen-, Autobahn- und Wasserstraßennetz wurde ausgebaut und qualitativ verbessert.

Die steigenden Fehlbeträge der Bahn führten zur Politik der «Gesundschrumpfung». Der Leistungsabbau verstärkte aber nur weiter die Abwanderungstendenz von der Schiene auf andere Verkehrsmittel.

Das derzeitige Konzept sieht eine Konzentration des Schienenverkehrs auf ein Netz leistungsfähiger Hauptstrecken vor, während die Bedienung der Fläche, soweit es strukturpolitisch vertretbar erscheint, dem Omnibus, dem Lastkraftwagen und dem Individualverkehr überlassen wird. Langfristig setzt die Bundesbahn auf den Bau neuer Schnellfahrstrecken und auf den Ausbau sehr stark belasteter Fernstrecken. 1991 werden die Neubaustrecken Hannover-Würzburg und Mannheim-Stuttgart fertiggestellt sein und die Reisezeiten spürbar verringern.

Zur Ausstellung

Die Ausstellungshalle zeigt im wesentlichen Exponate zur Fahrzeugtechnik, wie Dampf-, Diesel- und Elektrolokomotiven, sowie Exponate zum System Eisenbahn und Fahrweg.

Kleinere Teilbereiche widmen sich den Themen Magnetschwebebahnen, Baulokomotiven und Bremsen. Auf der Galerie der Halle wird anhand von Modellen und Bildern ein Einblick in die Geschichte der Eisenbahn geboten. (Ein umfangreicher Abteilungsführer kann im Museumsladen erworben werden.)

Fahrzeuge

Dominierend am Eingang der Ausstellungshalle steht die Lokomotive *Puffing Billy* (N,V), eine der ersten einsatzfähigen Dampflokomotiven der Welt. Entlang des Mittelganges sind die erste Lokomotive der Firma Krauss (O) und die 1000. Lokomotive der Firma Maffei (O) zu sehen. Den Abschluß dieser Reihe bildet die wohl bekannteste Schnellzuglokomotive der deutschen Länderbahnen, die bayerische *S 3/6* (O,V) aus dem Jahr 1912. Diese Lokomotive zog so berühmte Züge wie den *Rheingold-Expreß* und war bis 1957 im Einsatz.

Blick in die Eisenbahnhalle: Dampflokomotive S³⁄₆, 1912 (O) und Diesellokomotive V 140, 1935 (O)
In der großen Eisenbahnhalle sind 14 Originalfahrzeuge ausgestellt. Dominierend sind die Dampf-, Elektro- und Diesellokomotiven als Beispiele für weit über 100 Jahre Eisenbahngeschichte und Fahrzeugtechnik.
Links neben der bayerischen Schnellzug-Dampflokomotive der Gattung S³⁄₆ steht die erste große Diesellokomotive der Welt mit hydraulischer Kraftübertragung; mit ihr beginnt eine Entwicklungsreihe, die sich bis zu den modernsten Diesellokomotiven der Deutschen Bundesbahn fortsetzt.

Den Dampflokomotiven gegenüber sind einige markante Fahrzeuge aus der Entwicklungsgeschichte der Elektrolokomotiven zu sehen. Am Beginn dieser Entwicklung steht eines der wertvollsten Objekte der Ausstellung, die erste elektrische Lokomotive der Welt (O) von Werner Siemens aus dem Jahre 1879. Auf dem danebenliegenden Hauptgleis ist die erste Lokomotive Deutschlands für den Betrieb mit Einphasen-Wechselstrom (O) ausgestellt. Das für diese Lokomotive verwendete Stromsystem ist heute auf den Bahnen Mitteleuropas am meisten verbreitet. Dieser Lokomotive aus dem Jahr 1905 folgen die erste elektrische Großlokomotive für Drehstrombetrieb (O) aus dem Jahr 1899 und eine Schnellzuglokomotive Baureihe *E 16* (O) der Deutschen Reichsbahn aus dem Jahr 1927.
Am Ende des Gleises ist die Diesellokomotive *V 140* (O) ausgestellt. Es ist die erste Großlokomotive mit hydrodynamischer Kraftübertragung. Sie wurde 1935 gebaut und steht am Beginn einer technischen Entwicklung, die bis zu den neuesten Dieselfahrzeugen der Deutschen Bundesbahn reicht. Der Antriebsatz einer modernen Diesellokomotive der Baureihe *216* (O) mit Motor, Getrieben und Gelenkwellen ist unter der benachbarten Galerie zu sehen.
In engster Nachbarschaft dazu steht eines der jüngsten Exponate der Ausstellung, ein Prinzipfahrzeug für die Magnetschwebetechnik (O) aus dem Jahr 1971. Die ersten Versuche auf diesem Gebiet reichen be-

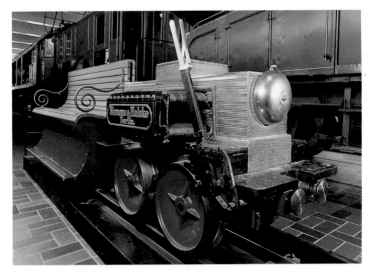

Erste elektrische Lokomotive, 1879 (O)
Die erste elektrische Lokomotive der Welt von Werner Siemens fuhr im Jahr 1879 auf der großen Berliner Gewerbeausstellung, wo sie als «Eisenbahn ohne Dampf und ohne Pferde» eine Alternative für die Zukunft zeigte. Diese neue Technik wurde bald zum schärfsten Konkurrenten der herkömmlichen Dampflokomotive und machte die Eisenbahn schließlich zu dem umweltfreundlichen Verkehrsmittel, als das wir sie heute kennen.

Elektrische Lokalbahnlokomotive «LAG 1», 1905 (O)
Heute wird die Eisenbahn in Europa überwiegend mit elektrischer Energie betrieben. Ein sehr wesentlicher Entwicklungsschritt war die Verwendung von hochgespanntem Einphasen-Wechselstrom für den Antrieb der Lokomotiven. Die erste Lokomotive, die sich mit dieser Technik bewährte, war 1905 die «LAG 1» der Münchener Lokalbahn-Aktiengesellschaft. Das Einphasen-Wechselstrom-System fand bei den europäischen Bahnen große Verbreitung.

Magnetschwebebahn-Prinzipfahrzeug, 1971 (O)
Die erste Magnetschwebebahn der Welt, das «Prinzipfahrzeug» aus dem Jahr 1971, mit dem auch Personen befördert werden konnten, zählt zu den modernsten Ausstellungsstücken in der Eisenbahnhalle. Magnetschwebebahnen bewegen sich ohne mechanische Berührung mit der Fahrbahn und ermöglichen so weit höhere Geschwindigkeiten als mit dem Rad-Schiene-System der konventionellen Eisenbahn je zu erreichen sind.

reits in die dreißiger Jahre zurück. Zur Zeit (1990) läuft auf einer Versuchsbahn im Emsland der Probebetrieb mit der neuesten Fahrzeuggeneration.

Signal- und Sicherungstechnik

Das Ende der Ausstellungshalle bietet einen Überblick über die Signaltechnik von den frühen mechanischen Signalen und Stellwerken über die elektromechanische Sicherungstechnik bis zu den modernen Lichtsignalen und Gleisbildstellwerken.

Fahrweg und Gleis der Eisenbahn

Ein Einblick in die Technik des Fahrwegs wird unter der linken Galerie, neben dem Ausgang zum Freigelände, geboten. Ein Langschwellengleis mit schmiedeeisernen Beschlägen (N) zeigt den Stand der Gleisbautechnik zur Zeit der ersten öffentlichen Eisenbahnen in Europa. Es stammt von der k.k. privilegierten Ersten Eisenbahn Gesellschaft, die 1828 das erste Teilstück der Verbindung Linz-Budweis eröffnen konnte. Der Personenverkehr auf dieser Pferdebahn erfolgte mit kutschenähnlichen Wagen wie dem «Hannibal» (N). Eine Reihe von Oberbau-Formen (O) mit verschiedenen Schwellen, Schienen und den gebräuchlichen Arten der Befestigungstechnik dokumentiert die vielfältige Entwicklung bis zum modernen Betonschwellengleis unserer Tage. Die schwere, manuelle Tätigkeit beim Gleisbau und Streckenunterhalt wird an den Streckenarbeitern erkennbar, die mit Stopfhacken den Schotter unter den Schwellen verdichten und dabei die Lage des Gleises justieren. Den Wandel dieser Arbeitswelt zeigen ein tragbarer Benzin-Kraftstopfer und eine betriebsfähige, selbstfahrende Gleisstopfmaschine (O, V). Eine «Thermit»-Schweißeinrichtung (O) mit allem Zubehör erläutert die Herstellung der heute üblichen, durchgehend verschweißten Schienen.

Geschichte der Eisenbahn

Auf den beiden Galerien der Halle wird ein Überblick über die Geschichte der Eisenbahn von den Anfängen bis zum modernen Schnellverkehr gegeben. Die wichtigsten Ereignisse des frühen Bahnbaues, die Geschichte des Reisens mit der Eisenbahn, aber auch der Wandel der Technik von der Dampflokomotive zu den modernen elektrischen Bahnen werden dort näher beleuchtet.
Die Ausstellung ist begleitet von einer Vielzahl von Fahrzeugmodellen und interessanten Dokumenten der Eisenbahngeschichte. Sie bietet gleichermaßen Information für den Technikbegeisterten wie für den historisch Interessierten. Der Rundgang durch diesen Bereich beginnt auf der linken Seite.

Die Eisenbahn Nürnberg – Fürth
Auf den beiden Galerien der großen Eisenbahnhalle wird anhand einer Vielzahl von Modellen, Dokumenten und Bildern ein Überblick über die Geschichte der Eisenbahn geboten. Eines der Themen behandelt die erste deutsche Eisenbahnstrecke von Nürnberg nach Fürth, die im Jahre 1835 eröffnet wurde.

Bergbahnen

Ein eigener Ausstellungsbereich in einem Vorraum zur großen Eisenbahnhalle zeigt Einblicke in die Entwicklungsgeschichte und Technik der Bergbahnen.
Die begrenzte Reibung zwischen Rädern und den Schienen läßt für herkömmliche Eisenbahnen nur Steigungen bis etwa 7 Prozent zu. Mit Hilfe von Zahnrädern im Fahrzeug und Zahnstangen im Gleis können jedoch noch wesentlich steilere Strecken befahren werden. Zahnradbahnen bewältigen Steigungen bis zu 25 Prozent. Sonderkonstruktionen wie die Schweizer *Pilatusbahn* haben sogar Steigungen bis zu 48 Prozent. Eine weitere technische Alternative zur Bewältigung steiler

Zahnrad-Dampflokomotive aus Bosnien, 1908 (O)
Wegen der geringen Reibung zwischen den Rädern und den Schienen können Eisen-
bahnfahrzeuge große Steigungen nur mit besonderen Hilfsmitteln überwinden. Bei
Zahnradbahnen wird ein System aus Zahnrad und Zahnstange verwendet. Sie bewältigen damit Steigungen bis zu 48 Prozent. Ein Vorraum zur großen Eisenbahnhalle
zeigt die Geschichte dieser interessanten Technik.

Strecken sind Standseilbahnen, deren Fahrzeuge von einer ortsfesten
Antriebsmaschine über ein Seil bewegt werden.
Heute sind die meistgebauten Bergbahnen die wesentlich billiger zu er-
stellenden Seilschwebebahnen.
Die wichtigsten großen Exponate der Ausstellung sind ein Triebwagen
der Pilatusbahn (O) aus dem Jahre 1900 und eine 1908 gebaute Zahnrad-Dampflokomotive (O) einer jugoslawischen Bahn. Außerdem sind
ein elektrischer Zahnradantrieb der *Zugspitzbahn* (O) sowie interessante Bauteile von Seilschwebebahnen zu sehen.

Modelleisenbahn

Die Modellbahnanlage im Maßstab 1:87 hat eine Gleislänge von insge-
samt 240 m. Die auf einer Fläche von 40 m² aufgebaute Bahn zeigt
Schnellzug- und Güterverkehr sowie das besonders interessante Zer-
legen von Güterzügen auf einem Ablaufberg. Eindrucksvoll ist auch der
Vergleich einer Nebenbahn mit einer Zahnradbahn, die beide denselben
Berg erklimmen. Die Zugfahrten erfolgen teilautomatisch auf Selbst-
blockstrecken. Die Fahrgeschwindigkeit wird durch ein elektronisches
‹Mehrzug-Steuersystem› kontrolliert.
Die interessante Entwicklung der Modellbahntechnik vom Blechspiel-
zeug zum modernen Industrie- und Kleinserienprodukt in höchster
Detailtreue dokumentiert eine Sammlung von wertvollen Modellen
aus der Zeit der Jahrhundertwende bis heute.

L. Schletzbaum

Tunnelbau

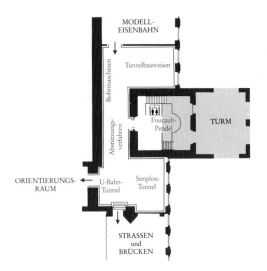

Tunnel sind unterirdische Teilstücke von permanenten Verkehrswegen und treten im Gegensatz zu Stollen beiderseits zutage. Der ausgebrochene Hohlraum muß nur im standfesten Gebirge nicht abgestützt werden, in *gebrächen* und *milden* Gebirgsarten dagegen muß er vorübergehend durch Holzzimmerungen oder Stahlbögen und endgültig durch Mauerwerk (Gewölbe und Widerlager) gesichert werden.

Nahm nach der Einführung der Eisenbahn im 19. Jahrhundert schon die Zahl der Tunnel derart zu, daß sie bald nicht mehr, wie bis dahin, als halbe Wunderwerke galten, so steigerte sich die Zahl im 20. Jahrhundert durch den Straßenverkehr weiter. Dabei wurden für die neuzeitliche Tunnelbautechnik schon in den ersten Jahrzehnten nach 1800 vier Bauweisen entwickelt, die sich je nach Art des Vorgehens beim Ausbrechen, bei der Zimmerung und bei der Mauerungsfolge unterscheiden:

1. die deutsche Bauweise, entstanden schon 1803 beim Bau des Tunnels von Tronquoy im Kanal von St. Quentin, nachgeahmt im ersten deutschen Eisenbahntunnel bei Königsdorf 1837 auf der Linie Aachen-Köln und lange Zeit in Deutschland fast ausschließlich verwendet;

2. die belgische Bauweise, die auch Unterfangungsbauweise genannt wird und erstmals beim Bau des Kanaltunnels von Charleroy in Belgien 1828 zur Anwendung kam;

3. die österreichische Bauweise, die beim Bau des Tunnels von Oberau 1837 zwischen Leipzig und Dresden erstmals angewandt wurde und bei den großen österreichischen Alpendurchstichen weiterentwickelt worden ist;

4. die englische Bauweise, nach der erstmals 1834 beim Bau des Kilsby-Tunnels der London-Birmingham-Bahn vorgegangen wurde.

Holzzimmerungen beim Abstützen engen den Arbeitsraum sehr ein und behindern den Einsatz großer Maschinen; deshalb wurden in wasserführenden Lockergesteinen und nachbruchgefährdeten Tonschichten schon frühzeitig Sonderverfahren entwickelt (Gefrierverfahren, Versteinerung des Bodens durch Einpressen von Chemikalien), wie zum Beispiel auch schon der Schildvortrieb beim Bau des Themse-Tunnels in London (1825–1841), wo man mit bedeutenden Schwierigkeiten – elf Wassereinbrüche – fertig werden mußte.

Gerade dieses Verfahren mit Abstützungen aus Betonringen ist ständig verbessert worden und wird gegenwärtig mit vollmechanisch arbeitender Vortriebsmaschine nicht nur beim Bau der Münchner U-Bahn angewendet.

Bohrmaschinen zum Ausbrechen des Gesteins halfen erst nach 1850 bei der mühevollen Handarbeit unter Tage: So bauten erstmals 1860 John Cockerill für den Mont-Cenis-Tunnel eine Druckluft-Gesteins-Bohrmaschine, Alfred Brandt 1876 eine hydraulische Drehbohrmaschine für den harten Granit des Pfaffenbergtunnels der Gotthardbahn und Werner von Siemens 1879 eine elektrische Stoßbohrmaschine. Moderne Drehschlagbohrmaschinen mit Druckluftantrieb arbeiten bei 3000 Schlägen je Minute.

Zur Ausstellung

Die Ausstellung zeigt die Tunnelbauweisen in Modellen und in natürlichen Größen sowie die wichtigen Bohrmaschinen und -werkzeuge mit Originalstücken; die Abstützungsverfahren einst und jetzt können in natürlichen Größenordnungen verglichen werden.

F. Heilbronner

Simplon-Tunnel, 1898–1905 (N) Der erste geschichtlich belegte Tunnel wurde für eine Wasserleitung auf der Insel Samos um 522 v. Chr. gebaut (ca. 1 km). Vom ersten Alpentunnel durch den Semmering (1430 m) wird eine siebenjährige Bauzeit berichtet (1848–1854); für den Simplon-Tunnel, den bis dahin längsten Tunnel der Welt (19731 m), war eine fünfeinhalbjährige Bauzeit projektiert. Wegen der außerordentlich hohen Gesteinstemperaturen (55 °C) war erstmals in der Welt ein Zwei-Stollen-System in 17 m Abstand zur besseren Luftzuführung vorgesehen. Am 1.6.1906 wurde diese neue Verbindung zwischen der Westschweiz und Oberitalien eröffnet. Von 1912 bis 1922 wurde der zweite Tunnel ausgebaut. Ein zusätzliches Modell (M 1:30) veranschaulicht den Vortrieb.

Straßen und Brücken

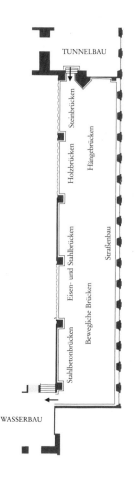

Die Themen dieser Ausstellung auf etwa 610 m² reichen von den primitiven Wegen und Übergängen aus Baumstegen zu den modernen Autobahnen mit ihren Brückenbauwerken.

Aus geschichtlicher Sicht hatte die Verbesserung der Verkehrswege immer zwei Ursachen: eine politische Zentralgewalt einerseits und eine Vermehrung des Güterangebots andererseits. Seit dem 18. Jahrhundert wurden Straßen-, Brücken- und Kanalbau immer mehr aufgrund praktischer Erfahrungen, aber auch nach wissenschaftlichen Erkenntnissen betrieben.

Straßen

Als vor etwa 6000 Jahren in Kleinasien das Rad und damit der Wagen erfunden wurde, mußten Pfade durch Steine und quergelegte Baumstämme (Knüppelwege) befestigt werden. Die ältesten Straßennetze (Bernstein-, Tee-, Seiden- und Salzstraßen) waren nach heutigen Begriffen keine gebauten Straßenzüge mit den nötigen Brücken, sondern «Richtungen», die sich den im Laufe der Zeit geänderten Verhältnissen anglichen; fest standen lediglich Ausgangs- und Endpunkte, Gebirgspässe und günstige Übergänge über Flüsse und Ströme. An diesen Festpunkten entwickelten sich die ersten größeren Siedlungen, aus denen später Städte wurden.

Die Geschichte zeigt, daß bedeutende Netze von Kunststraßen nur durch einen zentralgeleiteten Staat entstehen können: persische Reichsstraßen, Römerstraßen, Inkastraßen, die Straßen Napoleons, Autobahnen, Highways.

In Europa verfielen mit dem Untergang des Römerreichs die Straßen; erst Karl der Große ließ um 800 einige neue Erdwege bauen. Um 1300 setzte eine gewisse Straßenbautätigkeit ein; so findet man gepflasterte Straßen in Köln und Paris aus Bruchsteinen und Flußkieseln.

Nach Einführung des *Römischen Rechts* in Deutschland (1496) mußte jeder das an seinem Anwesen vorbeiziehende Straßenstück unterhalten; diese Verpflichtung galt auch für die großen Fernstraßen. Da aber der Wegezoll vom Landesherrn eingezogen wurde und die Bauern nur die Last des Unterhalts hatten, wurde an den Straßen sehr wenig gerichtet; die Kutscher fuhren stets dort, wo es am besten ging, oft weitab vom eigentlichen Weg. Wegebauvorschriften regelten die Art der Ausbesserungen für die Wegefronpflichtigen; die älteste ist wohl die *Jülich-Bergische Polizeiordnung, 1554.*

In Frankreich, wo sich bald eine staatliche Zentralgewalt durchsetzen konnte, entwickelte der Minister Maximilien Sully im 17. Jahrhundert die erste rege Straßenbautätigkeit; die zerstörende Wirkung des Wassers wurde durch mehrere Lagen Steine eingedämmt. Durch die Gründung der «Ecole des Ponts et Chaussées» mit ihrem ersten Direktor Pierre M. J. Trésaguet (1775) begann die wissenschaftliche Durchdringung verschiedener Methoden.

Auch in England war der Straßenbau vorbildlich: John Loudon MacAdam legte als Wegebauinspektor (1816) besonderen Wert auf eine wasserdichte Fahrbahndecke, deren Profil er in der Mitte um 7 bis 8 cm erhöhte, während Thomas Telford sich seit 1803 besonders der Dauerhaftigkeit des Untergrunds widmete.

Pflasterstraßen dominierten in Städten; gepflasterte Landstraßen waren selten. Zur Vermeidung des Lärms eisenbereifter Pferdefuhrwerke kam um 1850 zuerst in Petersburg das Holzpflaster auf. Kleinpflastersteine waren aber billiger und fanden ab 1885 von Stade aus weiteste Verbreitung. Betonpflastersteine wurden erstmals 1928 in Bergamo verwendet; 1936 wurde die erste Versuchsstrecke für starken Verkehr bei Neuß am Rhein gebaut. Kleinpflaster aus Granit bevorzugt man bei sehr beanspruchten Straßendecken, zum Beispiel bei Autobahnauffahrten, stark geneigten Straßen usw.

Für den Straßenbau gibt es keine typischere Maschine als die Straßenwalze. Sie war zunächst für die Bodenverdichtung und den Deckenbau

Blick in die Abteilung Straßen und Brücken
Im Vordergrund Stahlbrücken, dahinter Holz- und Steinbrücken

unentbehrlich; heute noch wird sie mehr für die Glättung der Straßenoberfläche eingesetzt. Vor ihrer Einführung verdichtete man die Straßendecken mit schweren Stößeln in mühsamer Handarbeit oder überließ diese Arbeit den eisernen Reifen der Wagen.

Ab 1840 setzten sich pferdegezogene Straßenwalzen durch, und ab 1865 kam die Dampfstraßenwalze in Gebrauch. Heute dominiert die Dieselmotorwalze, deren Einsatz 1902 von England ausging.

Mit der Zunahme schneller Pferdewagen und dem Aufkommen des Kraftfahrzeugs nach 1900 war die Staubplage auf den wassergebundenen, staubreichen Kies- und Schotterstraßen unerträglich. So wäre zum Beispiel der Fremdenverkehr in Monaco völlig zum Erliegen gekommen, wenn dort 1902 der Walliser Arzt Ernest Guglielminetti nicht die Oberflächenteerung eingeführt hätte; sein Beispiel machte bald überall Schule.

In USA bekämpfte man den Straßenstaub zuerst durch Besprengung der Straßendecke mit kalifornischem Petroleum, das durch seinen Asphaltgehalt die Verkittung der Staubteilchen begünstigte.

Um die Straßenoberfläche für den motorisierten Verkehr staubfrei und haltbar zu gestalten, spritzte man auch Bitumen auf und deckte es mit Gesteinssplitt ab; zweckmäßiger war jedoch das Aufwalzen einer Gesteinsmischung mit Bitumen und Teer als Bindemittel. Das setzte jedoch einen tragfesten Unterbau voraus, der dem schnellen, zum Teil schweren motorisierten Straßenverkehr von heute genügte. So kam es bald: zum Schotterunterbau aus Gesteinen und Kies; zur zusätzlichen Verfestigung mit bituminösen Bindemitteln; zu Betonfahrbahnen in Städten und auf Autobahnen; zur ersten Teerbetondecke 1929 auf der Avus Berlin; zur Anwendung von Asphaltbeton 1934/35 auf der Autobahn bei Darmstadt und zum Auftrag von rollgeräusch-verminderndem Flüsterasphalt 1986 auf die Autobahn bei Saarbrücken.

Brücken

Methodisch lassen sich die Brücken in verschiedener Weise einteilen und klassifizieren:

Feste Brücken

1. Nach dem Verkehrsweg, den sie tragen, oder dem Gut, das sie leiten: Straßenbrücken, Eisenbahnbrücken, Fußgängerbrücken, Aquädukte.

2. Nach den Werkstoffen: Holzbrücken, Massivbrücken (aus Mauerwerk, Beton, Stahlbeton), Stahlbrücken (genietet, geschraubt, geschweißt), Aluminiumbrücken.

3. Nach der baulichen Ausbildung: Vollwandkonstruktion, Fachwerkkonstruktion.

4. Nach der Art des Tragsystems: Balkenbrücken, Bogenbrücken, Hängebrücken.

5. Nach der Grundrißgestaltung der Hauptträger: gerade oder gekrümmte Hauptträger.

6. Nach der Lage der Fahrbahn: obenliegende Fahrbahn (Deckbrücke für Straßen), versenkte Fahrbahn (Trogbrücke für Eisenbahnen).

7. Nach der Zahl der Fahrbahngeschosse: ein- oder zweigeschossig.

8. Nach dem Zweck: bleibende Brücken, Behelfsbrücken, Arbeitsbrücken, Notbrücken.

9. In statischer Hinsicht: Hauptträger und Fahrbahntafel voneinander unabhängig, Hauptträger und Fahrbahnträger zusammenwirkend, Hauptträger und Fahrbahn elastisch gekoppelt.

10. Nach dem Kreuzungswinkel ihrer Längs- und Querachse: gerade oder schiefe Brücken.

Bewegliche Brücken

1. Nach den Werkstoffen: Holz, Stahl usw.

2. Nach der Bewegungsmöglichkeit: meist Hubbrücken, Drehbrücken, Klappbrücken; seltener Schwimmbrücken, Schwebefähren, Roll- oder Schiebebrücken.

Zur Ausstellung

In der Ausstellung überwiegen optisch die Brücken. Der Besucher kann anhand von Modellen, Nachbildungen, Photographien und Zeichnungen die Entwicklung des Brückenbaus nachvollziehen und sich in bautechnische Konstruktionen und Ausführungen vertiefen.
Die Brücken werden nach Art der Werkstoffe abgehandelt.

Steinbrücken

Die Naturvölker entwickelten verschiedene Brückenkonstruktionen aus Holz. Steinplatten konnten nur kleine Öffnungen überbrücken. Die

Wölbetechnik, die große Spannweiten ermöglicht, wurde von den Römern zur Vollendung geführt. Im Mittelalter ging viel von ihrem Wissen verloren. Einer ersten wissenschaftlichen Betrachtungsweise begegnen wir zuerst im Italien des 15. Jahrhunderts, dem Quattrocento; Leon Battista Alberti hatte 1451/52 das weite Gebiet des Bauwesens behandelt und kam von der Theorie des Kuppelbaus zum Gewölbe und zu den steinernen Brücken: *«Ihre Teile sind folgende: Die Stützmauern der Ufer, die Pfeiler, das Gewölbe und die Bahn».*

Im 18. Jahrhundert entstanden mit den Ingenieurwissenschaften in Frankreich Meisterwerke des Steinbrückenbaus: Das Verhältnis von Bogenhöhe zu Spannweiten ist gegenüber den Römerbrücken durch die nunmehr möglichen Festigkeitsberechnungen verringert. In unserem Jahrhundert löste im Brückenbau der Beton den Stein ab.

Holzbrücken

Die frühesten uns bekannten Holzbrücken sind von Pfählen unterstützte Balken. Die Römer kannten bereits das Bogensprengwerk. Im Mittelalter baute man nur einfache Balkenbrücken, seit der Renaissance auch Hänge- und Sprengwerke. Im 19. Jahrhundert wurden für die Eisenbahn weitgespannte Fachwerkträger entwickelt.

Eisen- und Stahlbrücken, Hängebrücken, bewegliche Brücken

Die erste gußeiserne Brücke entstand 1775 in England (Coalbrookdale). Die Einführung des Schweißeisens um 1850 ermöglichte immer

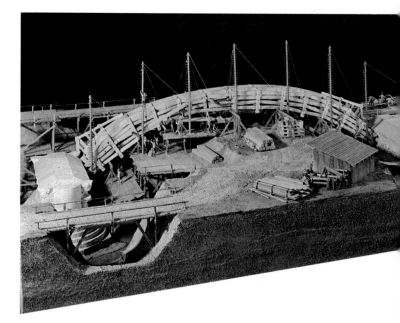

größere Spannweiten, die durch die Entwicklung neuer Fachwerksysteme ständig gesteigert wurden. In neuester Zeit werden vollwandige Balkenbrücken aus hochwertigem Stahl mit geschweißten Verbindungen gebaut.

Die Hängebrücken des 18. Jahrhunderts waren Kettenbrücken. Mit dem seit 1815 verwendeten Drahtkabel erreicht man heute die größten Spannweiten.

Wo Brücken die Schiffahrt behindern, müssen sie beweglich sein. Je nach Situation werden sie geklappt, gehoben oder gedreht. Eine Sonderform stellt die Schwebefähre dar.

Beton- und Stahlbetonbrücken

Durch das Aufkommen des Zements wurde die bereits von den Römern angewendete Gußbauweise neu belebt. Die Verbindung von Beton mit Stahl ergab ein ideales Baumaterial. 1875 baute man in Frankreich die erste Stahlbetonbrücke. Seit 1928 wird das Spannbetonverfahren angewandt.

Die Ausstellung des Straßenbaus ist entlang der Fensterseite so angeordnet, daß seine geschichtliche Entwicklung in etwa mit der des Brückenbaues übereinstimmt. Der Straßenbau konnte nur deshalb viel straffer dargestellt werden, weil auf Objekte in Originalgröße verzichtet wurde und fast ausschließlich Modelle und Bilder benutzt wurden: Die Zeitlinie beginnt mit der Frühgeschichte des Menschen und damit auch mit der Geschichte des Pfades, des Weges, der Straße. *F. Heilbronner*

Seinebrücke bei Neuilly,
1768–1774 (M)
Der Brückenbau verdankt französischen Ingenieuren Veröffentlichungen über Gewölbetheorie und Baumechanik – eine Epoche, die von Jean Rodolphe Perronet (1708–1794) eingeleitet wurde. Als sein schönstes und kühnstes Werk galt die Seinebrücke von Neuilly (Paris), die 1939 aus verkehrstechnischen Gründen abgerissen wurde. Die Modellserie zeigt drei Baustadien dieser Steinbrücke mit fünf Bögen zu je 40 m Spannweite und 15 m Breite: die Fundamentgründung unter Wasserhaltung mit eingedämmten Baugruben; den Wölbvorgang am Beispiel eines Bogens mit Lehrgerüst sowie einen Endpfeiler mit Uferanschluß.

Schiffahrt

Die Schiffahrt liefert heute keine Schlagzeilen mehr. Es wird von ihr erwartet, daß sie ihren Dienst im Weltverkehr versieht und zuverlässig funktioniert. Öl, Getreide und Erze, Produkte und Bedarfsgüter sollen möglichst billig transportiert werden. Das Bestreben nach höchster Geschwindigkeit und schnellem Passagierverkehr erfüllen andere Verkehrsmittel inzwischen besser.

In der Geschichte hat die Schiffahrt den Völkern die Erde erschlossen, hat Kommunikation, Handel – und Kriege – zwischen den Erdteilen ermöglicht. Das Segelschiff, die Dampfmaschine und der Container sind Marksteine in ihrer Entwicklung. Aber nicht nur auf den Weltmeeren war die Schiffahrt wirksam; auch im Binnenland, unter primitiven Verkehrsbedingungen früherer Zeiten, waren Wasserwege wichtig. Flüsse konnten als «Wasserstraßen mit eingebauter Antriebskraft» wie Förderbänder genutzt werden. Selbst das Graben von Kanälen konnte

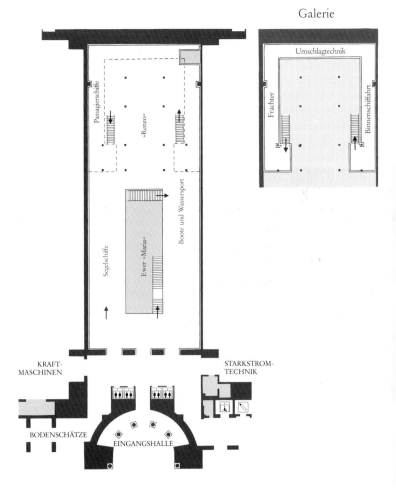

Galerie

lohnend sein, um die physikalischen Eigenschaften des Wassers zu nutzen, auf dessen ebener, nachgiebiger Oberfläche Fahrzeuge sich leichter bewegen ließen als auf unwegsamem Gelände.

Um sich auf dem Wasser zu bewegen, mußte der Mensch zum Bau eines geeigneten Fahrzeuges zunächst die Materialien benutzen, die er in seiner Umgebung vorfand: Schilf und Gräser, einen Baum, seine Rinde, Tierhäute. Je nach handwerklichem Geschick und Erfahrung konnten daraus vielfältig geformte Schwimmkörper entstehen, Flöße durch Bündelung von schwimmfähigem Material oder aufgeblasenen Häuten, Einbäume durch Aushöhlen von Baumstämmen und schließlich Boote durch Bespannen von Gerüsten oder Zusammenfügen von Planken. Die letztgenannte Bauweise allein war entwicklungsfähig und ermöglichte, durch ausgeklügelte Fügetechniken immer größere Schiffe herzustellen. Holz als einzig geeignetes Baumaterial hierfür wurde bei seefahrenden Nationen bald knapp. Dies führte zu einem Raubbau an Waldbeständen, dessen oft verheerende Folgen frühe Beispiele für bleibende, durch den Menschen hervorgerufene Umweltschäden sind. Die Einführung

Untergeschoß

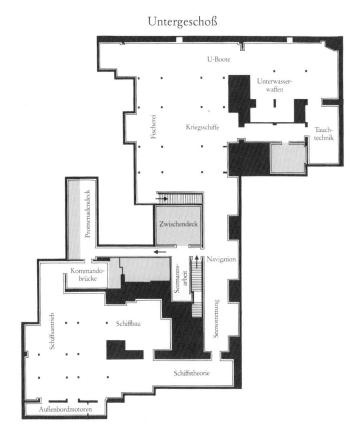

von Eisen und Stahl veränderte die strukturelle Bauweise der Schiffe nicht wesentlich, hob aber die Größenbeschränkung des Holzschiffbaus auf. Die Werft als Montageplatz wurde weitgehend mechanisiert. Die Elektroschweißung, unter Kriegsbedingungen forciert, ermöglichte Sektionsbauweisen mit kurzen Bauzeiten.

Zum Vortrieb und Steuern seines Fahrzeugs benutzte der Mensch sicher zuerst seine Hände, dann flache Hölzer als Paddel. Durch die Hebelwirkung eines Ruders konnte Muskelkraft besser umgesetzt werden. Günstiger Wind war zur Entlastung des Ruderers immer willkommen. Als Windfang konnten aufgestelltes Laubwerk und später Geflecht und Gewebe dienen. So wurden im Norden Europas quer, im Mittelmeerraum auch längs zur Schiffsrichtung stehende Segel benützt. Aus dem Bestreben, größere und gut manövrierfähige Schiffe zu bauen, entstand aus der Verschmelzung beider Typen das dreimastige Segelschiff – gerade «rechtzeitig» für die Entdeckungsreisen des 15. und 16. Jahrhunderts. Es ermöglichte den Europäern, den Warenverkehr mit den neuerschlossenen Landstrichen auszubauen und die Schaffung von Kolonialreichen voranzutreiben. Segelschiffe, die die Energie zum Vortrieb der Umgebung entnehmen und nicht als Brennstoff mitführen müssen, waren Voraussetzung für lange Reisen in unerschlossene Gebiete. Erst atomkraftgetriebene Schiffe haben es – unter ungleich höherem Aufwand – vermocht, um die Erde zu fahren, ohne Brennstoff aufzutanken. Die aufgespannte Leinwandfläche als Mittel zum Vortrieb verschwand gerade dann von den Ozeanen, als sie woanders neu eingesetzt und auch eingehend wissenschaftlich untersucht wurde: für den Auftrieb von Flugzeugen.

Die Dampfmaschine erwies sich als die neue treibende Kraft der Schiffahrt. Hervorgegangen aus einem schwerfälligen Pumpenantrieb für Bergwerke bot sie nach relativ kurzer Entwicklungszeit zweierlei: Unabhängigkeit von den Windverhältnissen, also Planbarkeit, und bisher ungeahnte Leistungssteigerungen, aber sicher noch nicht angenehmere Arbeitsplätze für Heizer und Kohlentrimmer. Die Kolbendampfmaschine bedeutete eine entscheidende Umwälzung für Handels- und Kriegsschiffe.

Oseberg-Schiff,
um 800 n. Chr. (M)
Die Schiffe der nordeuropäischen Völker bewiesen trotz ihrer niedrigen Bordwände auf ihren langen Reisen große Seetüchtigkeit. Das reich verzierte Oseberg-Schiff wurde 1903 in Norwegen als Grabstätte einer Königin gefunden.

Fischerewer «Maria», 1880 (O)
Eines der letzten erhaltenen Segelschiffe dieser Art. Ewer waren im 19. Jahrhundert
auf der Niederelbe als Fischereifahrzeuge und Frachtschiffe sehr verbreitet.

Die Dampfturbine überwand dann die konstruktiv bedingten Grenzen
der Kolbendampfmaschine, und beim Dieselmotor wurde die Verbrennung des Brennstoffes in den Motor selbst verlegt, die aufwendige Kes-
selanlage konnte damit entfallen. Der große Schiffsdieselmotor wurde
zur häufigsten und wirtschaftlichsten Antriebsmaschine, die oft schon
ohne Maschinenpersonal von der Kommandobrücke aus fernbedient
wird.
Der Vorteil der Maschinen, ihre konstant verfügbare Leistung, konnte
erst dann wirklich zur Fahrplangestaltung genutzt werden, als das Verhältnis Maschinenleistung/Schiffsgeschwindigkeit bekannt war. Die
jahrhundertelange Erfahrung mit Segelschiffen war hier nicht dienlich.
Eine praktisch verwertbare Theorie des Schiffes mußte entstehen, um
immer größere und schnellere Schiffe richtig konstruieren zu können
und Maschine, Schraube und Schiffsrumpf aufeinander abzustimmen.
Ging es um die höchsten Geschwindigkeiten, etwa beim luxuriösen
Transatlantikverkehr der großen Passagierdampfer, war die Konkur-

renz des Flugzeugs bald übermächtig. Rapide steigende Treibstoffpreise zwangen aber auch bei Frachtschiffen, Geschwindigkeit nicht nur auf dem Wasser zu suchen, sondern den Warenumschlag im Hafen zu beschleunigen und Liegezeiten zu verkürzen. Durch den Container wurde es möglich, zeitaufwendige, bisher oft nur von Hand ausführbare Lade- und Stauarbeiten zu mechanisieren und den Anschluß an die bestehenden Verkehrsnetze zu verbessern.

Es erscheint selbstverständlich, daß der Schiffsverkehr heute moderne technische Entwicklungen wie Funk, Radar oder Satellitennavigation für seinen Betrieb zu Hilfe nimmt. Um den Ort und den Weg eines Schiffes auf See zu bestimmen, war die Schiffahrt früher oft auf eigene Entwicklungen angewiesen. Der Bau eines exakten Zeitmessers für die Bestimmung der geographischen Länge oder der Kreiselkompaß sind Beispiele hierfür.

Schiffahrt, Handel und Seemacht bedeutete in der Geschichte auch immer das Vorhandensein von Waffen und geeignetem Schutz vor ihnen. Ob Frachtraum und Bewaffnung in einem Schiff vereinigt oder auf speziellen Handels- und Kriegsschiffen untergebracht waren, änderte lange Zeit wenig an der Technologie dieser Schiffe. Mit dem Einsatz von Eisen und der Entwicklung von speziellen Stählen für Geschütze und Panzerungen, ermöglicht durch neue Methoden der Stahlerzeugung und -verarbeitung, wuchs eine eigenständige Waffentechnologie. Der Bleiakkumulator und der Elektromotor, gleichzeitig Dynamomaschine, verhalfen dem Unterseeboot zu einem luftunabhängigen Antrieb.

Mit dem Torpedo wurde das U-Boot zu einer neuartigen Waffe im Seekrieg. Sein Einsatz in zwei Weltkriegen wurde ein Wettstreit mit der Massenproduktion von Transportschiffen, der Entwicklung von Ortungsmethoden und dem Flugzeug. Technik zur Zerstörung eingesetzt, bedeutet Tod und unsagbares Leid für viele Menschen.

Zur Ausstellung

Die Schiffahrtsabteilung liegt im Erdgeschoß hinter der Eingangshalle. Sie wurde 1957 nach den Kriegszerstörungen auf zwei Ausstellungsebenen (Erdgeschoß und Untergeschoß) eingerichtet und nach einem Brand im Jahr 1983 überarbeitet und ergänzt. Die Ausstellung enthält einzelne, in sich geschlossene Themenbereiche zur Technikgeschichte der Schiffahrt. Wir schlagen folgenden Führungsweg vor:

Die Entstehung des Segelschiffs

Auf der linken Seite des Erdgeschosses erläutert eine Modellreihe die zunehmende Nutzung und Beherrschung der Windkraft für die Bewältigung weiter Strecken über See. Die Kogge der Hanse, Karavellen und Dreimaster wie der *Peter von Danzig* sind Marksteine dieser Entwicklung. Diese Schiffe, die größten technischen Geräte der beginnenden

Dampfschlepper «Renzo» aus Venedig, 1932 (O)
Einer der vielen Schlepper, die auf Binnenwasserstraßen Kähne und Leichter zogen oder in Häfen größere Schiffe bugsierten. Seine Maschinenanlage (kleines Bild), ein kohle-, später ölgefeuerter Kessel, eine Zweizylinder-Verbundmaschine und der Treibstoffbunker füllen fast den gesamten Schiffsraum.

Neuzeit, erschließen ferne Kontinente und zeigen bereits alle wesentlichen Merkmale der späteren Segelschiffstypen.

Die Dampfmaschine verdrängt das Segel

Dieser Bereich stellt eine grundlegende Umwälzung in der Technik des 19. Jahrhunderts dar: Mit der Dampfmaschine befreit sich der Mensch aus der Abhängigkeit von Wind- und Muskelkraft. An Modellen und Graphiken wird die Konkurrenz zwischen Segel- und Dampfschiff gezeigt, die auch die technische Entwicklung der Segelschiffe noch einmal vorantreibt. Die beiden größten Originale, der Ewer *Maria* und der

Dampfschlepper *Renzo,* charakterisieren die Merkmale beider Epochen: Die traditionelle, aus einfachen Einzelteilen aufgebaute Besegelung ist einer im Schiffsrumpf verborgenen, unüberschaubaren Maschinenanlage gewichen. Der Baustoff Holz ist durch Stahl ersetzt worden.

Passagierschiffe

Die Gestaltung der *Passagierschiffe* der ersten Hälfte des 20. Jahrhunderts sollte die technische Leistungsfähigkeit und das nationale Prestige der führenden Schiffahrtsnationen demonstrieren. Modelle veranschaulichen die Veränderung in der Außenarchitektur der Schiffe, zwei Holzfiguren des Schnelldampfers *Deutschland* zeigen die überladenen Dekorationen der Salons der Kaiserzeit.

Das Schiff als Transportmittel

Auf der neu eingebauten Galerie wird die wichtigste Aufgabe der heutigen Schiffahrt dargestellt. In Modellreihen werden die verschiedenen Frachtschiffstypen erklärt, die für die vielfältigen Transportaufgaben der Industriegesellschaft entwickelt wurden. Auch die *Umschlagtechnik* mußte dem Tempo der Zeit folgen. Der Container verband Schiffahrt, Straßen- und Schienenverkehr zu einem Verkehrssystem. Die *Binnenschiffahrt* war schon in vorindustrieller Zeit, vor dem Einsatz der anderen Massenverkehrsmittel, ein unentbehrliches Transportmittel.

Schnelldampfer «Kaiser Wilhelm II», 1903 (M) Das geschnittene Modell zeigt die Kohlenbunker und darüber den prunkvollen Speisesaal der ersten Klasse. Vier Decks sind durchbrochen, um diesem Raum Licht und Höhe zu geben. Ein Luxushotel fährt zur See.

Gastanker (M)
Gastanker befördern Erdgas, dessen Volumen für den Transport durch Verflüssigung auf den 600. Teil verringert wird. Mit ihrer aufwendigen Technik gelten solche Tanker als die hochwertigsten Frachtschiffe.

Boote und Wassersport

Auf Flößen und Booten hat der Mensch das Wasser zum erstenmal «erfahren». Die Industriegesellschaft griff die Bauformen der Arbeitsboote der Naturvölker wieder auf und verwandelte sie in Sportgeräte. Die Auseinandersetzung mit Wind und Wellen wird nun zum Freizeiterlebnis. Mehrere Originale, angefangen vom Floß bis zur Gondel, vertreten die prinzipiellen Bauweisen dieser individuellen, regional oft sehr unterschiedlich geprägten Wasserfahrzeuge. Rennruderboote und eine Rennsegeljolle zeigen die Meisterschaft ihrer Erbauer, deren Leistung den sportlichen Wettbewerb entscheiden kann.

Das Schiff als Lebensraum

Von der Treppe aus, die an der geöffneten Seite des Ewers *Maria* in das Untergeschoß führt, erhalten wir einen Einblick in die einfache Unterkunft der Fischer und die Enge des Zwischendecks (N), in dem Auswanderer während ihrer Fahrt in eine ungewisse Zukunft untergebracht waren; im Kontrast dazu das weitläufige Promenadedeck (N) eines Fahrgastschiffes. In den wenigen Mußestunden der Seeleute an Bord entstanden Seemannsarbeiten aus Tauwerk (fancywork), Modelle und Flaschenschiffe, die gegenüber dem «Zwischendeck» ausgestellt sind.

Kommandobrücke

In der *Kommandobrücke,* der Zentrale der Schiffsführung, konzentrieren sich die Geräte zur *Navigation* und *Kommunikation,* die einen sicheren Schiffsbetrieb gewährleisten sollen. Im Nachbau des Steuerhauses eines Frachtschiffes (1922) demonstrieren wir die Wirkung der Ruderanlage bei verschiedenen Schiffsgeschwindigkeiten.

Mechanische Schiffsantriebe

Die *mechanischen Schiffsantriebe* umfassen die Kraftmaschine und die Kraftübertragung auf das Antriebsorgan, wie *Schaufelrad* oder *Propeller.*

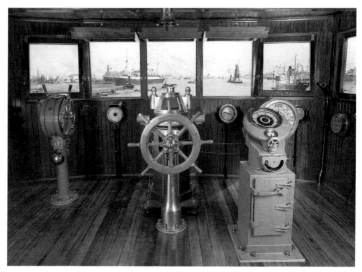

Steuerhaus des Frachters «Adolph Woermann», 1922 (O, N)
Es wurde 1986 rekonstruiert und enthält Steuersäule und Kompaß, ferner eine Selbst-
steueranlage, die an einen Kreiselkompaß angeschlossen ist, sowie Telegraphen für die
Befehlsübermittlung an das Maschinenpersonal.

Die ersten *Dampfmaschinen* stimmten in ihrer geringen Drehzahl mit
den gleichfalls langsamen Schaufelrädern gut überein (Original einer
oszillierenden *Zweizylinderdampfmaschine* von 1857). Bei den größeren
Leistungen und Drehzahlen des Propellerantriebs traten bei den riesigen *Dampfkolbenmaschinen* im elastischen Schiffskörper Schwingungs-
probleme auf, die zur näheren Untersuchung der Maschinendynamik
zwangen (Demonstration des Massenausgleichs).
Die *Dampfturbine* mit ihrer größeren Laufruhe war erst dann wirtschaftlich, als Getriebe gebaut werden konnten, um Turbine und Propeller aufeinander abzustimmen. Konkurrent der Dampfturbine war jedoch bald der Verbrennungsmotor (Original eines der ersten Motor-
boote Gottfried Daimlers, 1886). Der Dieselmotor hat sich heute zur
wirtschaftlichsten und häufigsten Antriebsmaschine entwickelt.

Schiffstheorie

Aufgabe der *Schiffstheorie* ist es, die Strömung an Schiff und Propeller
zu untersuchen und Grundlagen für den Schiffsentwurf zu liefern.
Auch heute noch bedient man sich hierbei weitgehend der Modellver-
suchstechnik (Demonstrationen des Kavitationsversuchs und des
Schleppkanals).

Schiffbau

Der *Schiffbau* wird bis zur Mitte des 19. Jahrhunderts von der handwerklichen Tradition des Holzschiffbaus bestimmt. Wir zeigen eine

Fahrgastdampfer «Augsburg», 1892/93 (M)
Münchener und Augsburger Erholungssuchende vergnügten und entspannten sich bei
einer Fahrt mit dem Schaufelraddampfer auf dem Ammersee. Er faßte 600 Fahrgäste,
so viele, wie damals ein mittlerer Personenzug befördern konnte. Mit einer Zweifach-
Expansionsmaschine von 350 PS (257 kW) Leistung erreichte die «Augsburg» eine
Geschwindigkeit von 24 km/h.

Sammlung der typischen Holzbearbeitungswerkzeuge neben Boots-
und Schiffsquerschnitten und einer Holzschiffswerft als Diorama. Der
Stahlschiffbau erhielt besonders durch die Einführung des autogenen
Brennschneidens und des Elektroschweißens starke Impulse. Die Sek-

Holzschiffswerft in Hamburg, um 1830 (Di)
Man verfolgt das Handwerk des Schiffszimmerers anhand des Baustadiums verschie-
dener Schiffe: Kiellegung, Aufstellen der Spanten, Stapellauf. Ohne Maschinen und
Werkhallen findet der Schiffsbau am unbefestigten Flußufer statt.

tionsbauweise ermöglichte eine weitgehende Fertigung von Großbauteilen in der Halle und hat zusammen mit der Mechanisierung und später Automatisierung der Arbeitsvorgänge die Bauzeit stark verkürzt.

Navigation

Aufgabe der *Navigation* ist es, einen sicheren und wirtschaftlichen Weg für ein Schiff zu bestimmen und einzuhalten. In den Anfängen der Seefahrt war dies nur im Schutz und in Sicht der Küste möglich, die Aufzeichnung markanter Einzelheiten der Küstenlinie in Handbüchern hat sich noch lange erhalten. Ein einfaches, aber wichtiges Hilfsmittel der Küstennavigation ist das *Lot* für die Messung der Wassertiefe.

Etwa im 14. Jahrhundert kam der *Magnetkompaß* zur Bestimmung der Himmelsrichtung in Gebrauch. Zusammen mit dem Log, einem Gerät zur Messung der Schiffsgeschwindigkeit relativ zum Wasser – nicht über Grund –, war nun eine annähernd genaue Aufzeichnung einer zurückgelegten Strecke möglich. Wir zeigen eine Auswahl von Magnetkompassen und den ersten *Kreiselkompaß* von Hermann Anschütz-Kaempfe. Bei Kreiselkompassen wird die Erddrehung zur Bestimmung der Nordrichtung benutzt.

Eine genauere, von Wind und Strömung unbeeinflußte Ermittlung der Position auf hoher See leistete die astronomische Navigation. Waren der Lauf der Gestirne und ihre Position am Himmel bekannt, konnte mit *Winkelmeßgeräten*, z.B. Sextanten, der geographische Breitengrad des Schiffsortes ermittelt werden. Die Bestimmung des geographischen Längengrades, für die eine genaue Kenntnis der Ortszeit nötig ist, gab im 18. Jahrhundert den Anstoß für die Entwicklung eines Chronometers.

Elektromagnetische Wellen durchdringen Wolken und Nebel. Bereits um die Jahrhundertwende wurden Versuche unternommen, mittels solcher Wellen entfernte Gegenstände einem Beobachter zu «melden». Das *Telemobiloskop* von Christian Hülsmeyer (1904) kann als ein Vorläufer des Radar angesehen werden, das aber erst im 2. Weltkrieg zur Einsatzreife entwickelt wurde. Funkortung und in jüngster Zeit Satellitennavigation ermöglichen auch bei ungünstiger Witterung eine genaue Standortbestimmung.

Seenotrettung

Schiffsuntergänge und Schiffbruch bescherten nach altem Strandrecht den Küstenbewohnern alles Gut, das an ihren Strand trieb. Die Gier nach diesen Gütern ließ kein Mitgefühl für die Not der Seeleute eines havarierten Schiffes aufkommen.

Im Jahr 1865 entstand aus einer Bürgerinitiative die Deutsche Gesellschaft zur Rettung Schiffbrüchiger mit dem Ziel, frei und spontan, ohne Reglementierung durch Staat und Obrigkeit zu helfen. Die ersten Rettungsstationen waren mit Raketenapparaten und offenen Ruderbooten ausgestattet. Die Rettungsboote wurden nach der Jahrhundert-

Seenotrettungskreuzer der «Theodor Heuss»-Klasse, 1960 (O)
Rettungskreuzer dienen der Rettung Schiffbrüchiger und der Bergung kleinerer Fahrzeuge. Sie müssen sehr leistungsfähig sein und werden hierfür ständig auf dem jüngsten Stand der Schiffstechnik gehalten. Länge 23,2 m, Maschinenleistung 1290 kW, 3 Propeller, 20 kn (37 km/h).

wende motorisiert und seither ständig nach dem letzten Stand der Technik ausgerüstet; diese Entwicklung wird in einer Modellreihe gezeigt. Mit der Klasse der Seenotrettungskreuzer des Typs «Theodor Heuss» begann im Jahre 1957 eine neue Ära vielseitig einsetzbarer Rettungsfahrzeuge. Dieser Seenotrettungskreuzer ist im Freigelände hinter der Luftfahrthalle aufgestellt.

Fischerei

Die *Fischerei* liefert einen wichtigen Anteil der Nahrungsmittel der Weltbevölkerung. Im Untergeschoß, unterhalb des Hecks des Fischer-Ewers *Maria*, zeigen wir die Entwicklung und Intensivierung der Fangmethoden und die dabei benutzten Fahrzeuge (Original eines Fischer-Einbaumes vom Starnberger See und eines portugiesischen Dorys). Die zunehmende Industrialisierung des Fischfangs führte zur Dezimierung der Fischbestände, internationale Abkommen sollen eine Überfischung verhindern.

Kriegsschiffe

Im Bereich der *Kriegsschiffe* zeigen wir gegenüber der Nachbildung eines Batteriedecks einer Fregatte (ca. 1690) eine Entwicklungsreihe von Segelkriegsschiffen, die sich thematisch an die Entstehung des Segelschiffs anschließt. Die Aufrüstung der kaiserlichen Marine und der Reichsmarine und die technische Entwicklung ihrer Schiffe im 19. und 20. Jahrhundert wird an Modellen und Graphiken gezeigt. Originale sind in diesem Bereich ein Funktionsmodell des Tauchbootes von Wilhelm Bauer (1852), das Unterseeboot *U 1* (1906), das 1921 in das Museum gebracht wurde, und ein Zweimann-U-Boot aus dem 2. Weltkrieg.

Tauchtechnik

Die zivile *Tauchtechnik* zur Erforschung der Meere ist durch die Tauch-
kugel (N) Auguste und Jacques Piccards vertreten, mit der 1960 eine
Tauchtiefe von 10916 m erreicht wurde.

J. Broelmann

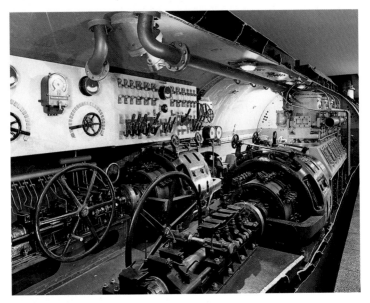

Unterseeboot «U 1», 1906 (O)
Der Maschinenraum enthält im engen, kreisförmigen Druckkörper zwei Elektro-
motore für die Fahrt unter Wasser sowie zwei Petroleummotore für die Fahrt über
Wasser.

Vorschläge zur Fortsetzung des Rundgangs
Der Rundgang im Erdgeschoß ist nun beendet. Über die Haupttreppe gelangt
man am Restaurant vorbei ins 1. Obergeschoß. Dort ist rechts um die Ecke ein
Raum über die *Geschichte des Deutschen Museums* (S. 139) eingerichtet, den
man vor Betreten des *Ehrensaals* (S. 144) anschauen sollte. Sie können aber
auch Ihren Rundgang mit der Abteilung *Luftfahrt* (S. 189) fortsetzen, die im
1. Obergeschoß ihren historischen Beginn hat.

Geschichte des Deutschen Museums

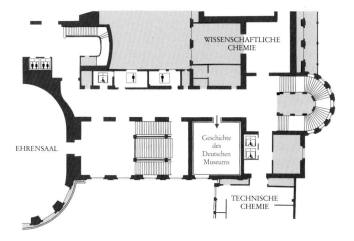

Das Deutsche Museum entstand zu Beginn dieses Jahrhunderts in Zusammenarbeit von Ingenieuren, Naturwissenschaftlern, der Industrie und dem Staat. Von vielen Seiten gefördert, ist es doch das Werk eines Mannes – seines Gründers –, Oskar von Miller. Vorbilder für sein Museum fand Oskar von Miller in dem Conservatoire des Arts et Métiers, 1793 in Paris gegründet, und dem South Kensington Museum in London, dem heutigen Science Museum. Miller war von beiden Museen stark beeindruckt, bedauerte aber, daß die dort ausgestellten Maschinen und Mechanismen «tot» und unbeweglich in den Vitrinen standen und ihre Geschichte nur Fachleuten preisgaben. Miller wollte dagegen die technischen Prozesse so ausstellen, daß sie anschaulich, nachvollziehbar und ausprobierbar sind. Sein Museum sollte, ohne anspruchslos zu werden, Spaß machen.

In der kleinen Abteilung zur *Geschichte des Deutschen Museums* sind vorwiegend Photos zu sehen.

Zur Ausstellung

Die im 1. Obergeschoß westlich des Ehrensaals befindliche, 100 m² große Ausstellung ist in sechs Abschnitte eingeteilt.

Der erste Abschnitt erzählt die Vorgeschichte des Bauplatzes: der Kohleninsel, der heutigen Museumsinsel. Ein Rammpfahl des neuen Isarwehrs von 1759 (Höhe 3 m) gibt Zeugnis von den Anstrengungen, die prekäre Lage dieses Bauplatzes vor den Isarfluten zu schützen. Die Insel war über Jahrhunderte nicht dauerhaft besiedelt; sie diente als Floßlände und Lagerplatz für Holzkohle, auf ihr wurden Kasernen und Messehallen errichtet, bis die Stadt München sie im Jahr 1903 dem Deutschen Museum als Bauplatz überließ.

Ein zweiter Abschnitt ist ganz dem Schöpfer des Museums, Oskar von Miller, gewidmet. Das Museum war erst seine zweite Lebensaufgabe. Einen Namen schuf sich Oskar von Miller (1855–1934) als Pionier der Elektrifizierung und Promoter der «weißen Kohle», der Elektrizität aus Wasserkraft. Die Photos zeigen technische Pionierleistungen Oskar von Millers, unter anderem die erste Starkstromfernübertragung von Lauffen nach Frankfurt 1891, einer der wichtigsten Meilensteine auf dem Weg zur elektrischen Energieversorgung.

Nun folgt in vier Zeitabschnitten die Museumsgeschichte.

Die erste Phase reicht von der Gründung des Museums im Jahr 1903 bis zur Eröffnung des Neubaues auf der Insel 1925. Die provisorischen Sammlungen im Alten Nationalmuseum in der Maximilianstraße (ab 1906) und der Schweren Reiter Kaserne (ab 1911) gegenüber der Kohleninsel machten das Museum zur internationalen Wallfahrtsstätte für Technikinteressierte. Hier wurde das Museum, das Spaß machte, zum Ausprobieren und Weiterstudieren anregte, geboren, nicht erst im Neubau auf der Insel. Photos und alte Exponate zeigen die frühe Didaktik. Wilhelm II., der ein moderner Kaiser sein und die Technik fördern wollte, kam zur Grundsteinlegung des Neubaues und Eröffnung der provisorischen Sammlungen im November 1906 nach München. Die «Kaisertage» waren das erste, die Einweihung des Neubaues 1925 das größte Museumsfest. Ein gewaltiger Festumzug – die Wagen wurden von Münchner Künstlern gestaltet – brachte symbolische Exponate auf die Insel.

Auf die Einweihungsfeier folgte im Jahr 1932 die Eröffnung der Bibliothek und 1935 des Kongreßsaales. Die wichtigste Erweiterung während der nationalsozialistischen Herrschaft war der Bau der Kraftfahrhalle 1937. An der Querseite prangte der Satz Hitlers «Ich liebe den Kraftwagen, denn er hat mir Deutschland erschlossen.» Insgesamt

Oskar von Miller (1855–1934) Ölgemälde von Friedrich August von Kaulbach, 1912.

Festzug zur Einweihung des Neubaus im Jahre 1925 mit dem Festwagen der Maschinenbauer.

aber blieb das Haus resistent gegen den politischen Zeitgeist. Von Miller hatte die Internationalität der Technik betont und seine Nachfolger damit auf Distanz zum Regime verpflichtet. Die Nationalsozialisten bezeichneten das Museum als veraltet; auf der gegenüberliegenden Isarseite wurde ein dem Zeitgeist entsprechendes «Haus der Deutschen Technik» geplant. Der 2. Weltkrieg verhindert seinen Bau. Bombenangriffe zerstörten 80 Prozent der Bausubstanz des Deutschen Museums und etwa 20 Prozent der Objekte; die wichtigsten waren ausgelagert worden.

Der Wiederaufbau dauerte bis in die sechziger Jahre. Anfangs waren Geld und Mittel sehr knapp. Als erste Gebäude wurde der Kongreßsaal wiederaufgebaut und als Kino, Basketballfeld und Tagungsort vermietet, um Geld für den Aufbau einzuspielen. 1948 zog das Patentamt aus Berlin auf die Museumsinsel.

Die Ausstellungstechnik verändert sich, die Informationsdichte wird geringer, die Schautafeln werden großflächiger und kühler. Seit den sechziger Jahren, dem Ende des Wiederaufbaues, geht das Museum zum ersten Mal in seiner Geschichte in einen «Normalbetrieb» über. Regelmäßige Runderneuerung und das Aufgreifen neuer Technologien kennzeichnen die gegenwärtige Arbeit. Seit 1963 gibt es in enger Kooperation mit den Münchner Universitäten ein Forschungsinstitut für Technik- und Wissenschaftsgeschichte, seit 1976 das Kerschensteiner Kolleg als Bildungsstätte für Lehrer und Ausbilder.

Der Ausstellungsraum mit der *Geschichte des Deutschen Museums* hat nur einen Eingang. Der eintretende Besucher blickt auf eine große, funkelnd ausgeleuchtete Vitrine. Über der Vitrine schwebt ein Flugmodell, das die Gebrüder Wright 1910 dem Museum stifteten. An der Wand türmen sich bis zur Höhe von 4 Metern die auf Photopapier

Blick in die 1989 eröffnete Ausstellung «Geschichte des Deutschen Museums».

festgehaltenen historischen Szenen. So entsteht zwangläufig der Eindruck einer dichtgedrängten und bewegten Geschichte. Ein Vorzug der Anordnung an den Wänden ist die Übersichtlichkeit: in einem Rundgang entlang der Wand erhält der Besucher einen kompletten Überblick über die Museumsgeschichte! Nur einige Exponate zieren die Wände, etwa der Hammer für die Grundsteinlegung 1906 und einige Versuchsmodelle zu Gesperren und Getrieben bei Tieren aus dem Jahr 1910. Diese Modelle hat der Stifter, Professor Otto Thilo, selbst angefertigt und beschriftet. So war es üblich in der Frühphase des Deutschen Museums.

Die Vitrine zeigt einige Exponate zu der alten Ausstellungstechnik der Vorkriegszeit, der Sozialgeschichte des Museums und einige Ehrengeschenke aus dem Nachlaß Oskar von Millers. Ein Versuchsstand aus dem Jahr 1925 zur Durchführung der Fällungsreaktion mit einem Schwenkhebel, den der Besucher bedienen durfte, ist ein didaktischer Vorläufer der sicheren aber auch weniger unmittelbaren Druckknopftechnik der Gegenwart. Die Technik des täglichen Bedarfes war im alten Museum stark vertreten: eigene Abteilungen für Badewesen, Beleuchtung, Kochherde und Hausbau sind nach dem Krieg nicht wieder aufgebaut worden. Das Modell eines Wasserturmes erinnert in der Vitrine an die Schmuckstücke im Depot. Die Nachbildung der Venus von Milo aus Aluminium, damals eine technische Attraktion, stand seit 1906 in der Abteilung Chemie.

Zur Sozialgeschichte des Museums gehören die Geschenke für die Förderer des Museums auf den Jahrestagungen. Sie wandelten sich nach dem Geschmack der Zeit: von einer Isarnixe, die das Modell des Neubaues aus den Fluten emporträgt (1913), bis zu einer verfremdeten Keramikeule aus den siebziger Jahren. Oskar von Miller grüßt per Postkarte aus dem Luftschiff Graf Zeppelin seine Mitarbeiter im Deutschen Museum, abgeworfen über der Isarinsel am 28. 9. 1929. Sammelbüchsen für die Aufseher, wie sie jahrzehntelang in den Abteilungen hingen, stehen nun in der Vitrine.

Die Bedeutung und Beliebtheit Oskar von Millers unterstreicht eine Sammlung von Auszeichnungen und Geschenken. Die Städte Bozen und Meran ehrten den Erbauer der Etschwerke 1897 mit einer vergoldeten Electricastatue. Der Siemensring aus dem Jahr 1927 war für den Pionier der elektrischen Energieversorgung und Schöpfer des Deutschen Museums gleichermaßen bestimmt.

H.-L. Dienel

Ehrensaal

Im Ehrensaal werden mit Büsten, Reliefs und Gemälden große deutsche Naturforscher und Erfinder gewürdigt. Im *Amtlichen Führer*, Erstausgabe 1925 (also noch zu Lebzeiten Oskar von Millers), S. 194, steht darüber: *«Galt es doch hier in dankbarem Gedenken an die hervorragendsten Forscher, Ingenieure und Industriellen eine Ruhmeshalle zu schaffen, würdig der für die Menschheit so unendlich segensreichen Großtaten dieser Geistesheroen.»*

Ernst Abbe	23.01.1840–14.01.1905 Physiker, Sozialpolitiker	Büste
Georg Agricola	24.03.1494–21.11.1554 Humanist, Arzt, Mineraloge	Büste
Albertus Magnus	1193(?)–15.11.1280 Naturforscher, Theologe	Relief
Adolf von Baeyer	31.10.1835–20.08.1917 Chemiker	Büste
Carl Benz	25.11.1844–04.04.1929 Ingenieur, Unternehmer	Relief
August Borsig	23.06.1804–06.07.1854 Lokomotivenkonstrukteur	Relief
Carl Bosch	27.08.1874–26.04.1940 Chemiker	Büste
Robert Bunsen	31.03.1811–16.08.1899 Chemiker	Gemälde
Rudolf Clausius	02.01.1822–24.08.1888 Physiker	Büste
Nicolaus Copernicus	19.02.1473–25.05.1543 Astronom	Relief
Gottlieb Daimler	17.03.1834–06.03.1900 Maschineningenieur, Unternehmer	Relief
Rudolf Diesel	18.03.1858–29.09.1913 Maschineningenieur	Relief
Albert Einstein	14.03.1879–18.04.1955 Physiker	Büste
Joseph von Fraunhofer	06.03.1787–07.06.1826 Optiker, Physiker	Gemälde
Karl Friedrich Gauß	30.04.1777–23.02.1855 Mathematiker, Astronom	Gemälde
Otto von Guericke	20.11.1602–11.05.1686 Ingenieur, Physiker	Gemälde
Johannes Gutenberg	zw. 1395 u. 1400–Febr. 1468 Erfinder des Buchdrucks	Relief
Fritz Haber	09.12.1868–29.01.1934 Chemiker	Büste
Otto Hahn	08.03.1879–28.07.1968 Chemiker	Büste

Friedrich Harkort	22.02. 1793–06.03. 1880	Büste
	Industrieller, Politiker	
Werner Karl Heisenberg	05.12. 1901–01.02. 1976	Büste
	Physiker	*(in Auftrag)*
Hermann von Helmholtz	31.08. 1821–08.09. 1894	Büste
	Physiologe, Physiker	
Heinrich Hertz	22.02. 1857–01.01. 1894	Büste
	Physiker	
Hugo Junkers	03.02. 1859–03.02. 1935	Büste
	Flugzeugkonstrukteur, Unternehmer	
Johannes Kepler	27.12. 1571–15.11. 1630	Relief
	Astronom, Mathematiker	
Alfred Krupp	26.04. 1812–14.07. 1887	Relief
	Ingenieur, Industrieller	
Gottfried Wilhelm Leibniz	01.07. 1646–14.11. 1716	Gemälde
	Universalgelehrter, Philosoph	
Justus von Liebig	12.05. 1803–18.04. 1873	Büste
	Chemiker	
Otto Lilienthal	23.05. 1848–10.08. 1896	Büste
	Ingenieur, Flugpionier	
Carl von Linde	11.06. 1842–16.11. 1934	Büste
	Ingenieur, Industrieller	
Wilhelm Maybach	09.02. 1846–29.12. 1929	Relief
	Ingenieur, Unternehmer	
Julius Robert Mayer	25.11. 1814–20.03. 1878	Büste
	Arzt, Physiker	
Lise Meitner	07.11. 1878–27.10. 1968	Büste
	Physikerin	*(in Auftrag)*
Georg Simon Ohm	16.03. 1789–07.07. 1854	Büste
	Physiker	
Nikolaus August Otto	10.06. 1832–26.01. 1891	Relief
	Maschinenbauer, Unternehmer	
Max Planck	23.04. 1858–04.10. 1947	Büste
	Physiker	
Wilhelm Conrad Röntgen	27.03. 1854–10.02. 1923	Büste
	Physiker	
Ferdinand Schichau	30.01. 1814–23.01. 1896	Relief
	Schiffskonstrukteur, Unternehmer	
Werner von Siemens	13.12. 1816–06.12. 1892	Relief
	Ingenieur, Industrieller	
Friedrich Wöhler	31.07. 1800–23.09. 1882	Büste
	Chemiker	

Die Decke zeigt ein Fresko mit der Darstellung des Prometheus. Zwei Reliefs über den beiden Portalen versinnbildlichen Naturforschung und Technik durch Daedalus und Ikarus sowie durch einen Weisen, der seine Schüler in die Welt der Gestirne einweiht.

Georg Friedrich Brander
Joseph von Fraunhofer

Zwischen Ehrensaal und Physikausstellung liegen zwei Ausstellungs-
räume, in denen *wissenschaftliche Instrumente* zweier berühmter Hersteller des süddeutschen Raumes gezeigt werden.

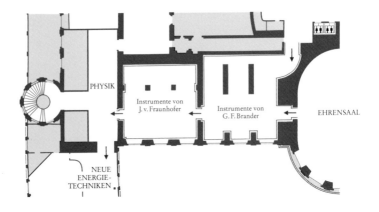

Georg Friedrich Brander

Der erste Saal beherbergt die Sammlung von G.F.Brander (1713–
1783). Er war im 18.Jahrhundert der bedeutendste Hersteller wissenschaftlicher Instrumente in Deutschland. Seine Werkstätte befand sich
in Augsburg. Als Gründungsmitglied der Kurbayerischen Akademie der
Wissenschaften wurde er Hauptlieferant von wissenschaftlichen Instrumenten an diese seit 1759 bestehende Münchener Institution. Zu seinen
Kunden zählten zahlreiche Universitäten und Sternwarten. Im südlichen deutschsprachigen Gebiet belieferte er vor allem die großen Bene-
diktinerabteien, die als die geistigen Träger der Aufklärung gelten.
Bekannt wurde er zuerst durch den Bau des ersten Spiegelteleskops in
Deutschland, später durch die von ihm erstmals mit großer Präzision
hergestellten Maßstäbe auf Glasplatten. Diese Glasmikrometer erlaubten, in Fernrohre und Mikroskope eingebaut, wesentlich genauere und
wiederholbare Messungen als ehedem.
G.F.Branders Werkstätte bot, ähnlich wie die seiner berühmten Zeitgenossen in London und Paris, das ganze Spektrum der damals bekannten
wissenschaftlichen Instrumente an. Haupteinnahmequelle der Werkstatt war der Verkauf von Instrumenten für die Landesvermessung, also
Kippregeln, Meßtische, Entfernungsmesser, Theodoliten. Auch große
astronomische Instrumente fertigte Brander auf Wunsch an. Der Quadrant, ein Meisterwerk der damaligen Zeit, wurde 1761 im Münchner
Hofgarten zur Beobachtung des Venusdurchganges durch die Sonnen-

scheibe aufgestellt. Ein Ergebnis dieser Messungen war die Korrektur der geographischen Lage Münchens. Daneben stellte Brander auch physikalische und meteorologische Instrumente her. Mit seinen Glasmikrometern wies er möglicherweise den Weg für Joseph von Fraunhofers Entdeckung des optischen Gitters.

Die gezeigte Sammlung zählt mit etwa 140 Brander-Instrumenten zu den umfangreichsten eines Herstellers aus dem 18. Jahrhundert. Sie vermittelt deshalb einen ausgezeichneten Überblick über die Kunst des wissenschaftlichen Instrumentenbaus im 18. Jahrhundert.

Joseph von Fraunhofer

Der anschließende Saal zeigt mit Instrumenten von Joseph von Fraunhofer (1787–1826), Georg von Reichenbach (1772–1826) und Joseph Liebherr (1767–1840) den Anfang der berühmten Münchener wissenschaftlichen Instrumentenbauschule des 19. Jahrhunderts.

Ausgelöst durch die *Napoleonischen Kriege* und dem damit einhergehenden Bedürfnis nach Landkarten, begann im Jahr 1801 die offizielle bayerische Landesvermessung. Ein Jahr später, 1802, gründeten G. von Reichenbach und J. Liebherr ein mathematisch-feinmechanisches Institut, um die benötigten Vermessungsinstrumente herzustellen. Diesem

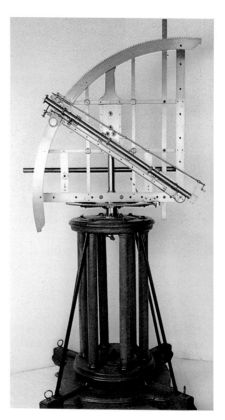

Azimutalquadrant von G. F. Brander (O)
Das Instrument wurde 1760/61 für die Kurfürstlich-Bayerische Akademie der Wissenschaften zur Beobachtung des Venusdurchgangs vom 6. Juni 1761 angefertigt. Brander war im 18. Jahrhundert der bedeutendste Instrumentenbauer in Deutschland. Er fertigte in seiner Augsburger Werkstätte eine Vielzahl wissenschaftlicher Instrumente für die Astronomie, Geodäsie und Physik. Die Beobachtung des Venusdurchgangs durch die Sonnenscheibe erlaubt zum einen die Berechnung des genauen Winkeldurchmessers der Sonne, zum anderen die Bestimmung der genauen Ortszeitdifferenzen verschiedener Beobachtungsorte und damit deren geographischer Längen.

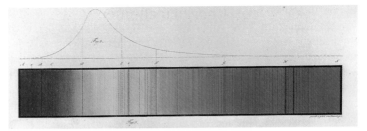

Fraunhofer-Spektrum, 1814 (O)
Sonnenspektrum mit dunklen Linien (vermutlich 1814 von Joseph von Fraunhofer
entdeckt), darüber die Intensitätsverteilung. Das Bild wurde von Fraunhofer selbst
gezeichnet und koloriert.

Institut trat Joseph von Utzschneider 1804 als Finanzier und 1806 J. von
Fraunhofer als Optiker bei. Im Jahr 1809 spaltete sich ein eigenes op-
tisch-feinmechanisches Institut unter der Leitung Fraunhofers und Utz-
schneiders ab. Diese beiden Institute, das Reichenbachsche und das
Fraunhofersche, wurden durch ihre wissenschaftlichen Instrumente
weltberühmt. Sie bildeten das Fundament für den wissenschaftlichen Instrumentenbau in Deutschland. Zahlreiche Schüler sind aus diesen Instituten hervorgegangen und haben durch eigene Werkstätten Wissen
und Kunstfertigkeit verbreitet.

Fraunhofers besondere Leistung war die Herstellung reinen optischen
Glases, die Entwicklung neuer Berechnungsmethoden für Objektive
und die Einführung neuer Fabrikationsverfahren. Damit konnten erstmals farbkorrigierte Linsenfernrohre mit Objektivdurchmessern bis ca.
40 cm hergestellt werden. Dieser Instrumententyp verdrängte ein drei-
viertel Jahrhundert die astronomischen Spiegelteleskope. Mit Fraunho-
fer-Instrumenten wurden der Planet *Neptun* (Johann Gottfried Galle,
1846) entdeckt und erstmals der endliche Abstand verschiedener Fixsterne von der Erde gemessen (Fixsternparallaxe, Friedrich Wilhelm
Bessel, 1838). Die meisten bedeutenden Sternwarten des 19. Jahrhunderts waren mit Fraunhofers Instrumenten ausgerüstet.

Fraunhofers Erfolge bei der Herstellung geeigneten optischen Glases
verdankte er seiner Entdeckung der dunklen Absorptionslinien im Sonnenspektrum. Diese Linien tragen heute seinen Namen. Seine Methode
der Glasherstellung wurde erst 1886 durch Otto Schott, Ernst Abbe und
Carl Zeiss verbessert.

Daneben fand Fraunhofer heraus, daß Glasmaßstäbe mit sehr eng benachbarten, parallelen Linien (Glasmikrometer, optische Gitter) weißes
Licht durch Interferenz ebenfalls in ein Spektrum zerlegen. Dies war ein
entscheidendes Indiz für die damals umstrittene Wellentheorie des
Lichtes.

Die ausgestellte Sammlung Fraunhoferscher und Reichenbachscher Instrumente umfaßt die wichtigsten Werke. Prismenspektralapparat, He-
liometer, Galle-Refraktor und astronomischer Universaltheodolit sind
herausragende Meisterwerke. Daneben ist auch die Pendelschleif-
maschine Fraunhofers, damals eine Revolution in der Herstellung optischer Linsen, zu sehen. *A. Brachner*

Neue Energietechniken

War jahrtausendelang die Muskelkraft des Menschen und seiner Haustiere die alleinige Energiequelle, so kam im Mittelalter die Nutzung des strömenden Wassers und des Windes auf, bevor seit dem 17. Jahrhundert der erhitzte Dampf des Wassers seine noch heute überragende Bedeutung als Energieübertragungsmedium in immer verbesserten Maschinen einnahm.

Wachsende Zivilisationsanforderungen konnten bald durch die Verfeuerung von Holz allein nicht mehr befriedigt werden. Die ständig gesteigerte Verbrennung fossiler Brennstoffe wie Kohle und Erdöl oder die in jüngster Zeit sprunghaft gestiegene Nutzbarmachung des Urans beeinflussen aber die Umwelt so beträchtlich, daß man sich seit der Energiepreiskrise 1973 auf das Energiesparen durch Wirkungsgradverbesserung oder auf die additive Heranziehung regenerativer Energiequellen besinnen mußte.

In der Öffentlichkeit werden die Begriffe Arbeit und Leistung oft unscharf verwendet:

Energie, Wärme, Arbeit sind physikalische Größen gleicher Art. Sie werden in gleichwertigen Einheiten des internationalen Maßsystems gemessen: *1 Joule = 1 Wattsekunde = 1 Newtonmeter.*

Viele Energieträger werden zur Nutzung verbrannt. Um dabei die Energieinhalte unterschiedlicher Energieträger vergleichbar zu machen, bedient man sich des anschaulichen Heizwerts der Steinkohle von 29,3 Megajoule pro Kilogramm und leitet davon ab: *1 Steinkohleneinheit = 29,3 Megajoule.*

Wenn Energie aufgewendet, eine Wärmemenge geliefert oder Arbeit verrichtet und dabei die Zeitspanne berücksichtigt wird, während der dies geschieht, so spricht man von Leistung; ihre Einheit ist das *Watt*. Elektrische Leistung wird üblicherweise in *Kilowatt* (kW) gemessen.

Die Herausstellung der Arbeit als einer mechanischen Grundgröße, die überall aufgewendet werden muß, wo Kräfte längs eines Weges überwunden werden, verdankt man Jean Victor Poncelet. Er benutzte 1829 als erster die Bezeichnung «Arbeit» für das Produkt aus Kraft mal Weg.

Zur Ausstellung

Energietechnische Aspekte werden im Deutschen Museum in vielen örtlichen getrennten Ausstellungsabteilungen dargestellt: So gehen wir auf erschöpfbare *Primärenergiequellen* wie Kohle, Erdöl und Erdgas auf etwa 2000 m^2 und auf regenerative Primärenergiequellen wie Wasser oder Wind in zwei weiteren Abteilungen auf ca. 800 m^2 ein. Der *Sekundärenergie*, d.h. der veredelten Primärenergie, sind mit den Themen Dampfmaschinen, Starkstromtechnik, Kohleveredlung und Erdölraffination nochmals etwa 2000 m^2 gewidmet.

Erweitert man die Betrachtung auf die durch den Menschen unmittelbar genutzten Energieformen wie Prozeßwärme oder mechanische Arbeit, d.h. auf die Nutzenergie, so kann man sagen, daß mit den Abteilungen Hüttenwesen und Technische Chemie sowie mit den großen Abteilungen Kraftfahrzeuge, Eisenbahn, Luftfahrt und Schiffahrt dann über die Hälfte des Deutschen Museums der Energie gewidmet ist.

Wegen dieser örtlichen Trennung wird in der Ausstellung Neue Energietechniken auf ca. 600 m^2 eine Zusammenfassung der Grundlagen gegeben – erweitert um das Thema *Kernenergie,* denn die Nutzung dieser sich erschöpfenden Primärenergiequelle wurde im Deutschen Museum seiner Bedeutung entsprechend noch nicht behandelt.

Der Führungsweg ist etwa 100 m lang und umfaßt die folgenden fünf Bereiche mit ihren wichtigsten Objekten.

Das Wesen der Energie

Energie ist ein Grundstoff des Lebens und die Grundlage der Technik. Sie tritt in sechs physikalischen Erscheinungsformen auf: Wärme, mechanische Energie, Kernenergie, chemische Energie, Elektrizität und Strahlung. Diese werden im Verlauf technologischer Prozesse vielfältig ineinander umgewandelt; am Ende solcher Umwandlungsketten geht nahezu alle eingesetzte Energie in Wärme auf.

Die Hauptenergieträger

Die Kernverschmelzungsprozesse in der Sonne liefern nahezu ausschließlich die Energie für die Erde. Erschöpfliche Energiequellen wie Kohle oder Erdöl sind gespeicherte Sonnenenergie, aber auch das in

Eingangsbereich der Ausstellung «Neue Energietechniken»
Die Ausstellung wurde im Dezember 1983 eröffnet. Im Eingangsbereich wird über das Wesen der Energie etwas ausgesagt und dann auf einem Energieglobus die räumliche Verteilung der Hauptenergieträger Kohle, Erdöl/Erdgas, Wasserkraft und Uran auf der Erde gezeigt. Die darüber hängende Sonnenscheibe (auf sie werden Dias über Sonnenaktivitäten projiziert) versinnbildlicht, daß alle Energie letztlich von der Sonne kommt – mit Ausnahme der Kernenergie, die aus Uran gewonnen wird. Im Hintergrund liegt die Schleuse zu den nachgebildeten kerntechnischen Anlagen eines Kernkraftwerks, vor der zum Personalschutz ein Ganzkörper-Kontaminations-Monitor aufgestellt ist. Rechts im Hintergrund steht ein halber «Helioman», ein konzentrierender Sonnenkollektor für Solarfarmen, in dessen Zylinderbrennlinie Thermoöl als Energietransportmittel zu einem Wärmetauscher umgepumpt wird.

Turbinen strömende Wasser zieht seine Energie aus dem von der Sonne gespeisten Kreislauf von Verdunstung und Niederschlägen. In Bildern, Tabellen und einigen Originalen wird auf die Bedeutung der Hauptenergieträger verwiesen, für die es im Deutschen Museum schon eigene Ausstellungsabteilungen gibt (Bergwerk, Erdöl/Erdgas, Wasserturbinen). An vier Graphiken wird ferner der Weg der Energie innerhalb unserer Industriegesellschaft erläutert.

Energie aus Uran

Seit der Entdeckung der Kernspaltung 1938 wird das Uran als Energiequelle genutzt.
Innerhalb eines Reaktor-Viertelschnitts in natürlicher Größe werden die Sicherheitsbarrieren um das radioaktive Uran erläutert, der Weg des Urans vom Erz zum Brennelement aufgezeigt und nach dem Einsatz im Reaktor sein Transport zur Wiederaufbereitung und Endlagerung dargestellt; auf Fragen der Sicherheit und der Umweltbelastung bzw. -überwachung wird ebenfalls eingegangen.

Reaktorschleuse (N) *und Ganzkörper-Kontaminations-Monitor,* 1977 (O, V)
Bei der Kernspaltung entstehen Wärme, Strahlung und Abfälle. Um die Umgebung zu
schützen, wird daher der Kernbrennstoff im Reaktorinneren mit mehreren Schutzbar-
rieren umgeben. Den Zutritt des Bedienungspersonals zu den kerntechnischen Anlagen durch den Sicherheitsbehälter aus Stahl und durch die äußere Stahlbetonhülle ermöglicht die Reaktorschleuse: Unterdruck verhindert nämlich das Entweichen radio-
aktiver Substanzen aus dem Reaktorgebäude. Zum Betreten ist daher eine Schleuse
notwendig, damit dieser Unterdruck im Inneren aufrechterhalten wird.
Zum Schutz von Personen, die sich in kerntechnischen Anlagen aufhalten, sind dort
Kontrollbereiche festgelegt. Nach dem Verlassen werden sie mit einem Kontrollgerät
auf radioaktive Verunreinigungen (Kontamination) untersucht. Der Ganzkörper-
Kontaminations-Monitor ermöglicht durch getrennte Messungen an Kopf, Oberkör-
per, Händen, Beinen und Füßen eine schnelle Lokalisierung eventuell vorhandener
Kontamination.

Die neue Energiequelle: Energiesparen

Viel aufgewendete Energie kann durch Gebäudeisolierung eingespart
werden. Aber auch durch bessere Prozeßverfahren, wie durch neue
Kraftwerkskonzepte, durch Abwärmenutzung, durch die Kraft-Wär-
me-Kopplung, durch Blockheizkraftwerke, durch Optimierung des
Stromverbunds und durch Nutzung der Umgebungswärme, läßt sich
die eingesetzte Energie mit höherem Wirkungsgrad ausnutzen.

Regenerative Energiequellen

Infolge der Preiserhöhungen fossiler Brennstoffe ab 1973 fand die Nutzung der *natürlichen* Energiequellen wieder stärkere Beachtung. Mengenmäßig handelt es sich um ein nahezu unerschöpfliches Reservoir,

das aber wegen seiner geringen Energiedichte und seinem schwankenden Angebot nur mit erheblichem Aufwand an Konzentrierung und Speicherung ausgebeutet werden kann. Deshalb können gegenwärtig Sonnenenergie, Windenergie, Biomasse, Gezeiten- und geothermische Energie nur *additiv* (zusätzlich) und nicht *alternativ* (wahlweise) zu den Hauptenergieträgern Kohle, Erdöl/Erdgas oder Kernenergie genutzt werden.

F. Heilbronner

Wärmepumpe, 1982 (O, V)

Vom Heizkörper (links) wird an die Umgebung mehr Energie abgegeben, als man an elektrischer Energie in den Antriebsmotor des Verdichters (oben) steckt; die Differenz wird der Umgebung (unten rechts) entzogen. Die Wärmepumpe ist nichts anderes als die Kühlmaschine im Kühlschrank, nur daß es in erster Linie auf den wärmeliefernden Verflüssiger (links) und nicht so sehr auf den wärmeaufnehmenden Verdampfer (rechts) ankommt.

Das Arbeitsmittel – im Kühlschrank Kältemittel genannt – ist eine schon bei niedriger Temperatur (etwa 10 °C) siedende Flüssigkeit. Sie wird als Dampf im Verdichter (oben) komprimiert und dadurch erwärmt. Im anschließenden Wärmetauscher wird der Dampf durch Abkühlung kondensiert (Verflüssiger) und sinkt dann als Flüssigkeit zum Drosselventil (unten). Dort findet eine weitere Abkühlung durch Entspannung statt. Das flüssige Arbeitsmittel gelangt dann in den Verdampfer, nimmt Wärme aus der Umgebung auf und kann mit dieser Wärme erneut sieden; der so entstehende Dampf wird anschließend wieder im Verdichter komprimiert, und der Kreisprozeß beginnt erneut.

Die Wärmepumpe trägt zum Energiesparen besonders dann bei, wenn der Verdichter nicht elektrisch, sondern mit einem Gasmotor angetrieben wird; zwei angebrachte Energieflußbilder veranschaulichen dies.

Physik

Die Physik ist Grundlagenwissenschaft für die gesamte Technik. Sie untersucht mit theoretischen Überlegungen und Experimenten die Gesetzmäßigkeiten der unbelebten Natur. Als exakte Naturwissenschaft behandelt sie diese Zusammenhänge in mathematischer Form mit genau definierten Größen.

Der Aufbau der Ausstellungsabteilung Physik folgt der historischen Entwicklung, die die Gebiete nach den menschlichen Sinneswahrnehmungen trennte. Die *Mechanik* behandelt die Bewegung von Körpern, insbesondere unter dem Einfluß äußerer Kräfte. Ein bedeutendes Teilgebiet der Mechanik wurde die *Schwingungslehre,* später ein wichtiger

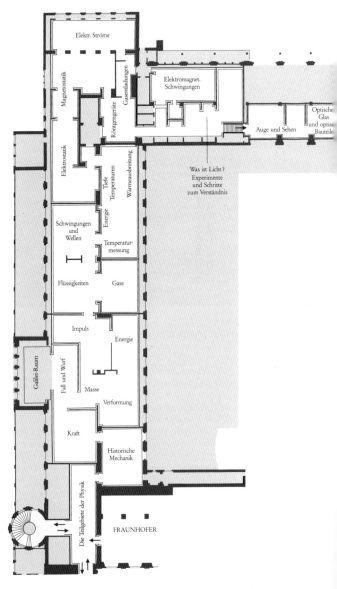

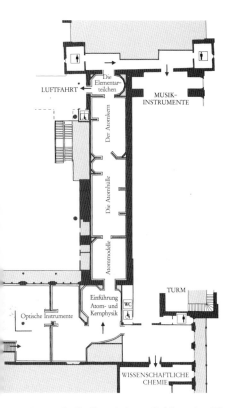

Bestandteil aller übrigen Gebiete der Physik, z.B. der *Optik,* der Lehre vom Licht. Einfache Gesetze der *Mechanik* und *Optik* waren schon in der griechischen Antike bekannt. Doch kam man erst in der Neuzeit um 1600 wesentlich weiter. Die *Wärmelehre* entwickelte sich um 1700, als man erste Thermometer baute. Die elektrischen Erscheinungen hingegen waren dem Menschen nicht direkt durch seine Sinne zugänglich. Die wissenschaftlichen Anfänge lagen hier im 18. Jahrhundert.

Über den *Aufbau der Materie* aus Atomen und Molekülen gibt es bereits in der griechischen Antike philosophische Spekulationen. Experimentelle Hinweise lieferte jedoch erst das 19. Jahrhundert. Mit dem Beginn des 20. Jahrhunderts entsteht hier ein eigenständiges Wissensgebiet als Grundlage der gesamten Physik, das auch Teile der Atome, die Elementarteilchen, genauer untersucht. Im einzelnen war jedoch die historische Entwicklung der Teilgebiete sehr unterschiedlich; sie soll im folgenden noch ausführlicher geschildert werden.

Zur Ausstellung

Der Besucher betritt die Abteilung durch einen Einführungsraum und besichtigt die folgenden Bereiche mehr oder weniger zwangsweise entlang der Führungslinie, bis er im Bereich Optik die Abteilung Luftfahrt (Bereich Aerodynamik) kreuzen muß, um zur Ausstellung über Atom-, Kern- und Elementarteilchenphysik zu gelangen.

Frühe mechanische Hilfsmittel: Rad, Winde mit Flaschenzug und Pumpbrunnen (O)
Mit ihrer Hilfe erleichterten sich die Menschen das Leben mindestens seit der griechischen Antike.

Einführungsraum

Vor der Darstellung der Teilgebiete liegt ein Einführungsraum mit grundlegenden Versuchen; hier gewinnt der Besucher einen Überblick über alle Teilgebiete der Physik, damit er eine Vorstellung über Themen der ca. 200 m langen Führungslinie erhält. Beim Durchgehen wird er leicht die didaktische Hauptabsicht der ganzen Abteilung verstehen, selbst experimentieren zu können.

Mechanik fester Körper

Praktische Bedürfnisse führten den Menschen schon sehr bald dazu, sich physikalischer Gesetzmäßigkeiten zu bedienen, ohne allerdings Genaues über sie zu wissen. Einfache Hebel und schiefe Ebenen waren die ältesten Werkzeuge des Menschen. Schrauben als Bewegungsmechanismen und Flaschenzüge kamen erst in der griechischen Antike hinzu. Sehr lange glaubte man, die Natur *überlisten* zu können (so entstand das Wort Mechanik aus dem Griechischen).

Erst in der beginnenden Neuzeit wurde erkannt, daß man zwar mit einer kleinen Kraft große Lasten heben konnte, also Kraft sparte, aber dann im gleichen Verhältnis mehr Weg aufwenden mußte. Die aufgewendete Arbeit oder Energie blieb also gleich. Das war eine Erkenntnis, die durch ihre Ausweitung im allgemeinen Energieerhaltungssatz (19. Jahrhundert) grundlegende Bedeutung für die ganze Physik und Technik gewann.

Bei der Entwicklung der Mechanik zu einer exakten Naturwissenschaft leistete Galileo Galilei Entscheidendes (Anfang des 17. Jahrhunderts). Isaac Newton stellte 1687 ein geschlossenes Lehrgebäude der Mechanik vor, das große Auswirkungen auf die europäische Kultur des 18. und 19. Jahrhunderts hatte. Seine Theorie wurde Modell für alle übrigen Bemühungen, exaktes Wissen über die Natur zu bilden. Auf diese Weise wurde die Mechanik zur Grunddisziplin der Physik.

In der einfachen Mechanik fester Körper geht man von der Annahme aus, daß die Atome starr miteinander verbunden sind. In den folgenden Räumen der Abteilung werden die mechanischen Begriffe und ihre Zusammenhänge anhand einfacher Versuche erläutert. Die Basisgrößen sind Masse, Länge, Zeit. Alle anderen Größen, z. B. Kraft, Arbeit, Energie, sind daraus zusammengesetzt.

Mechanik der Flüssigkeiten und Gase

Die Grundlagen für die Mechanik ruhender Flüssigkeiten und Gase (Hydrostatik) wurden zum Teil schon in der Antike erkannt. Archimedes von Syrakus zog um 250 v. Chr. aus dem Auftrieb in Flüssigkeiten aufsehenerregende Schlüsse, während Heron von Alexandria im 1. Jahrhundert n. Chr. den Überdruck zur Erklärung seiner Apparate heranzog. Doch auch auf diesen Erkenntnissen wurde erst in der Neuzeit weitergebaut.

Im Gegensatz zu den festen Körpern können sich bei Flüssigkeiten die

Galileis Arbeitsraum (N)
Aus den Fallversuchen auf der schiefen Ebene fand Galilei gegen 1609 die Fallgesetze und schuf so die erste physikalische Theorie.

Impulsübertragung beim zentralen Stoß durch Kugeln (D)
Der Impuls ist eine physikalische Größe, die bei jeder kräftefreien Bewegung erhalten bleibt.

Moleküle frei gegeneinander verschieben. Daraus erklärt sich, daß sie leicht fließen und sich leicht verformen lassen. Flüssigkeiten lassen sich allerdings kaum zusammendrücken, da ihre Moleküle dicht beieinander liegen. Die Moleküle eines Gases hingegen bewegen sich unabhängig voneinander, sie schwirren praktisch frei durch den Raum. Gase lassen sich dementsprechend im Gegensatz zu festen und flüssigen Körpern leicht zusammendrücken. Die extreme Verdünnung von Gasen hat als Vakuumtechnik eine eigene Bedeutung erlangt. Sehr eindrucksvoll läßt sich u. a. die Gewalt des Luftdrucks demonstrieren.
Die Hydrodynamik behandelt strömende Flüssigkeiten und Gase. Ihre Untersuchungen sind wesentlich für alle Vorgänge, bei denen Strömungen eine Rolle spielen. Das ist insbesondere beim Schiffbau und beim Flugzeugbau der Fall.

Luftpumpe und Magdeburger Halbkugeln von Otto von Guericke, 1663 (O)
Mit seinen Luftpumpen zeigte Guericke, daß mindestens ein luftverdünnter Raum hergestellt werden konnte, und widerlegte damit die Meinung, daß die Natur «Angst vor dem Vakuum» (horror vacui) hätte.

Schwingungen und Wellen

Die erste Schwingung, die genau untersucht wurde, ist die Pendelschwingung (G. Galilei, 1609). Die Wellenausbreitung auf dem Wasser und die Schallwellen findet man bei I. Newton (1687) genauer behandelt. Doch erst im 18. Jahrhundert wurde ein Fundament für ein tiefergehendes Verständnis geschaffen.

Schwingungen sind periodische Bewegungen, bei denen sich Ruhe und Bewegung eines Körpers stetig abwechseln, wie beispielsweise bei einem Uhrpendel. Wenn Schwingungen sich fortschreitend in ihre Umgebung ausbreiten können, dann entstehen Wellen, beispielsweise Wasserwellen. Es ist eine besondere Eigenart der Wellen, daß sich Wellenzüge, die ineinanderlaufen, verstärken oder aber auch gegenseitig auslöschen können. Diese Vorgänge bezeichnet man als Interferenz. Zunächst hat die Schwingungslehre große Bedeutung in der Mechanik erlangt. Sie umfaßt beispielsweise die ganze Akustik, denn Schallwellen sind nichts anderes als fortschreitende periodische Verdichtungen und Verdünnungen der Luft.

Aber auch für die anderen Gebiete der Physik wurde die Wellenlehre ein unerläßlicher Bestandteil. Denken wir nur an die elektrische Schwingung und die Ausbreitung elektromagnetischer Wellen. Das gleiche gilt für die Optik, denn Licht kann als elektromagnetische Welle beschrieben werden.

Wärme

Im Laufe des 18. Jahrhunderts erkannte man, daß bei der Wärme zwei verschiedene Größen zu unterscheiden sind: Temperatur und Wärmemenge. Körper, die gleiche Temperatur haben, können trotzdem unterschiedlich viel Wärme enthalten.

Lange Zeit hindurch vermutete man, daß Wärme ein Stoff sei, der die Körper durchdringt. Erst ab Anfang des 19. Jahrhunderts setzte sich die Erkenntnis durch, daß das, was uns als Wärme erscheint, die ungeordnete Bewegung der Moleküle ist. Daraufhin konnte die Wärme – als Bewegungsenergie – mit dem Energiesatz der Mechanik verknüpft werden.

Diese Erkenntnis führte zu dem allgemeinen Energieerhaltungssatz, den Julius Robert Mayer im Jahre 1842 als erster aussprach: «*Energie kann nicht erzeugt, sondern nur von der einen Form in die andere umgewandelt werden*».

In der späteren Entwicklung ging von der Wärmelehre ein wichtiger Anstoß aus: In der Theorie der Wärmestrahlung traten Probleme auf, deren Lösung durch Max Planck (1900) zur Quantentheorie führte.

Elektrizität

Die ersten genauen Experimente stammen von Henry Cavendish (um 1771) und Charles Augustin de Coulomb (1785). Sie zeigten, daß sich die Kraft zwischen zwei elektrischen Ladungen ganz ähnlich wie die Anziehung zweier Massen verhält, die durch das Newtonsche Gravitationsgesetz beschrieben wird.

Besondere Bedeutung aber kommt der fließenden Elektrizität zu. Uns allen ist geläufig, daß der Strom in metallischen Leitungen fließt. Die *Froschschenkelversuche* Luigi Galvanis (1786) gaben den Anstoß, sich mit den Erscheinungen der fließenden Elektrizität genauer auseinanderzusetzen. Christian Oersted entdeckte 1820 das Magnetfeld des elektri-

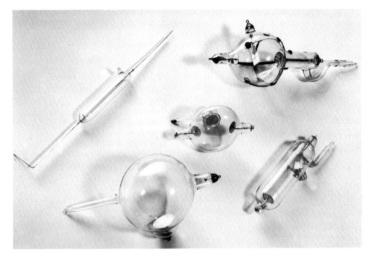

Vakuumröhren von Wilhelm Conrad Röntgen, 1895/1896 (O)
Mit diesen Röhren entdeckte er die später nach ihm benannte Strahlung. Sie hat in der Medizin große Fortschritte ermöglicht.

Versuchsgeräte von Heinrich Hertz (O)
H. Hertz wies damit in den Jahren 1867 bis 1889 die Existenz freier elektromagnetischer Strahlung nach. Er bestätigte hiermit die theoretischen Arbeiten von J. C. Maxwell und schuf die Voraussetzungen für die elektrische, drahtlose Nachrichtentechnik.

schen Stroms. Georg Simon Ohm (1826) fand mit exakten Messungen die grundlegenden Zusammenhänge zwischen den Begriffen Spannung, Stromstärke und Widerstand heraus. Die Entdeckung Michael Faradays, daß die Bewegung von Magneten elektrische Ströme erzeugt (Induktionsgesetz, 1831), verknüpfte die elektrischen und magnetischen Vorgänge noch weiter miteinander.

James Clerk Maxwell faßte diese Erkenntnisse seiner Zeit zusammen und erweiterte sie zu einem bewundernswerten theoretischen System der Elektrodynamik (ab 1856), das alle elektrischen und magnetischen Erscheinungen beschreibt. Diese Theorie ermöglichte weitgehende Folgerungen. Sie sagte beispielsweise die Existenz der elektromagnetischen Wellen voraus, die dann 1887/89 von Heinrich Hertz entdeckt wurden. Wir kennen sie heute als Rundfunk- und Fernsehwellen.

Elektrische Versuche – und zwar mit Gasentladungen (ab etwa 1869) – lieferten später den Schlüssel für den Einstieg in eines der geheimnisvollsten Kapitel der Natur, in die Atomphysik.

A. Brachner

Optik

Optische Phänomene treten überall in der Natur auf. Der Regenbogen, die Brechung des Lichtes im Wasser, das Flackern der Sterne am nächtlichen Himmel oder das irisierende Spiel der Farben, die ein dünner Ölfilm auf der Wasseroberfläche hervorruft, faszinierten die Menschen schon immer.

Am Anfang der Abteilung werden die Eigenschaften des Lichtes mit möglichst eindringlichen Demonstrationen vorgestellt. Folgende Phänomene und eines von oft mehreren dazugehörigen Experimenten sollen hier erwähnt werden:

- Die geradlinige Ausbreitung des Lichtes wird mit einer Camera obscura erklärt;
- die Reflexion mit einem Laser-Strahl, der auf einen rotierenden Spiegel trifft;
- die Brechung durch einen geraden Stab, der in eine Wasserwanne taucht;
- die Wellennatur des Lichtes mit der Beugung an einem verstellbaren Spalt.
- Die Polarisation zeigt ein Versuch, der den französischen Physiker E. L. Malus (1773–1812) 1808 auf diese Eigenschaft des Lichtes brachte.
- Licht als Energie wird durch die Umwandlung in Strom über Solarzellen demonstriert.
- Die Farbe des Lichts zeigt ein historisches Experiment von I. Newton (1643–1727).
- Die Ausbreitungsgeschwindigkeit des Lichtes wird mit Text und Graphik erklärt.

Nach dieser Einführung folgt im Untergeschoß der Bereich *Auge und Sehen*. Hier kann der Aufbau und die Funktion unseres wohl wichtigsten Sinnesorgans studiert werden, beginnend beim optischen Apparat, der Hornhaut, Augenlinse und Iris bis zur Netzhaut, dem Erkennen von Farben und dem räumlichen Sehen. Der hier gezeigte erste Augenspiegel, 1850 von Hermann von Helmholtz erfunden, machte den Blick ins Augeninnere möglich.

Daß wir manchmal Dinge wahrnehmen, die so gar nicht existieren, zeigt eine Reihe von optischen Täuschungen. Leider sind unsere Augen oft mit Fehlern behaftet. Die häufigsten, «Kurzsichtigkeit» und «Übersichtigkeit», werden mit Hilfe von Demonstrationen erläutert. Mit Sehtestgeräten kann man die eigene Sehtüchtigkeit feststellen. Seit ca. 1300 n. Chr. steht zur Korrektur der Fehlsichtigkeit die Brille zur Verfügung. Der geschichtliche Werdegang dieses für die Menschheit segensreichen Instruments wird an ausgewählten Beispielen verdeutlicht.

Es folgt der Bereich *optische Instrumente*. Am Anfang wird das optische Glas in seiner geschichtlichen Entwicklung, seiner Zusammensetzung und seinen Eigenschaften vorgestellt. Anschließend folgen die daraus hergestellten optischen Bauteile: Spiegel, Prisma und Linsen. Demonstrationen zeigen ihre Wirkung auf den Verlauf von Lichtstrahlen. Einige Linsenfehler und ihre Korrektur werden ebenfalls demonstriert.

Oberhalb der Treppe sind verschiedene Gruppen der optischen Instrumente ausgestellt.

Fernrohr und Mikroskop wurden am Anfang des 17. Jahrhunderts in Holland entdeckt. Sie erschlossen uns bis dahin unbekannte Welten. Beide haben sie unser Weltbild entscheidend beeinflußt. Eine große Zahl von Exponaten macht ihre Entwicklung deutlich. Demonstrationen erläutern die Funktion. Herausragende Instrumente sind das an der Decke aufgehängte lange Linsenfernrohr des Simon Marius aus Ansbach (1570–1624) von ca. 1608, mit dem er, eventuell sogar vor

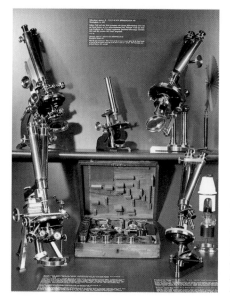

Ausschnitt aus der Mikroskop-Vitrine mit mehreren englischen Mikroskopen aus der 2. Hälfte des 19. Jahrhunderts (O)
Die feinmechanische Ausstattung der englischen Mikroskope übertraf damals die aller anderen Hersteller.

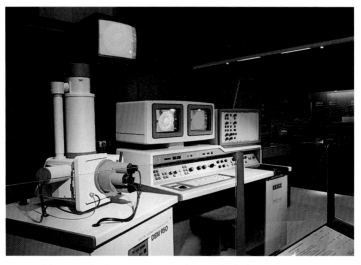

Raster-Elektronenmikroskop DSM 950, Carl Zeiss Oberkochen, 1989 (O,V)
Dieses erste in der Bundesrepublik entwickelte und gefertigte Instrument ist so eingestellt, daß vier verschiedene Präparate mit je drei unterschiedlichen Vergrößerungen betrachtet werden können.

Galilei, die Monde des Jupiters entdeckte, und zwei Mikroskope von Anthony van Leeuwenhoek (1632–1723), der bereits im 17. Jahrhundert damit Bakterien erkennen konnte. Der Bereich der Mikroskope endet beim heutigen Stand der Technik mit einem vorführbaren Laser-Scan-Mikroskop von Zeiss und einem vom Besucher selbst bedienbaren Raster-Elektronen-Mikroskop von Zeiss.

Die astronomischen Großinstrumente werden in der zukünftigen Abteilung Astronomie gezeigt.

Die Spektralapparate haben ebenfalls wesentlich zu unserem heutigen Wissensstand beigetragen. Die damit möglichen feinen Analysen schufen die Voraussetzung für die stürmische Entwicklung der Chemie. Auch die Zusammensetzung unserer Sonne und anderer Sterne konnte damit enträtselt werden. Zwei Demonstrationen erläutern die Funktion des Prismen- und Gitterspektralapparates. Besonders erwähnenswert ist der Prismenspektralapparat von Joseph von Fraunhofer (1787–1826), mit dem er die nach ihm benannten dunklen Linien im Sonnenspektrum entdeckte.

Endoskope spielen heute in der Medizin eine große Rolle. Ihr wichtigstes optisches Bauteil ist ein Bündel von elastischen, dünnen Glasfasern. Ihre Funktion und Herstellung wird erklärt. Eine Demonstration zeigt die Fahrt ins Innere einer künstlichen Luftröhre, wie sie der Arzt mit Hilfe des Bronchoskops sieht.

Photometer dienen zur Lichtmessung. Ursprünglich zur Messung der Helligkeit von Sternen entwickelt, hat sich heute ihr Anwendungsgebiet wesentlich erweitert. Die Messung der Arbeitsplatzbeleuchtung, die Konzentration von Lösungen in Chemie und Medizin wie auch der Belichtungsmesser in der Kamera sind nur einige Beispiele dafür.

Mit Refraktometern kann die Brechzahl (d.h. die Eigenschaft, Licht abzulenken) von Flüssigkeiten, durchsichtigen festen Stoffen oder Gasen gemessen werden. Die Brechzahl ist z.B. eine wichtige Größe beim optischen Glas. Sie gibt auch Aufschluß über den Malzgehalt des Bieres. Der Bierprober von C.A. Steinheil (1801–1870) wurde zu diesem Zweck verwendet.

Mit Polarisationsapparaten können Objekte in polarisiertem Licht untersucht werden. Haben diese selbst polarisierende Eigenschaften, macht sich dies durch Helligkeits- oder Farbunterschiede bemerkbar. Polarisationsapparate trugen viel zum Verständnis des Aufbaus der Kristalle bei. Konzentrationen von Flüssigkeiten, die die Polarisationsebene des Lichtes drehen, können damit ebenfalls gemessen werden.

Den Abschluß der Abteilung bildet das Gebiet der Interferometrie, deren zur Zeit wohl bekannteste Anwendung die Holographie ist. Interferometer sind Meßgeräte, deren Maßstab von der Wellenlänge des verwendeten Lichtes gebildet wird. So kann z.B. die Oberfläche einer Linse auf Bruchteile einer Wellenlänge genau gemessen werden. Ein nach seinem Erfinder A.A. Michelson (1852–1931) benanntes Interferometer und ein Aufbau zur Erzeugung eines Hologramms sind Demonstrationen zu diesem Thema. Dazu kommen noch einige Auf- und Durchlicht-Hologramme.

M. Seeberger

Atom-, Kern-, Elementarteilchenphysik

Gegen Ende des 19. Jahrhunderts wiesen zahlreiche Experimente aus allen Gebieten der Physik darauf hin, daß die Materie aus unsichtbar kleinen Bausteinen, den Atomen, besteht. Ernest Rutherford entwarf 1911 ein erstes Atommodell nach dem Vorbild unseres Planetensystems.

1913 verbesserte Niels Bohr dieses Modell durch Quantenhypothesen: Er ließ für die um den Kern kreisenden Elektronen nur noch ganz bestimmte Bahnen zu.

Mit der Entwicklung der Quantenmechanik (1926) hat sich die Art und Weise, wie man diese Bahnen in der Elektronenhülle versteht, gewandelt. Auch der Kern ist noch zusammengesetzt, er besteht aus positiv geladenen und neutralen Teilchen etwa gleicher Masse: den Protonen und Neutronen. Die Kräfte, die die Protonen und Neutronen im Kern zusammenhalten, sind wesentlich stärker als die elektrischen Kräfte, die die Elektronen an den Kern binden. Mit der Freisetzung dieser Kernkräfte beschäftigt sich die Kernenergietechnik (Neue Energietechniken S. 149) zur Gewinnung großer Energien.

S. Hladky

Musikinstrumente

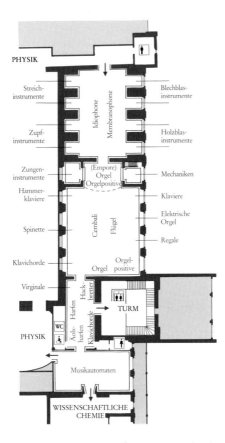

Um Musik hörbar zu machen, bedarf es der menschlichen Stimme oder entsprechender Geräte – der Musikinstrumente. Ob es die einfachsten sind wie Klappern, Rasseln oder Schwirrhölzer, die der Mensch schon in vorgeschichtlicher Zeit handhabe, oder ob es die letzten Entwicklungen der elektronischen Industrie sind: sie alle unterliegen den Gesetzen der Physik und bedienen sich, abhängig von ihrer Entstehungszeit, der entsprechenden Errungenschaften der Technik. Deshalb haben auch Musikinstrumente in einem technischen Museum ihren legitimen Platz.

Von der bewußten Verwendung eines Tones, beispielsweise erzeugt von einer steinzeitlichen Schießbogensehne, bis zur digitalen Tonerzeugung haben sich unzählige Menschen um die Entwicklung der Musikinstrumente bemüht. Stile und Moden haben neue Instrumente entstehen, andere in Vergessenheit geraten lassen. Viele waren genial erdacht, nicht wenige erscheinen uns nur noch kurios. Das heute gespielte abendländische Instrumentarium, dessen Entwicklung hier aufgezeigt wird, ist jedoch überwiegend das Ergebnis einer konsequenten Weiterentwicklung, fußend auf der Tradition eines kunsthandwerklichen Berufs.

Die eigentliche Geschichte der europäischen Musikinstrumente beginnt im ausgehenden Mittelalter. Das nach der Völkerwanderung seit dem 6. Jahrhundert verwendete Instrumentarium ist noch zum größten Teil an den Formen der Antike orientiert. Inwieweit keltische oder germanische Instrumente in Gebrauch waren, ist heute aufgrund der Vergänglichkeit des verwendeten Materials nicht mehr festzustellen. Eine Ausnahme bilden die aufgefundenen Knochenflöten sowie die Luren – paarweise geblasene Signalhörner aus Bronze –, die von einem erstaunlich hohen Stand der Bronzegußtechnik zeugen.

Die Berührung mit asiatischen Kulturen und dem Islam brachte eine wesentliche Bereicherung des Instrumentariums durch Übernahme von Lauten- und Zitherformen, von Schalmeien, Trompeten und Pauken, vor allem aber des Streichbogens.

Ein weiteres Instrument der Antike, die im 3. Jahrhundert v. Chr. erstmals in Alexandrien nachzuweisende Orgel (Hydraulis), darf hier nicht unerwähnt bleiben. Im 5. Jahrhundert in Spanien, im 8. Jahrhundert am fränkischen Hof, um 1000 in vielen Kirchen belegt und heute in allen Erdteilen zum Teil als Rieseninstrument mit tausenden von Pfeifen verbreitet, ist sie der beste Beweis, wie innig Kunst-, Kultur- und Technikgeschichte miteinander verwoben sein können.

Im 15. und 16. Jahrhundert setzt dann die eigentliche Entwicklung des abendländischen Instrumentariums ein, ausgehend von einem neuen Musikverständnis, das in der mehrstimmigen Instrumentalmusik seinen Ausdruck findet. Streich- und Blasinstrumente werden zu Familien ausgebaut, vom Baß- bis zum Diskantinstrument. Das von der Orgel bekannte Manual wird auch auf besaitete Instrumente übertragen: die «clavierten» Instrumente entstehen. 1404 erwähnt Eberhard Cersne in seiner «Minne Regel» das Klavichord, und aus der Zeit um 1440 sind «technische Zeichnungen» und Beschreibungen von Klavichord und Cembalo erhalten.

1511 kann man als Geburtsjahr der neuzeitlichen Instrumentenkunde bezeichnen: Sebastian Virdung veröffentlicht das erste, als systematisch zu bezeichnende Werk über Musikinstrumente *Musica getutscht* (deutsch) *und außgezogē*. Noch im selben Jahr erscheint von Arnolt Schlick ein Traktat über die Orgel, und im Laufe des Jahrhunderts folgen weitere Werke über Musikinstrumente. Sie gipfeln in Michael Praetorius' *Syntagma musicum II* von 1619, das heute noch als wichtigstes Quellenwerk für das Instrumentarium dieser Zeit gilt.

Zur Ausstellung

Seit Sebastian Virdung (1511) wurde wiederholt versucht, die verschiedenartigsten Musikinstrumente aller Zeiten und Völker in ein System zu bringen. Aufbauend auf Arbeiten von Victor Mahillon (1888) entwickelten 1914 Erich M. Hornbostel und Curt Sachs eine Systematik der Musikinstrumente, die – wenn auch mit Einschränkungen und Erweiterungen – noch heute allgemeine Gültigkeit besitzt. Sie als Gliederung

Blick in den Saal der Tasteninstrumente
Der den Tasteninstrumenten vorbehaltene *Musiksaal* enthält wertvolle Originalinstrumente vom 16. Jahrhundert bis heute. Im Vordergrund ein kleines italienisches Cembalo aus dem 17. Jahrhundert, das mit zwei 4′ Registern eine Oktave höher klingt als üblich. Daneben das älteste Cembalo der Sammlung von Franciscus Patavinus, 1563. Anschließend ein weiteres italienisches Cembalo aus dem 18. Jahrhundert. Auf der Empore die älteste erhaltene süddeutsche Orgel. Hans Lechner baute sie mit 10 Registern im Jahre 1630 für die Wallfahrtskirche Maria-Thalkirchen in München. Rechts auf der Empore ein Orgelpositiv aus dem Salzburgischen, 1693.

anzuwenden, bot sich für ein technisches Museum an, da sie nach den Kriterien der Tonerzeugung zusammengestellt ist.

In den Ausstellungsräumen finden sich nur diejenigen Instrumente aus dem Gesamtbestand von etwa 1400 Exemplaren, die für die musikalische Praxis oder den Instrumentenbau einer bestimmten Zeit oder Region charakteristisch sind. Weniger bezeichnende Formen und experimentelle Konstruktionen sind Fachleuten in einer Studiensammlung zugänglich.

Der Ausstellungsmethode des Deutschen Museums entsprechend, werden möglichst viele Instrumente klingend dargeboten, auch wenn dadurch museumstechnische Probleme entstehen, wozu auch stärkere Abnützung gehört. Da ein Musikinstrument zwar Gebrauchsgegenstand, aber vielfach zugleich auch Kunstwerk ist, können – im Gegensatz zu anderen Abteilungen des Museums – die Instrumente vom Besucher nicht selbst bespielt werden. Die Vorführung bleibt besonders ausgebildetem Personal vorbehalten.

Schlag-, Saiten- und Blasinstrumente

Die Raummitte nimmt ein Podium mit dem vielfältigen *Schlaginstrumentarium* ein, das in zwei Hauptgruppen gegliedert ist:

1. *Idiophone* (Selbstklinger): Rasseln, Klappern, Schellen, Becken, Gongs, Glocken, Stabspiele und anderes. Ein Großteil der Instrumente ist außereuropäischen Ursprungs. Innerhalb des gezeigten Orff-Instrumentariums ist das erste Instrument, ein Sopran-Xylophon, das Karl Maendler 1927 in Zusammenarbeit mit Carl Orff herstellte, von besonderem historischen Wert.

2. *Membranophone* (Fellinstrumente): Die Mehrzahl der Trommeln ist auch hier außereuropäischer Provenienz. Die gezeigten europäischen Instrumente reichen von barocken Pauken über eine Maschinenpauke des Königlich Bayerischen Hofopernorchesters (um 1860) bis zum modernen Schlagzeug.

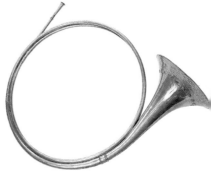

Waldhorn in F (O)
Signierung: «Iohann Heinricho/Eichentopf/in Leibzig Anno 1722»
J. S. Bach verwendete diesen Instrumententyp – meistens paarig – eindrucksvoll in seinem 1. Brandenburgischen Konzert und in einigen Kantaten.
J. H. Eichentopf, dessen Schaffen in die Zeit zwischen 1710 und 1749 fällt, gehörte zu den berühmtesten Instrumentenmachern Leipzigs. Er fertigte sowohl Blechblas- als auch Holzblasinstrumente an.

Laute (O)
Signierung: «Gregori Ferdinand Wenger / Lauten- und Geigen-Macher in Augspurg. 1748»
5 Doppelsaiten und 1 Einzelsaite. Stimmung z. B. Gg cc' ff' aa d'd' g'. Originales Etui.

Harfen
Die reichhaltig besetzte Vitrine zeigt die Entwicklung dieses bis in die Vorgeschichte
reichenden Instrumentes.
Diatonische Harfe, süddeutsch, 18./19. Jahrhundert (O); *Harfe* aus Nord-Luzon, Phi-
lippinen, um 1900, ein an europäische Vorbilder (ehemalige Kolonie) anknüpfender
Typ (O); *Hakenharfe.* Signierung: «Caliard a Strasbourg», 18. Jahrhundert (O);
Pedalharfe mit einfacher Rückung. Frankreich, Ende 18. Jahrhundert (O).

Die rechte Raumseite ist den *Saiteninstrumenten* vorbehalten. Sechs Vitrinen dokumentieren die Entwicklung der
1. *gestrichenen Saiteninstrumente:* frühe, folkloristische und außereuro-
päische Formen, Trumscheite, Drehleiern; Instrumente der Violenfami-
lie (darunter eine Gambe von Paulus Alletsee, 1701); Violen mit Reso-
nanzsaiten und Verwandtes; Kontrabässe (darunter einer von Franz
Zacher, 1691); Instrumente der Violinfamilie; Rebec, Sonderformen
der Violine und Verwandtes; Geigenbau.
Neun Vitrinen geben Einblick in die historische Vielfalt der
2. *gezupften Saiteninstrumente:* primitive und Frühformen; Ostasien; Indien; Instrumente des Tanbur-Typus; Lauten (darunter eine von Gregori Ferdinand Wenger, 1748); Gitarren; Mandolinen, Cistern; Zithern.
Die linke Raumseite gehört mit sechzehn Vitrinen der Darstellung der
Holz- und Blechblasinstrumente:
1. *Flöten* (darunter frühe Arbeiten Theobald Boehms, Mitte des

19. Jahrhunderts, ferner eine Blockflöte von Louis Hotteterre mit Kopf von Johann Christoph Denner, um 1700).

2. *Rohrblattinstrumente:* Sackpfeifen; Instrumente mit einfachem Rohrblatt (darunter sardische Launeddas, Klarinetten in der seltenen G-Stimmung, Baßklarinette von Johann Heinrich Gottlieb Streitwolf, Göttingen 1833, Saxophone aus der Werkstatt des Erfinders, Adolphe Sax); Klarinetten; Instrumente mit doppeltem Rohrblatt (darunter Schalmeien, Pommern, Oboen, Dulziane, Fagotte, Rankette, Krumm-hörner).

3. *Instrumente mit Kessel- oder Trichtermundstück:* primitive und folkloristische Formen (Hörner aus verschiedenem tierischen Material; Alphörner); Grifflochhörner (Zinken, Serpente und Abgeleitetes); Nach-bildungen antiker Blasinstrumente; Trompeten (darunter eine Inven-tionstrompete von Michael Saurle, Anfang 19. Jahrhundert); Posaunen (darunter Nürnberger Arbeiten des 17. und 18. Jahrhunderts); Wald-hörner (darunter eines von Johann Heinrich Eichentopf, 1722); Bügel-hörner (darunter eine Kontrabaß-Ophikleide in F von A. Barth, 2. Vier-tel des 19. Jahrhunderts, bemerkenswert auch ein «Chromatisches Baß-horn» von Johann Heinrich Gottlieb Streitwolf, um 1830); Ventilent-wicklung.

Tasteninstrumente

Der zentrale Raum der Musikinstrumentensammlung ist der sogenann-te Musiksaal. In ihm ist die Entwicklung der Tasteninstrumente anhand von Originalen und Modellen vom 16. Jahrhundert bis heute aufge-zeigt:

1. *Klavichorde:* darunter ein gebundenes Klavichord von Christian Gottlieb Hubert (1782).

2. *Kielklaviere:* Virginale; Spinette; Cembali (darunter ein Virginal von Andreas Ruckers 1617).

3. *Hammerklaviere:* darunter ein Tafelklavier von Sebastian Erard (1790) und ein oberschlägiger Hammerflügel von Nannette Streicher

Drehorgel (O)
Signierung: «Xaver Bruder Waldkirch im May 1869» Verschiebbare Stiftwalze mit 10 Musikstücken. 3 Re-gister: Gedackt 8'; Gedack-te Flöte 4', Oktav 2'. 66 Holzpfeifen für 22 Töne, Umfang C–e²; Winddruck 75 mm WS. 16 bewegliche Figuren.

Virginal (O)
Signierung: «Andrea Ruckers me fecit Antwerpiae, 1617»
Umfang: C–f³, ursprünglich C/E–c³. Die Deckelinnenseite ist mit einer
Tapete beklebt, auf der ein Wunder dargestellt ist, das sich im Jahre 1370 zu Brüssel
ereignet haben soll.

Orgelpositiv (O)
Signierung: «Anno 1693 den 12. Mai
hab ich Niclaus Franciscus Lamprecht /
Orglmacher in Ötting diesses Werk-
lein ferferdichet meines Alders / 38 Jahr /
Gott gebe dass es zu seinem Lob und
Ehr möge gebraucht werden».
Stand ehemals in der Kapelle St. Emme-
ram in Gersthofen bei Augsburg.
Umfang: C F D G E A B H c–c³. Schleif-
lade 3 Register: Rohrflöte 4', Principal
2', Quint 1⅓'. 2 Spanbälge, durch Gurte
bedienbar; Winddruck 45 mm WS.
Stimmtonhöhe a¹ = 455 Hz.

(1834). Bemerkenswert ist auch ein selbstspielender pneumatischer Flü-
gel von Welte-Bechstein (1926).
4. *Orgeln:* darunter die weitestgehend original erhaltene, älteste süddeutsche Orgel von Hans Lechner (?) aus dem Jahr 1630 und Orgelpo-
sitive des 17. und 18. Jahrhunderts.
5. *Zungeninstrumente:* Regale; Harmoniken; Harmonien; Verwandtes.
In dem angrenzenden Verbindungsraum mit Ausgang zum Turmtrep-
penhaus sind weitere *Spinette* und *Klavichorde* des 17. und 18. Jahrhunderts zu sehen (darunter eine Kopie des ältesten erhaltenen Klavichords
von Dominicus Pisaurensis, 1543) sowie *Hackbretter, Harfen* (darunter
eine Doppelpedalharfe von Sebastian Erard, um 1820), *Aeolsharfen* und
eine Glasharmonika (Ende des 18. Jahrhunderts), deren Klänge über
Tonband gehört werden können.

«Kirchenorgel» (O)

Signierung: «Als Man Zelt 1630 Jar, War Dise Orgl Von Neyen Gemacht Alta, 1633 Jar, Durch Die Schweden Verhört Ganz Und Gar, A 1632 Jar War Si Wider Aufgericht Wie Sie Stet Alda». Das Instrument stand bis 1907 in der Wallfahrtskirche St. Maria Thalkirchen. Umfang und Disposition, Manual: C F ^{D} G ^{E} A ^{B} H c–c3, Flauten 8′, Principal 4′, Copel 4′, Octav 2′, Quint 1⅓′, Mixtur, dreifach 1′, Cimpel ¼′, Pedal: CF ^{D} G ^{E} A ^{B} Hc–b, Subbas 16′, Octavbas 8′, Quintbas 5⅓′. Schleiflade mit mechanischer Traktur, drei durch Hand aufziehbare Spanbälge, Winddruck 57 mm WS, a1 = 460 Hz, nach einigen Hinweisen in den Rechnungsbüchern der Kirche von dem seit 1617 in München wirkenden Hans Lechner erbaut.

Musikautomaten

Der letzte Raum ist den mechanischen Musikinstrumenten vorbehalten:
1. *Walzen-, scheiben- oder plattengesteuerte Musikautomaten:* darunter das *Belloneon* mit 24 Trompeten und 2 Pauken von Johann Gottfried Kaufmann (1805), ferner Orchestrions, Symphonions, Spieluhren und Drehorgeln, darunter eine mit beweglichen Figuren von Xaver Bruder, Waldkirch (1869).
2. *Lochstreifengesteuerte Musikautomaten:* Außer dem bereits im «Musiksaal» aufgeführten Welte-Bechsteinflügel ist neben anderem besonders die *Phonoliszt-Violina* zu erwähnen, ein von Hupfeld um 1912 gebauter Automat mit Klavier und drei Violinen.

Elektronische Musikinstrumente

Aus der Instrumentengruppe der Elektrophone werden zur Zeit wegen Umbaumaßnahmen nur wenige Objekte gezeigt.   *F. Thomas*

Wissenschaftliche Chemie

Im Deutschen Museum gibt es über das Thema der Chemie zwei verschiedene Ausstellungen: die eine mit mehr experimentellem Charakter
nennen wir *Wissenschaftliche Chemie*, während die andere mit mehr
technischem Schwerpunkt als *Technische Chemie* bezeichnet wird.
In der Antike wurden chemische Kenntnisse in erster Linie bei der Arz-
neimittelherstellung und Gewinnung von Giften angewandt. Daneben

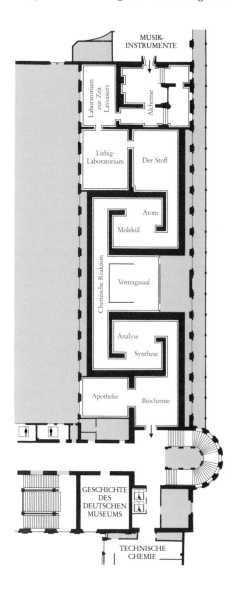

gab es spezielle Techniken zur Veredlung von Oberflächen, die vorzugsweise in Tempelwerkstätten in Gebrauch waren. Hier beschäftigte man sich auch erstmals mit der Imitation von Gold. Zur Elementenlehre gab es in der Antike spekulativ-naturphilosophische Ansätze.

Im 1. Jahrhundert n. Chr. entwickelte sich im hellenistischen Ägypten unter dem Einfluß alter mythischer Vorstellungen und gnostischer Lehren in Verbindung mit aristotelischem Gedankengut die Alchemie, deren Lehren von den Arabern übernommen und weiterentwickelt wurden.

Im lateinischen Mittelalter verbreitete sich die Alchemie über ganz Europa. Auch die medizinisch ausgerichtete Iatrochemie des Paracelsus beruht auf alchemistischen Vorstellungen.

Neben der Alchemie existierte eine weitgehend theoriefreie technische Chemie, die besonders im Rahmen der Metallurgie Anwendung fand. Doch noch im 17. und bis weit ins 18. Jahrhundert spielte die Alchemie eine große Rolle und wurde nur langsam von der eigentlichen Chemie abgelöst.

Die erste umfassende Theorie chemischer Reaktionen lieferte im 17. und 18. Jahrhundert die Phlogistontheorie, die von Johann Joachim Becher und Georg Ernst Stahl entwickelt worden war. Mit der Erfindung der pneumatischen Wanne im Jahr 1727 durch Stephen Hales entfaltete sich vor allem in England die pneumatische Chemie, die zur Entdeckung zahlreicher neuer Gase führte. An diesen Entdeckungen waren vor allem James Black, Henry Cavendish, Joseph Priestley und Karl Wilhelm Scheele beteiligt. Auch die Zusammensetzung des Wassers wurde erkannt und beschrieben. Aufgrund der Arbeiten von Antoine Laurent de Lavoisier wurde gegen Ende des 18. Jahrhunderts die Phlogistontheorie durch die Sauerstofftheorie verdrängt, nach der die Verbrennung der Substanzen auf die Aufnahme von Sauerstoff zurückzuführen ist. Lavoisier definierte auch das Element als einen chemisch unzersetzbaren Stoff und verhalf mit dem Prinzip der Massenerhaltung der quantitativen Betrachtung der chemischen Reaktion zum Durchbruch. Zusammen mit seinen Mitarbeitern schuf er die im Kern noch heute gültige chemische Nomenklatur.

Das Gesetz von der Konstanz der Äquivalentgewichte (1791) durch Jeremias Benjamin Richter, das Gesetz der konstanten Proportionen von Joseph Louis Proust (1797) und das Gesetz der multiplen Proportionen von John Dalton (1803) machten die Chemie endgültig zu einer quantitativen Wissenschaft. Eine theoretische Erklärung dieser empirisch gefundenen Sätze gab Dalton 1803, indem er behauptete, die Materie teile sich in Atome, die für jedes Element gleich, sonst aber unterschiedlich aussähen und nicht mit den Atomen anderer Elemente identisch seien.

Jöns Jakob Berzelius versuchte mit Hilfe ausgedehnter Atomgewichtsbestimmungen, die neue Theorie auf eine empirische Grundlage zu stellen. Von ihm wurden auch viele der heute gebräuchlichen chemischen Symbole eingeführt.

Das 19. Jahrhundert brachte zudem eine beträchtliche Erweiterung der

Kenntnisse der organischen Chemie, als deren Begründer man Karl Wilhelm Scheele ansehen kann, der viele organische Verbindungen als erster isolierte. 1828 zeigte Friedrich Wöhler durch die Synthese des Harnstoffes und 1845 Hermann Kolbe durch die Synthese der Essigsäure, daß es keinen prinzipiellen Unterschied zwischen anorganischer und organischer Materie gibt. Justus Liebig entwickelte 1831 bis 1837 die genaue Analyse organisch-chemischer Substanzen. Mit der Entdeckung der gleichen Zusammensetzung von Cyansäure und Knallsäure schufen Liebig, Wöhler und Berzelius 1831 im Begriff der Isomerie die Basis der Strukturchemie. Eine grundlegende Hilfe war die Einführung des Valenzstriches in die chemische Schreibweise durch Archibald Scott Couper (1857) und die erste Feststellung der Vierwertigkeit des Kohlenstoffatoms durch August Kekulé. Neben Friedrich Rochleder und A. S. Couper entwickelte Kekulé 1857 die Idee der Selbstverkettung der Kohlenstoffatome. 1860 postulierte er die Ringstruktur des Benzols.

Da die Hypothese von Amedeo Avogadro nicht allgemein akzeptiert wurde, herrschte zu dieser Zeit noch Unklarheit über die wahren Äquivalentgewichte und die Formeln chemischer Verbindungen. Erst beim Chemikerkongreß 1860 in Karlsruhe erfolgte die Beseitigung der Unklarheiten durch Stanislao Cannizzaro. 1859 führten Robert Wilhelm Bunsen und G. Kirchhoff die Spektralanalyse ein. 1868/69 formulierten Lothar Meyer und Mendelejew das Periodensystem der chemischen Elemente. Immer stärker schälten sich im Laufe der weiteren Entwicklung eigenständige Teildisziplinen heraus wie Biochemie, technische Chemie, Radiochemie usw.

Was ist Chemie?

Alles, was uns umgibt, ist Chemie: unser eigener Körper, alle Dinge, die unsere Hände greifen, alle Gegenstände, die unsere Augen sehen können. Das Wachsen der Blumen im Frühling, das Braunwerden der Blätter im Herbst, das Backen von Brot, das Kochen der Suppe – alles, wirklich alles auf dieser Welt beruht auf chemischen Prozessen.

Trotzdem empfinden wir die Chemie meist als fremd, denn die im Bereich winziger Moleküle ablaufenden Prozesse kann man erst dann sehen, wenn ihre Produkte zu sichtbaren Mengen aufgelaufen sind. Für den Laien wirkt auch die chemische Formelsprache unverständlich, ja erschreckend.

Doch die Chemie ist schlechthin allgegenwärtig, und man schätzt, daß es etwa 15 Mio. charakterisierte organisch-chemische und etwa 1 Mio. anorganische chemische Verbindungen gibt. Es vergeht kein Tag, an dem nicht einige hundert neue chemische Verbindungen entdeckt werden, entweder in der Natur aufgefunden oder im Laboratorium synthetisiert.

Ziel der Chemie ist, die Stoffe der belebten und unbelebten Welt in ihrer Zusammensetzung und in ihren Eigenschaften zu erforschen und diese

Stoffe dann zu neuen Substanzen mit nützlichen Eigenschaften zu verändern. Die Veränderungen können durch Austausch von Atomen oder Atomgruppen in natürlichen Verbindungen (Substituierung), durch Zerlegung von Verbindungen, durch Zusammenfügung kleiner und kleinster Moleküle zu größeren oder vergleichsweise riesigen Molekülen oder durch geeignete Kombinationen, Wiederholungen oder Abwandlungen der genannten Verfahren bewirkt werden.

Voraussetzungen hierfür sind Kenntnisse über die Zusammensetzung und Struktur der vorhandenen Stoffe, die man durch die Methoden der chemischen Analyse zu gewinnen sucht, ferner quantitative Vorstellungen über die Festigkeit der zu lösenden Bindungen oder chemischen Valenzen in der zu verändernden Substanz sowie Untersuchungen der Reaktionswege und Gesetzmäßigkeiten, die zur Herstellung einer neuen Substanz mit den gewünschten Eigenschaften führen könnten.

Zur Ausstellung

Die Ausstellung gliedert sich in einen historischen Teil mit drei Laboratorien (Alchemie, Lavoisier, Liebig) sowie in einen experimentellen Teil, in dem die modernen Methoden der Chemie erläutert werden.

Alchemie

Ziel der Alchemie war die Veredelung und Transmutation der Metalle und anderer Stoffe. Sichtbares Zeichen für das Gelingen des Magisteriums war die dadurch bewirkte seelische Läuterung der Adepten. Dementsprechend war Alchemie auch eine kultische, rituelle Handlung, was seinen Ausdruck im Tragen von Kultkleidung, im Sprechen liturgischer Gebete und im Singen von Hymnen fand. Die Alchemie entstand etwa im 2. Jahrhundert n. Chr. im hellenistischen Ägypten. Sie stellte die Zusammenfassung verschiedener wissenschaftlicher, philosophischer mystisch religiöser und technischer Vorstellungen und Erkenntnisse des Mittelmeerraumes dar, in die auch gnostische, neuplatonische und stoische Lehren eingegangen waren. Die alchemistischen Verfahren hatten aber nicht nur symbolischen Charakter, der Alchemist arbeitete auch experimentell. Er besaß ein Laboratorium, das neben einem Altar Öfen, Kolben, Tiegel und Destillationsapparate enthielt, und er war mit der Laboratoriumstechnik und den Eigenschaften der Stoffarten vertraut.

Bedeutender als der naturwissenschaftliche Aspekt der Alchemie war die geisteswissenschaftliche Seite. Die Arbeiten im Laboratorium, die Versuche, aus unedlen Metallen – wie etwa Blei – Gold herzustellen, wurden nämlich, jedenfalls von ernsthaften Alchemisten, nicht als Selbstzweck betrieben. Indem der Alchemist an der Vollendung der Metalle arbeitete, erstrebte er gleichzeitig seine eigene seelische Vervollkommnung. Das Blei war daher ein Symbol für die dumpfe Unerlöstheit

Alchemistisches Labor (N)
Jahrhundertelang mußte man in der Chemie mit recht schlichten Hilfsmitteln auskommen. Die Ähnlichkeit mit einer Küche ist unverkennbar.

der Seele, das Gold für die geläuterte Vollkommenheit. Der Alchemist versuchte, das eigene Selbst zu entdecken und in seinen Besitz zu gelangen und glaubte, durch sein Tun gleichzeitig die Materie aus ihrem unvollkommenen Zustand zu erlösen. So bemühte er sich, den *Stein der Weisen* zu bereiten, der durch Berührung unvollkommene Körper in vollkommene verwandeln, etwa auch Silber zu Gold machen sollte. Gleichzeitig war der Stein der Weisen ein Symbol für den Geist der Läuterung, der fähig war, die Seele von allen Schlacken zu befreien. In der lateinischen Alchemie wurde der Stein der Weisen häufig mit Christus identifiziert.

Der Blick in das alchemistische Laboratorium läßt die verschiedenen Typen von Herden erkennen. Eine Vitrine zeigt die Entwicklung der

Destillierkunst von der Antike bis zum *Mohrenkopf,* der noch Ende des 18. Jahrhunderts in Gebrauch war. Die Alchemisten glaubten, man müsse manche Gemische über Jahre hinweg am Kochen halten, wozu sie spezielle Gefäße entwickelten, den *Pelikan* und das *Cirkulatorium.*

Daneben werden noch ein *Galeerenofen* für pharmazeutische Arbeiten und ein *Fauler Heinz* gezeigt, eine Ofenkonstruktion speziell zum langsamen und gleichmäßigen Destillieren. Glasscherben aus dem Laboratorium des Alchemisten Johann Kunckel von Löwenstern, die bei einer Ausgrabung eines 1686 zerstörten Laboratoriums auf der Pfaueninsel in Berlin gefunden worden waren, runden das Bild der Alchemie ab.

Chemisches Laboratorium zur Zeit Lavoisiers

Im 18. Jahrhundert begann man, auch im chemischen Laboratorium physikalische Gerätschaften wie Elektrisiermaschinen, Luftpumpen, pneumatische Wannen und Brennlinsen zu verwenden. Mit diesen Instrumenten gelangen bedeutende Entdeckungen im Bereich der Gaschemie.

Als Beispiel wird eine große Linse gezeigt, die Ehrenfried Walter von Tschirnhaus um 1700 angefertigt hatte. An der rechten Wand des Laboratoriums wurde eine Apparatur zur Zerlegung des Wassers an glühendem Eisen nachgebaut. In der Nische der rechten Wand steht eine kleine Elektrisiermaschine, wie man sie zu Luftzerlegungsversuchen mittels des elektrischen Funkens verwendete. Die Mitte des Raumes wird von einem Apothekentisch beherrscht, der aus der Klosterapotheke in Andechs stammt. Darauf steht eine aus Marmor geschliffene pneumatische Wanne nach Lavoisier sowie eine einfache Brennlinse zum Entzünden von Substanzen im Innern der Glasglocken, die ihrerseits in einer pneumatischen Wanne stehen. Im Hintergrund des Laboratoriums wurde ein mächtiger Herd mit Rauchfang aufgebaut, wie er in der zweiten Hälfte des 18. Jahrhunderts besonders in Frankreich üblich war. Besonders auffällig ist hier der unter der Decke schwebende große Blasebalg, von dem die Luft durch Rohrleitungen auf die Herdoberfläche geleitet wurde, um auf der Herdplatte in der Glut besonders hohe Temperaturen zu erzielen.

Die Chemie des 18. Jahrhunderts widmete sich in erster Linie der Erforschung von Gasen. 1782 entdeckte der englische Gelehrte Joseph Priestley die sogenannte *halesische* oder *Salpeterluft* durch Übergießen von Messingspänen mit Salpetersäure. Er erkannte, daß diese neue Luftart in der Lage ist, einen Teil der gewöhnlichen Luft zu „verschlucken" und zwar jenen, der die Atmung unterhält. Man konnte also mit Hilfe dieser chemischen Reaktion die Tauglichkeit der Luft zum Atmen bestimmen. Diese Methode wurde von Felice Fontana verfeinert, der für diese Reaktion ein seinerzeit außerordentlich beliebtes Instrument erdachte, das *Eudiometer.* 1805 bestimmten Joseph Louis Gay-Lussac und Alexander von Humboldt so den wahren Sauerstoffgehalt der Luft.

Blick in das Laboratorium nach Lavoisier (N)
Das 18. Jahrhundert zeichnete sich durch ein langsames Eindringen physikalischer Gerätschaften wie Linsen und Elektrisiermaschinen in die chemischen Laboratorien aus.

Eines der großen Themen der Chemie des 18. Jahrhunderts war der Versuch, Verbrennungserscheinungen zu erklären. In der linken Nische an der Rückwand des Laboratoriums sieht man daher Versuche von Priestley und Scheele, nämlich das Wegatmen des Sauerstoffs durch eine lebende Maus in einer pneumatischen Wanne und das Verbrennen einer Kerze in einer solchen Wanne. Mit Hilfe einer Waage wird gezeigt, daß die Verbrennungsprodukte einer Kerze schwerer sind als diese selbst. 1789 zersetzte Lavoisier in einer gekröpften Retorte Quecksilberoxid in der Hitze zu Quecksilber und Sauerstoff, um anschließend diesen Sauerstoff wieder mit Quecksilber reagieren zu lassen, wodurch er wieder Quecksilberoxid erhielt. So klärte er die Rolle des Sauerstoffs bei Oxidations- und Reduktionsreaktionen. Auch die Ausdrücke Sauerstoff, Reduktion und Oxidation gehen auf ihn zurück, ebenso wie die noch heute übliche Nomenklatur der anorganischen Chemie.

Liebig-Laboratorium

Mit den Arbeiten Justus von Liebigs begann der große Aufstieg der deutschen Chemie. Liebig (1803–1873) war bis 1852 Professor der Chemie in Gießen und dann bis zu seinem Tode in München. Liebig vollendete die organische Elementaranalyse, begründete den chemischen Laboratoriumsunterricht in Deutschland und schuf neben zahlreichen anderen Arbeiten die Theorie der künstlichen Düngung.

In der Ausstellung wurde ziemlich idealisiert das Gießener Laboratorium nachgebaut und mit Instrumenten aus dem Laboratorium Liebigs in München versehen. So gibt es einen Liebigschen Trockenapparat, einen Laborofen, ein Gasometer und zwei Kühler zu sehen, die Liebig selbst benutzt hat. Aus dem Laboratorium von Liebigs Freund Wöhler stammen die Standflaschen.

Ein Porträt Liebigs von dem Maler Wilhelm Trautschold beherrscht den Raum, der auch die berühmte – übrigens ebenfalls idealisierte – Darstellung des Laboratoriums im Jahre 1842 geschaffen hatte, die links vom Eingang hängt.

Drei Vitrinen zeigen chemische Instrumente, wie sie für das erste Drittel des vorigen Jahrhunderts typisch waren. Sie stammen aus dem Nachlaß von Johann B. Trommsdorff. Darunter befinden sich ein großes Reiseknallgaseudiometer nach Alessandro Volta, ein Äquivalentrechenschieber nach William Hyde Wollaston und ein Pyknometer aus der Werkstatt des Goethe-Freundes Christian Gottfried Körner in Jena.

In der großen Wandvitrine werden Instrumente aus dem Nachlaß von Eilhard Mitscherlich gezeigt, darunter das Goniometer, mit dem ihm die Entdeckung des Isomorphismus gelang, sowie ein Rest einer Dampfdichtebestimmungsapparatur, mit dessen Hilfe er den Satz von A. Avogadro widerlegte, der indessen jedoch stimmt.

Die andere Hälfte der Vitrine ist dem Nachlaß von R.W. Bunsen gewidmet. Einige Adsorbtiometer, ein Indigoprisma und sein Eudiometer sind ausgestellt.

Alte Apotheke, um 1800 (N)
Als Beispiel einer alten Apotheke wurde die Apotheke des Klosters St. Emmeram in Regensburg nachgebaut. Die Ausstattung wurde aus Originalen verschiedener Apotheken zusammengestellt und ist einer der wertvollsten Bestände des Deutschen Museums.

Versuchsaufbau, mit dem Otto Hahn, Lise Meitner und Fritz Straßmann 1938 die Kernspaltung entdeckten (Rekonstruktion mit Originalteilen)
Sie wiesen chemisch nach, daß Uranatome durch langsame (energiearme) Neutronen gespalten werden; bereits 1939 lieferten Lise Meitner und ihr Neffe Otto Robert Frisch die energetische Deutung.

Experimenteller Teil

Der experimentelle Teil der Abteilung ist nach einigen wenigen, aber wichtigen Grundbegriffen gegliedert: der Stoff, Atom und Molekül, die chemische Reaktion, Analyse und Synthese, Biochemie. In jedem dieser Räume kann der Besucher eine Vielzahl von Reaktionen und Demonstrationen auf Knopfdruck ablaufen lassen.

In der Mitte der Abteilung lädt ein Hörsaal zu einer kleinen Experimentalvorlesung (werktags um 11.00 Uhr) ein. Darüber hinaus können Vorträge mit weiterführenden Themen auf Wunsch abgerufen werden. Voraussetzung ist dabei allerdings, daß die Gruppe, die den Vortrag wünscht, auch hinreichend groß ist (Themenliste und Terminabsprache bei der Abteilungsleitung).

An historischen Höhepunkten kann man in diesem Bereich einen Tisch mit der Apparatur sehen, die Lise Meitner, Fritz Straßmann und Otto Hahn für Versuche benutzten, die 1938 zur Entdeckung der Kernspaltung führten. Das Gegenstück ist der Tisch mit Originalinstrumenten aus dem Nachlaß Hermann Staudingers, des Begründers der Theorie der makromolekularen Chemie.

Den abschließenden Höhepunkt der Abteilung stellt die historische Apotheke dar, eine Rekonstruktion der Apotheke des Klosters St. Emmeram in Regensburg. Ein Teil der ausgestellten Apothekengefäße stammt aus St. Emmeram (blau-gelbes Wappen auf weißem Grund), die anderen aus berühmten ehemaligen Münchener, Regensburger und Nürnberger Apotheken. Fast alle Gefäße und Schubladen sind noch mit Originalpräparaten gefüllt. Reise- und Schiffsapotheken und eine Sammlung besonders kurioser Heilmittel wie Alraunen und spanische Fliegen runden die Ausstellung ab. Vor der Apotheke steht ein pharmazeutischer Herd, wie er in der zweiten Hälfte des vorigen Jahrhunderts allgemein üblich war, mit eingebautem Wasserbad, Destillieranlage, Trockenschrank, Salbenreibschale und anderem. *O. Krätz*

Technische Chemie

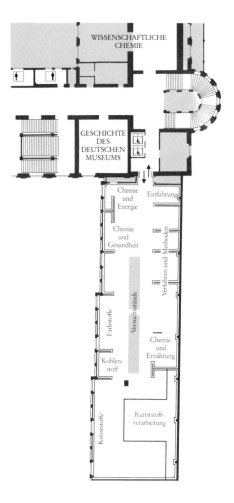

Die von Chemikern in Zusammenarbeit mit Wissenschaftlern anderer Disziplinen gewonnen Erkenntnisse werden in der technischen Chemie zur Produktionsreife gebracht. Meist müssen zuerst viele verfahrenstechnische Probleme gelöst werden, um die Entdeckungen der Chemiker in wirtschaftlich arbeitende großtechnische Produktionsanlagen umzusetzen.

Bis weit ins 18. Jahrhundert wurden chemische Produkte in Handwerksbetrieben und kleineren Manufakturen in geringen Mengen hergestellt. Erst mit der beginnenden Industrialisierung und steigender Bevölkerungszahl benötigte man auch chemische Produkte in größerem Umfang. Die industrielle chemische Produktion begann mit der Errichtung einer Schwefelsäurefabrik durch John Roebuck 1746 in England. 1791 erfand Nicolas Le Blanc das nach ihm benannte Verfahren zur industriellen Erzeugung von *Soda*, die bis dahin durch Verbrennen von

Meerespflanzen oder durch Verdunsten aus Natronseen gewonnen wurde. Von diesem wichtigen chemischen Rohstoff wurden 1863 bereits 300000 Tonnen erzeugt. Der große Durchbruch gelang der chemischen Industrie Mitte des vorigen Jahrhunderts aber mit der Entdeckung der Teerfarben. Die Herstellung des ersten Teerfarbstoffes *Mauvein* 1856 durch William Henry Perkin erregte auf der Londoner Weltausstellung großes Aufsehen. In rascher Folge kamen weitere Anilinfarben wie Fuchsin, Methylviolett, Safranin und Bismarckbraun hinzu. Die Bedeutung der Farbenchemie für diese Zeit geht auch daraus hervor, daß das *Deutsche Reichspatent Nr. 1* vom 2. Juli 1877 für ein Verfahren zur Herstellung eines synthetischen Ultramarinfarbstoffes erteilt wurde.

Farben wurden seit frühgeschichtlicher Zeit verwendet. Jahrtausendelang mußten Naturfarbstoffe durch mühsame und kostspielige Verfahren aus Pflanzen, Tieren oder Mineralien gewonnen werden. Die Verwendung kostbarer Farben war oft Privileg bestimmter Stände; Purpur beispielsweise war hohen Würdenträgern vorbehalten. Mit der Erfindung synthetischer Farben und der Gründung vieler Farbenfabriken in aller Welt in der zweiten Hälfte des vorigen Jahrhunderts standen Farbstoffe in zahlreichen Nuancen nun endlich allen Menschen zur Verfügung.

Ohne die vielfältigen Produkte der chemischen Industrie wie Arzneimittel, Düngemittel, Kunststoffe, Farbstoffe und Chemiefasern wäre unser heutiger Lebensstandard nicht denkbar. Trotz der Probleme, die manche chemischen Erzeugnisse verursachen, wäre bei der heutigen hohen Weltbevölkerung ein Leben ohne chemische Industrie kaum vorstellbar. Allerdings hat die Chemie die hohen und noch immer wachsenden Bevölkerungszahlen nicht zuletzt durch ihre Erfolge auf medizinischem Gebiet und verbesserte Nahrungsmittelproduktion durch Düngemittel selbst mit verursacht. Bei der Lösung der Probleme, die mit der Übervölkerung unserer Erde zusammenhängen, wird man jedoch auf die Mitwirkung der Chemiker und der chemischen Industrie nicht verzichten können.

Zur Ausstellung

In der Abteilung *Technische Chemie*, die an die *Wissenschaftliche Chemie* anschließt, unterscheidet man zwei Hauptgruppen:
1. die Entwicklung und Herstellung chemischer Produkte,
2. die Anwendung in verschiedenen Lebensbereichen. Anhand wichtiger Ausgangsprodukte werden verfahrenstechnische Grundoperationen wie Mischen, Trennen, Rühren und Fördern anhand von Originalapparaturen erläutert.

Daran schließen sich exemplarische Beispiele für großtechnische Verfahren und deren geschichtliche Entwicklung an.

Mittels funktionsfähiger Industriemaschinen wird zweimal täglich die Herstellung von Kunststoffartikeln vorgeführt und erläutert. Dem Führungsweg folgend, wird anschließend die Anwendung der von der chemischen Industrie erzeugten Produkte veranschaulicht. In der Mitte der Abteilung befinden sich Versuchsstände mit 18 Druckknopfexperimenten zu den verschiedenen Themenkreisen, die vom Besucher einzeln betätigt werden können. Vor dem Ausgang verdeutlicht eine übersichtliche graphische Darstellung die Bedeutung der chemischen Industrie in unserer heutigen Volkswirtschaft. Dem raschen Fortschritt in der chemischen Technik trägt das hier angewandte flexible Ausstellungssystem Rechnung.

Einführungsraum

Die Ausgangsprodukte wie Kohlenteer, Erdöl und Erdgas, Mineralien, Luft und Wasser sowie deren Umwandlung in Basissubstanzen für die Herstellung von Kunststoffen, Chemiefasern, Farbstoffen, Arzneimitteln, Düngemitteln und anderen chemischen Produkten werden angesprochen. Als Beispiel für die Gewinnung wichtiger chemischer Rohstoffe ist hier eine Frasch-Pumpe zur Förderung von Elementarschwefel ausgestellt.

Verfahren und Methoden

In diesen beiden Abschnitten werden Reaktionsapparate und Anlagen sowie verfahrenstechnische Grundoperationen wie Mischen, Trennen und Stofftransport abgehandelt. Einige historisch sehr interessante

Versuchsapparatur von Haber, 1908 (O)
Mit dieser Originalapparatur wurden von Fritz Haber (Nobelpreis 1918) und le Rossignol stündlich etwa 80 g Ammoniak aus Stickstoff und Wasserstoff gewonnen. Sie diente als Grundlage für die Patentanmeldung 1908. Sie enthält schon die wichtigsten Elemente der späten technischen Anwendung. Die großtechnische Verwirklichung geht auf Carl Bosch zurück, der zusammen mit Friedrich Bergius 1931 den Nobelpreis erhielt. Das Haber-Bosch-Verfahren war von großer Auswirkung auf die Hochdruck-Meß- und Regeltechnik und auf die Chemie der Katalysatoren.

Ziegler-Apparatur, 1957 (O)
Apparatur zur kontinuierlichen Niederdruckpolymerisation nach Karl Ziegler. Mit der hier gezeigten Pilotanlage wurden die Bedingungen für eine großtechnische Nutzung erforscht. Dieses Verfahren, für das K. Ziegler 1963 den Nobelpreis erhielt, hat heute eine große wirtschaftliche Bedeutung erlangt.

Apparaturen belegen Entwicklungsschritte der chemischen Industrie. So sind hier eine Apparatur von Walter Reppe für Acetylendruckexperimente, zwei Originalreaktoren von Matthias Pier zur Methanolsynthese und zur Druckhydrierung von Teeren und Ölen sowie das Original eines Röhrenkontaktofens nach Knietsch zur Erzeugung von SO₃ ausgestellt.

Darauf folgt die Originalapparatur von Fritz Haber und le Rossignol, mit der es erstmals gelang, den Stickstoff der Luft zu nutzen und mit Wasserstoff zu Ammoniak umzusetzen. Zur Haber-Apparatur ist ein Versuchsofen von Stern und Mittasch ausgestellt, der zur Erprobung der Katalysatoren für die Ammoniaksynthese diente.

Daneben gibt eine geschnittene Nachbildung eines modernen Ammoniakreaktors einen Einblick in die technische Dimension des Verfahrens. Zu diesem Themenkreis gehören je ein Modell eines Abstichgenerators und eines Röhrenspaltofens zur Erzeugung von Synthesegasen. Diese Verfahren liefern den Wasserstoff für die Ammoniaksynthese.

Gegenüber der Ammoniakgruppe ist eine Extraktionskolonne für flüssig-flüssig-Systeme und eine Fraktionierkolonne im Dauerbetrieb zu sehen. Daneben befindet sich die halbtechnische Pilotanlage von Karl Ziegler zur Erzeugung von Niederdruckpolyäthylen. Anschließend ist das geschnittene Original eines Ammoniakverbrennungsofens ausgestellt, der zur Herstellung von Stickstoffoxid als Grundstoff zur Salpetersäuresynthese dient.

In diesem Abschnitt wird außerdem die Geschichte der Salpeter- und Schwefelsäure, der Pottasche und des Soda abgehandelt. Das Original einer Chloralkalielektrolysezelle nach dem Amalgamverfahren ist hier zusammen mit einem Diorama einer großtechnischen Produktionsanlage ausgestellt.

Am Ende dieses Bereichs ist das Original einer Söderberg-Elektrode mit dem dazugehörigen Modell eines Phosphorofens zu sehen sowie das Modell einer Anlage zur Herstellung von NPK-Düngern.

Chemie und Ernährung

Hier wird eine Zusammenfassung der wichtigsten Düngemitteltypen gezeigt und die Bedeutung der verschiedenen Stoffe für die Ernährung der Pflanzen erläutert. Außerdem werden wiederholt Hinweise auf die Bedeutung der Schädlings- und Pflanzenschutzmittel und der Konservierung gegeben.

Kunststoffe

Eine Wand mit Exponaten gibt einen Überblick über die mannigfaltige Präsenz von Kunststoffen in der Technik und im täglichen Leben. Hierbei sind die Exponate nach wichtigen Kunststofftypen gegliedert. Mit Hilfe eines Funktionsmodells können die verschiedenen Methoden zur Polymerisation von Kunststoffen durch Knopfdruck vom Besucher abgerufen werden.

Kunststoffverarbeitung

In der umfangreichen Ausstellungsgruppe Kunststoffverarbeitung ist eine ganze Reihe von funktionsfähigen Produktionsmaschinen ausgestellt. Sie werden zu bestimmten Zeiten vorgeführt und erläutert; außerdem besteht die Möglichkeit, nach Voranmeldung spezielle Fachführungen über diesen Bereich für Interessentengruppen durchzuführen. Beispielsweise werden das Spritzgießen, Extrudieren, Hohlkörperblasen, Tiefziehen, Pulverbeschichten und Wirbelsintern sowie Schweißen, thermisches Schneiden und die Verarbeitung von Schrumpfschläuchen demonstriert und erläutert. Außerdem werden anhand von Modellen das Polyurethan-Schaumstoffverfahren und das Kalandrieren erklärt.

Kohlenstoff als Werkstoff

In einem in sich abgeschlossenen Bereich über Verkohlungs- und Graphitierungschemie werden die Bedeutung, Erzeugung und Anwendung der entstandenen Produkte erläutert und durch Exponate verdeutlicht.

Farbstoffe

Hier steht das Großmodell der Farbenfabrik in Leverkusen aus dem Jahre 1898. Dieser Betrieb wurde erstmals nach rein verfahrenstechni-

Farbenfabrik Leverkusen (M)
Die Denkschrift von C. Duisberg von 1895 über den Aufbau und die Organisation der Fabriken zu Leverkusen, nach der dieses Modell konstruiert wurde, stellt einen Meilenstein in der Geschichte der chemischen Industrie dar.

Kunststoffverarbeitung (V)
Vorführung und Erläuterung der Kunststoffverarbeitungsmaschinen, wobei die Besucher die erzeugten Produkte mitnehmen dürfen.

schen Gesichtspunkten gebaut. In einer benachbarten Vitrine werden Originalfarbproben und Ausfärbungen von Paul Friedländer, Carl Graebe, Carl Liebermann, Peter Grieß, Adolf von Baeyer und eine Ausfärbung von William Henry Perkins Mauvein gezeigt.

Weiter sind hier historische Proben von Ultramarin und verschiedener Naturfarben zu sehen. Eine Exponatwand erläutert die Bedeutung und Anwendung verschiedener Farbstoffgruppen.

In der folgenden Nische ist die Bedeutung von Lacken, Kunststoffen und Klebstoffen im Automobilbau an einem Exponat verdeutlicht.

Chemie und Gesundheit

Dieser Bereich erläutert an einer künstlichen Niere und einer modernen automatischen Analysenapparatur die Fortschritte auf dem Gebiet der Medizin. Die Analysenapparatur ist ein exemplarisches Beispiel für den Fortschritt bei chemischen Diagnosemöglichkeiten. Die Fortschritte im pharmazeutischen Bereich und in der Hygiene haben globale Auswirkungen auf das Wachstum der Weltbevölkerung.

Chemie und Energie

Die Bedeutung der Chemie bei der Speicherung von Energie wird durch das Original einer technischen Brennstoffzelle gezeigt. Außerdem kann hier der Werdegang einer Batterie anhand einer Graphik und von Exponaten verfolgt werden.

G. Probeck

Vorschläge zur Fortsetzung des Rundgangs
Sie können nun den Rundgang im 1. Obergeschoß beenden und links weitergehend mit der Abteilung *Luftfahrt* fortfahren oder davor die Haupttreppe ins 2. Obergeschoß hinaufgehen und dort mit der Besichtigung der *Altamira-Höhle* (S. 226) den Rundgang fortsetzen oder rechts die Rundtreppe in das 2. Obergeschoß hinaufgehen und in die *Sonderausstellungen* (S. 280) gelangen.

Luftfahrt

Die Vorgeschichte des Fliegens begann vor Hunderten von Millionen Jahren, als Insekten, Saurier, Vögel und Fledermäuse den Luftraum eroberten. Der Flug des Vogels inspirierte den Menschen, seit er die Natur beobachtete, zum Traum vom Fliegen und zu eigenen Flugversuchen, die allerdings jahrtausendelang vergeblich blieben. Den Aufstieg in den Luftraum schaffte der Mensch erst, als er sich vom Vorbild

1. Obergeschoß (Alte Luftfahrthalle)

Weitere Pläne zur Luftfahrthalle auf Seite 194, 201, 209, 210.

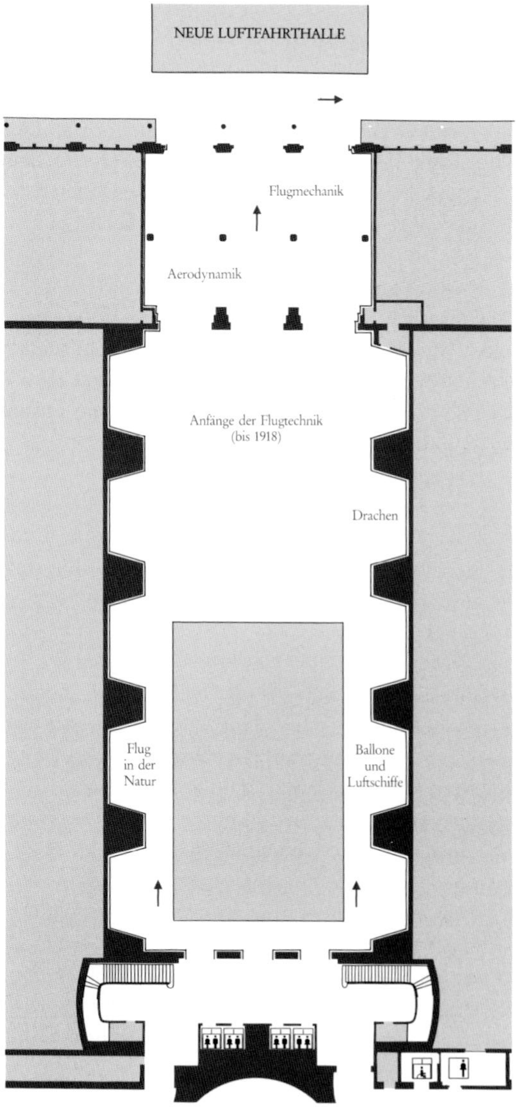

NEUE LUFTFAHRTHALLE

Flugmechanik

Aerodynamik

Anfänge der Flugtechnik
(bis 1918)

Drachen

Flug
in der
Natur

Ballone
und
Luftschiffe

des Vogels löste und nach einem ganz anderen technischen Prinzip vorging: Die Brüder Jacques Etienne und Joseph Michael Montgolfier aus Frankreich erfanden den Heißluftballon (Prinzip *Leichter als Luft*), mit dem am 21. November 1783 zwei Menschen die erste Luftreise gelang. Wenige Tage später folgte Jacques Alexandre César Charles mit einem Wasserstoffballon. Der Ballon fand seine technische Fortentwicklung in den Luftschiffen. Die riesigen Starrluftschiffe, die Zeppeline, die in den dreißiger Jahren im regelmäßigen Luftverkehr über den Atlantik fuhren, bilden Abschluß und zugleich Höhepunkt der Luftschifftechnik. Etwa 100 Jahre nach der ersten Ballonfahrt brachte auch das Studium des Vogelfluges schließlich den ersehnten Erfolg. Aus systematischen Forschungsarbeiten gewann Otto Lilienthal die entscheidenden Erkenntnisse für den Bau der ersten flugfähigen Gleitflugzeuge, mit denen er zwischen 1891 und 1896 als erster Mensch das Fliegen lernte. Im ersten Jahrzehnt des 20. Jahrhunderts kam der Durchbruch zum Motorflugzeug, beginnend mit dem ersten gesteuerten Motorflug der Brüder Wilbur und Orville Wright am 17. Dezember 1903. Aber erst als die Nutzbarkeit der Flugzeuge als Kriegswaffe offenbar wurde – das war kurz vor dem und im 1. Weltkrieg der Fall – erhielten der Flugzeugbau und die Luftfahrt im weitesten Sinne staatliche Unterstützung in großem Umfang.

Nach dem 1. Weltkrieg entwickelte sich das Flugzeug zum Verkehrsmittel. Die Ganzmetallbauweise und leistungsfähige Motoren, im Kriege geschaffen, waren wesentliche Voraussetzungen dafür. In den zwanzig Friedensjahren zwischen den Kriegen wurde – oft mit abenteuerlichen Pionierflügen über Gebirge, Wüsten und Meere – ein Luftstraßennetz über die ganze Welt geschaffen.

Bedingt durch die politischen Spannungen in den dreißiger Jahren wurden die Ausgaben für die Rüstung beträchtlich erhöht. Dies führte zu einer raschen Weiterentwicklung der Luftfahrttechnik in allen Bereichen: Flugzeugzelle, Motoren und Propeller, Ausrüstung (Instrumente, Flugregler), Bodenanlagen, Flughäfen, Flugsicherung usw. Die extremen Anforderungen an die Technik des Gesamtsystems Flugzeug forderten und förderten Innovationen auf vielen Gebieten der Technik und Wissenschaften – eine Wechselwirkung, die bis heute anhält.

Im 2. Weltkrieg schließlich gab das Flugzeug der kriegerischen Auseinandersetzung eine neue, schreckliche Dimension. Bombenflugzeuge brachten unvorstellbare Zerstörung unterschiedslos über Industrieanlagen und Zivilbevölkerung. Aus Bomben- und Transportflugzeugen wurden nach dem Krieg die Langstreckenverkehrsflugzeuge, die auch den Nordatlantik im Nonstopflug überqueren konnten. Als technisch bedeutendste Neuerung kam in den Kriegsjahren das Strahlturbinentriebwerk zur Serienreife. Die besondere Arbeitsweise dieser Triebwerksart – kontinuierlicher aero-thermodynamischer Prozeß, nur rotierende Massen – erlaubte eine sprunghafte Steigerung der Antriebsleistung. Das erste Düsenflugzeug, eine *Heinkel He 178,* war mit dem von Hans von Ohain entwickelten Strahlturbinentriebwerk *He S3B* bereits am 27. August 1939, wenige Tage vor dem Ausbruch des 2. Weltkriegs, geflogen. Die Kampfflugzeuge der Nachkriegszeit erreichten mit dem Strahlturbinentriebwerk Geschwindigkeiten bis über zweifache Schallgeschwindigkeit und Flughöhen über 20 km. Der Umschwung im Luftverkehr kam 1956 in der Sowjetunion und 1958 im Westen. Die neuen Strahlverkehrsflugzeuge, nahezu doppelt so schnell und doppelt so groß wie die bis dahin eingesetzten Propellerflugzeuge, machten das Flugzeug endgültig zu einem Massenverkehrsmittel. Verstärkt wurde diese Entwicklung noch durch die Einführung der Großraum-Verkehrsflugzeuge in den siebziger Jahren. Über 1 Milliarde Fluggäste benutzen gegenwärtig jährlich das Flugzeug. Im Frachtverkehr steht die Luftfahrt am Beginn einer raschen Expansion.

Zur Ausstellung

Die seit der Eröffnung des Sammlungsbaus 1925 in der sogenannten «Alten Luftfahrthalle» untergebrachte Ausstellung wurde durch die 1984 erstellte «Neue Luftfahrthalle» wesentlich erweitert. Auf 7000 m² sind nun 50 Flugzeuge aus allen Epochen der Luftfahrt ausgestellt.
Der Besucher erschließt sich die Ausstellung am besten vom 1. Obergeschoß aus; er geht von der Eingangshalle rechts die Treppe hinauf und

Blick in die alte Luftfahrthalle
Am linken Bildrand Gleitflugapparate von Otto Lilienthal (N), dessen Versuche bis 1896 erstmals den Nachweis erbrachten, daß Fliegen möglich ist. Im Hintergrund der Halle ein Flugzeug der Gebrüder Wright (O), eine Weiterentwicklung des Flugzeugs, mit dem 1903 der erste gesteuerte Motorflug durchgeführt wurde. Ferner sind aus den Anfängen der Fliegerei zu sehen: Blériot Typ XI, 1909 (O); Grade Eindekker 1909 (O); Etrich-Rumpler Taube, 1910 (O). Am Boden zwei Kampfflugzeuge aus dem 1. Weltkrieg, links das Jagdflugzeug Fokker D VII, 1918 (O), rechts dahinter das Aufklärungsflugzeug Rumpler C IV, 1917 (O), ein Dreidecker Fokker Dr I, 1917 (N), sowie die Gondel des Parseval-Luftschiffs P. L. 2, 1908 (O).

wendet sich nach links zur alten Luftfahrthalle (Flugtechnik bis 1918). Auf dieser Ebene weitergehend kommt er in die neue Luftfahrthalle (Flugzeuge mit Propeller/Kolbenmotorantrieb) mit dem 2. Zwischengeschoß (Flugmodelltechnik, Rettung und Sicherheit). Die Führungslinie setzt sich im Erdgeschoß fort (Flugzeuge mit Strahlturbinenantrieb, Hubschrauber, Segelflugzeuge). Auf dem Weg ins Erdgeschoß gelangt der Besucher in das 1. Zwischengeschoß (Flugsicherung, Flugführung und Navigation).

Anfänge der Flugtechnik bis 1918

1. Obergeschoß

Die frühe Geschichte der Luftfahrt von den Anfängen bis 1918 ist in der *alten Luftfahrthalle* dargestellt.

Die gezeigte Entwicklungsgeschichte des Flugzeugs reicht vom *Flug in der Natur* über die ersten Flugversuche des Menschen bis zur Flugtechnik bei Ende des 1. Weltkriegs. Parallel dazu ist die Geschichte des Luftfahrzeugs *Leichter als Luft* vom Ballon zum Luftschiff dargestellt. Gesondert wird die Entwicklung des Drachens vom bunten, anregenden Spielzeug zum technischen Hilfsmittel aufgezeigt.

Die Geschichte der Luftfahrt beginnt konkret am 4. Juni 1783, als die Brüder Montgolfier in Frankreich erstmals einen Heißluftballon vorführen. Mit einer *Montgolfiere* begann dann auch am 21. November 1783 die bemannte Luftfahrt. So steht am Anfang der Abteilung Luftfahrt auch eine detailgetreue Modelldemonstration dieses ersten Ballonaufstiegs. Der gasgefüllte Ballon setzte sich bald gegenüber dem Heißluftballon durch. Die Versuche, den Ballon steuerbar zu machen und daraus das Luftschiff zu entwickeln, blieben so lange erfolglos, bis eine geeignete Antriebsmaschine, der leichte schnellaufende Ottomotor, zur Verfügung stand. Die ersten brauchbaren Luftschiffe entstanden um 1900. Neben den Pralluftschiffen – die Gondel des Pralluftschiffs Parseval P. L. 2 (1908) wird im Original gezeigt – wurden die großen Starrluftschiffe in Deutschland von Graf Ferdinand von Zeppelin sowie von Johann Schütte und Karl Lanz entwickelt.

Seine eigentliche Bedeutung erlangte das Luftschiff als Fernverkehrsmittel. Bereits 1909 wurde das erste Luftverkehrsunternehmen, die *Deutsche Luftschiffahrts-AG*, gegründet. In den dreißiger Jahren konnte mit Zeppelin-Luftschiffen dann erstmals ein regelmäßiger Luftverkehr über den Atlantik aufgenommen werden. Anhand von Bauteilen, Modellen und bildlichen Darstellungen wird ein Überblick über die Entwicklungsgeschichte der Luftschiffahrt geboten.

Auf der gegenüberliegenden Seite der Halle zeigen fliegende Pflanzensamen, Insekten, Saurier und natürlich Vögel die Vielfalt des Fluges in der Natur – vom einfachen Fallschirmflieger bis zum höchst komplizierten Bewegungsmechanismus und zum vollendeten Hochleistungsflügel segelnder Vögel. Besonders hervorgehoben ist eine biotechnische Musterentwicklung, nämlich die des eigenstabilen Flugzeugs *Etrich-Rumpler Taube* (1910), aus einem tropischen Flugsamen (Zanonia).

Aufstieg der ersten bemannten Montgolfiere (Di)

Am 21. November 1783 erhob sich der Heißluftballon, der nach seinen Erfindern *Montgolfiere* benannt wurde, mit den beiden ersten Luftfahrern im Garten des Schlosses La Muette bei Paris. Er landete in ca. 10 km Entfernung nach einer Flugdauer von 25 Minuten. Der Ballon bestand aus einer mit Papier beklebten und bemalten Stoffhülle, einer Galerie aus stoffbespannten Weidenruten und einem Feuerrost im Inneren, der von der Galerie aus beheizt werden konnte.

Eine Videothek mit Filmen zu den verschiedenen Flugarten in der Natur und schließlich ein Film über den ersten Flug eines Menschen mit eigener Muskelkraft zeigen die Unterschiede zwischen den Wegen der Natur und der Technik bei aller grundsätzlichen Ähnlichkeit. Das erste erfolgreiche Muskelkraftflugzeug in Deutschland *Musculair I* (1984) von Günter Rochelt hat hier seinen Ausstellungsplatz gefunden.

Von Otto Lilienthal (1848–1896), der den Vogelflug intensiv studiert und die aerodynamischen Vorteile des gewölbten Tragflügels erkannt hatte, sind drei Versuchstragflächen ausgestellt. Lilienthal erforschte damit an einem Rundlaufapparat das Auftriebs- und Widerstandsver-

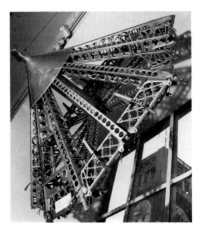

Bugspitze des Zeppelin-Luftschiffes LZ 127 (O)

Die LZ 127 *Graf Zeppelin* führte ihre erste Fahrt 1928 durch. Die *Graf Zeppelin* war das erfolgreichste Luftschiff der Zeppelin-Reihe und wurde berühmt durch spektakuläre Fahrten u.a. über den Nordatlantik, um die Welt und in die Arktis. Fünf May-bach-Motoren mit je 530 PS (390 kW) Leistung gaben LZ 127 eine Geschwindigkeit von maximal 118 km/h. Die Reisegeschwindigkeit betrug 100 km/h. Mit einer Länge von über 230 m war die *Graf Zeppelin* dreimal so lang wie die Boeing 747 *Jumbo Jet*.

halten von Tragflügeln und benutzte dabei als erster die heute noch übliche Darstellung der Luftkräfte in Form der Tragflügelpolare.

Zwei Gleitflugapparate (Nachbildungen), ein Eindecker und ein Doppeldecker, dokumentieren Otto Lilienthals Flugversuche (1891–1896), die heute allgemein als die ersten erfolgreichen Flüge des Menschen gelten.

Mit der aerodynamischen Steuerung vervollkommneten die Gebrüder Wright das Flugzeug und schufen damit die Voraussetzung für den Flug mit Motorkraft, der ihnen erstmals am 17. Dezember 1903 gelang. Ausgestellt ist das einzige noch existierende Exemplar (1909) der ersten praktisch brauchbaren und in Serie gebauten Wright-Flugzeuge.

Das erste deutsche Motorflugzeug, mit dem Hans Grade 1909 den ersten deutschen Flugpreis gewann, ein Flugzeug des Typs, mit dem Louis Blériot im gleichen Jahr den Ärmelkanal überflog, und die *Etrich-Rumpler-Taube,* mit der Hellmuth Hirth 1911 den ersten Fernflug in Deutschland von München nach Berlin ausführte, zeigen den raschen Fortschritt der Flugtechnik. Am Beispiel des Aufklärers *Rumpler C IV* (1917/18) und des Jagdflugzeugs *Fokker D VII* (1918) wird schließlich der technische Stand gegen Ende des 1. Weltkriegs gezeigt.

1. Obergeschoß (Neue Luftfahrthalle)

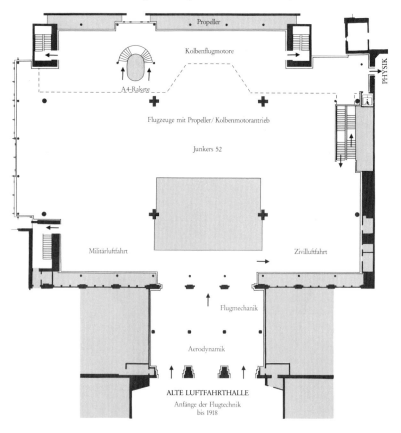

Aerodynamik und Flugmechanik

1. Obergeschoß

Im Übergangsraum von der alten zur neuen Luftfahrthalle werden die wesentlichen physikalischen Grundlagen des Fliegens sowie Arbeitsmethoden und experimentelle Hilfsmittel der Aerodynamik dargestellt.

Die Aerodynamik befaßt sich mit der Umströmung und den Luftkräften an angeströmten Körpern, was in einer Reihe von Demonstrationen veranschaulicht wird. In einem Wasserkanal wird die Form der Umströmung unterschiedlich geformter Körper sichtbar gemacht. Die Druckverteilung um ein angeströmtes Tragflügelprofil wird in einem Windkanalversuch direkt gemessen und sichtbar gemacht. Die Widerstandskräfte auf unterschiedlich strömungsgünstig geformte Körper werden in einem Luftstrom im Vergleich gemessen. Der Zusammenhang zwischen tragenden Auftriebskräften und hemmenden Widerstandskräften wird an einem Tragflügel im Luftstrom in der seit Otto Lilienthal üblichen Form der Flügelpolare direkt demonstriert.

Bei der Umströmung eines Tragflügelprofils wirkt sich die Reibung im wesentlichen nur in einer dünnen wandnahen Schicht, der «Grenzschicht», aus. In einem Demonstrationsversuch wird das Strömungsverhalten in der Grenzschicht sichtbar und hörbar gemacht.

Seit Beginn der Flugtechnik ist es nicht möglich gewesen, die Luftkräfte für die jeweils aktuellen Flugzeugkonzepte aufgrund einfacher physikalischer Gesetze theoretisch genau vorauszubestimmen. Deshalb

Demonstration der Druckverteilung an einem Tragflügelmodell im Windkanal
Das Tragflügelmodell wird in einem Windkanal angeströmt. Die Unter- und Überdrücke an der Flügelober- und -unterseite werden erfaßt und direkt an Flüssigkeitssäulen angezeigt. Die Veränderung der Druckverteilung mit dem Anstellwinkel ist ein Maß für die Veränderung der Auftriebskräfte.
Der Luftstrom wird in einem Windkanal mit geschlossenem Luftkreislauf erzeugt, der etwa einem verkleinerten Modell eines typischen Niedergeschwindigkeitswindkanals entspricht.

wurden von Anfang an Modellversuche mit Hilfe von Versuchsanlagen zur Schaffung direkt anwendbarer Arbeitsgrundlagen ausgeführt.

So hatten die ersten wirklich erfolgreichen Flugpioniere lange vor ihren Flugversuchen ausführliche Luftkraftmessungen an einer großen Anzahl von Tragflügelmodellen ausgeführt. Ein verkleinertes Modell eines Rundlaufgeräts von Otto Lilienthal (1873) und eine Nachbildung des Windkanals von Orville und Wilbur Wright (1901) sind ausgestellt. Auch heute werden zur Entwicklung neuer Flugzeuge umfangreiche Messungen in großen Windkanalanlagen durchgeführt. Arbeitsweise und Hilfsmittel der experimentellen Aerodynamik werden an einer Sammlung von Windkanalmodellen (z. B. von Airbus und Tornado) sowie einer Demonstration zur elektrischen Kraftmessung an einem Windkanalmodell exemplarisch vorgestellt.

Die mögliche Steigerung der Fluggeschwindigkeit bis in den Bereich der Schall- und Überschallgeschwindigkeit mit Hilfe des Strahlantriebs machte in den vierziger Jahren wesentliche aerodynamische Neuentwicklungen, wie z. B. den Pfeilflügel, notwendig. Neue Meßmethoden wurden gleichzeitig entwickelt. In einem kleinen Überschallwindkanal wird mit Hilfe einer optischen Einrichtung die Hochgeschwindigkeitsströmung um einen Keil sichtbar gemacht.

Während sich die Aerodynamik vor allem mit den auf das Flugzeug wirkenden Luftkräften befaßt, beschäftigt sich die Flugmechanik mit der Steuerung und der Stabilität des Flugzeugs sowie mit den Flugleistungen.

An einem einfachen Flugsteuerungssimulator kann man über die üblichen Steuerorgane eines Flugzeugs (Steuerknüppel und Fußpedale) beliebige Ruderausschläge an einem gefesselt aufgehängten Flugzeugmodell einstellen und die daraus entstehenden Bewegungen des Flugzeugs um alle drei Achsen direkt vor sich erleben.

In einer Demonstration zur Längsstabilität eines Flugzeugs wird der wesentliche Einfluß der Schwerpunktlage gezeigt.

Flugzeuge mit Propeller/Kolbenmotorantrieb

1. Obergeschoß

Unmittelbar nach dem 1. Weltkrieg war der Bau von Militärflugzeugen in Deutschland verboten. Deshalb kamen als erste Nachkriegsentwicklungen Verkehrsflugzeuge auf den Markt. Ein herausragendes Beispiel dafür ist die wellblechbeplankte *Junkers F 13*. Sie ist auf der rechten Seite der Halle zu sehen. Die *F 13* ist das erste eigens für den Luftverkehr gebaute Flugzeug. Ihre spezielle Bauweise (Ganzmetallstruktur, freitragender Tiefdecker, geschlossene, bequeme Passagierkabine) war richtungweisend für den Flugzeugbau. Über 300 Stück wurden davon in alle Welt verkauft und im Post-, Fracht- und Passagierdienst geflogen. Im Hintergrund der *F 13* wird mit Bild, Text und zahlreichen Flugzeugmodellen ein Überblick über die Entwicklung der Verkehrsflugzeuge und des Luftverkehrs gegeben.

Den Mittelpunkt der Halle nimmt die *Junkers Ju 52* ein. Sie kam 1932

Junkers F 13, 1919 (O), darüber *Messerschmitt M 17*, 1925 (O)
Die *F 13* war das erste echte Verkehrsflugzeug. Gebaut wurde es in der damals noch nicht üblichen Ganzmetallbauweise. Das robuste Flugzeug war bis in die dreißiger Jahre in allen Erdteilen anzutreffen. Das schwach motorisierte Sportflugzeug *M 17* zeichnete sich durch gute Flugleistungen aus, die aus dem extremen Leichtbau resultierten. Mit der *M 17* gelang erstmals die Überquerung der Alpen durch ein Leichtflugzeug.

Messerschmitt Bf 109 E, 1938 (O)
Die Bf 109 war das Standardjagdflugzeug der deutschen Luftwaffe während des 2. Weltkriegs. Der 1100 PS (810 kW) starke Motor Daimler Benz DB 601 verlieh der Baureihe E eine Höchstgeschwindigkeit von 570 km/h.

auf den Markt. Mit über 5000 Stück ist sie das meistproduzierte militärische Transport- und zivile Verkehrsflugzeug Deutschlands.

Auf der linken Seite der Halle zur Fensterfront hin ist die Militärluftfahrt dargestellt. Das von Willy Messerschmitt konstruierte Jagdflugzeug *Messerschmitt Bf 109* repräsentiert den Stand der Flugzeugtechnik Mitte der dreißiger Jahre: extrem leichte Schalenbauweise, widerstandsarme aerodynamische Formgebung und Hochleistungsmotor.

Die Produktion der Militär- und Verkehrsflugzeuge machte zweifellos den größten Teil der Luftfahrtindustrie aus. Aber auch die Herstellung von kleineren Flugzeugen (Sport-, Reise- und Schulflugzeuge) war von beträchtlicher wirtschaftlicher Bedeutung. Berühmte Beispiele sind ausgestellt: die *Messerschmitt M 17* und *Klemm 25,* beide besonders leichte Holzkonstruktionen der zwanziger Jahre (hängen über der Junkers *F 13*), die *Junkers A 50 Junior* in Ganzmetallbauweise und der *Focke-Wulf Fw 44 Stieglitz,* ein Flugzeug, mit dem in den dreißiger Jahren Kunstflugmeisterschaften gewonnen wurden. Die *Messerschmitt Bf 108* (1934) galt als das schnellste Reiseflugzeug seiner Zeit; das militärische Verbindungsflugzeug *Fieseler Fi 156 Storch* (1936) war für seine Langsamflugeigenschaften berühmt (beide links in der Halle ausgestellt). Die *Dornier Do 27* (1956) war die erste Nachkriegsentwicklung von Claude Dornier; ähnlich wie der *Fieseler Fi 156 Storch* war sie für geringe Start- und Landegeschwindigkeiten ausgelegt.

Blick in die 1984 eröffnete neue Luft- und Raumfahrthalle
Im Erdgeschoß sind Flugzeuge mit Strahlantrieb, Segelflugzeuge und Hubschrauber ausgestellt, im ersten Obergeschoß propellergetriebene Flugzeuge. Im zweiten Obergeschoß wird die Raumfahrt dargestellt.

Umlaufmotor Oberursel, 1914 (O, V)
Dieser Umlaufmotor vom Typ *Oberursel «U O»* leistete etwa 67 kW und wurde in Deutschland 1914 gebaut. Der wesentliche Vorteil der Umlaufmotoren war neben der Zuverlässigkeit ihr niedriges Gewicht. Dem standen jedoch große Massen- und Kreiselkräfte entgegen, die sich stark auf die Manövrierfähigkeit der Flugzeuge auswirkten, sowie der relativ hohe Kraftstoff- und Schmierstoffverbrauch. Umlaufmotoren wurden bis Ende des 1. Weltkriegs verwendet.

Kolbenflugmotoren und Propeller

1. Obergeschoß

Die ersten Flugmotoren waren noch umgebaute Automobilmotoren (ausgestellte Beispiele: *Bariquand et Marre, Daimler* E4F). Um 1909 kamen schon eigens für den Antrieb von Flugzeugen entwickelte Motoren zum Einsatz, so u. a. die französischen Umlaufmotoren; es waren luftgekühlte Sternmotoren, bei denen der Zylinderstern umlief und die Kurbelwelle feststand. Ein Funktionsmodell wird vorgeführt. Diese spezielle Funktionsweise verbesserte die problematische Kühlung und die Laufruhe.

Der 1. Weltkrieg brachte eine beträchtliche Steigerung der Motorleistung. Zum Vergleich: *Oberursel UI* (1914), 80 kW (1 kW = 1,36 PS) und *BMW IV* (1919), 177 kW.

In der Nachkriegszeit richtete sich das Interesse verstärkt auf erhöhte Wirtschaftlichkeit und Zuverlässigkeit, eine wichtige Voraussetzung für den Einsatz in Verkehrsflugzeugen. Wassergekühlte Reihenmotoren konkurrierten mit luftgekühlten Sternmotoren (Vergleich: *BMW VI* und *Pratt & Whitney Hornet*). Der deutsche Lizenzbau des Hornets, der *BMW 132*, ist in dem Flugzeug *Junkers Ju 52* eingebaut.

Junkers Ju 52/3m, 1932 (O)
Die wegen ihrer Robustheit und Zuverlässigkeit weltbekannte *Ju 52* war in den dreißiger Jahren das Standardverkehrsflugzeug der Deutschen Lufthansa. Der größte Teil der 5000 gebauten Maschinen war allerdings als Transportflugzeug während des 2. Weltkriegs eingesetzt. Ein Zeichen für die Qualität des Flugzeugs ist, daß heute noch einzelne Exemplare flugfähig sind.

Die Rüstungsanstrengungen vor und im 2. Weltkrieg trieben die Motorentechnik an die Grenze ihrer Entwicklungsfähigkeit. Leistungen um 1500 kW wurden erreicht. Beispiele dafür sind: *Daimler Benz DB 601* (1937), 800 kW, *Junkers Jumo 213* (1944), 1380 kW und *BMW 801 J* (1943), 1300 kW.

Die Endstufe der Kolbenmotorenentwicklung dokumentieren die Großmotoren der amerikanischen Langstreckenbomber und Langstrecken-Verkehrsflugzeuge der Nachkriegszeit: *Pratt & Whitney R-4360* (1945), 2600 kW und *Wright R-3350* (1953), 2500 kW.

Nach dem 2. Weltkrieg wurden die Kolbenmotor/Propellerantriebe von den Strahltriebwerken verdrängt, zunächst in den Militärflugzeugen und Ende der fünfziger Jahre auch in den Verkehrsflugzeugen. Ein Grund dafür ist, daß der Propellerantrieb in der Fluggeschwindigkeit begrenzt ist, mit Strahlantrieben hingegen können wesentlich höhere Fluggeschwindigkeiten erreicht werden.

Neben den Hochleistungsmotoren für Kriegs- und Verkehrsflugzeuge ist aber auch eine breite Palette von kleineren Motoren entwickelt worden, hauptsächlich für den Einsatz in Sport-, Reise- und Schulungsflugzeugen. Dieser industrielle Bereich ist auch heute noch von beträchtlicher wirtschaftlicher Bedeutung. Die Entwicklung in diesem Anwendungsbereich ist mit etwa fünfzehn Typen dokumentiert.

Weitere Flugmotoren sind in der Kraftmaschinenabteilung im Erdgeschoß neben der Luftfahrtabteilung ausgestellt (S. 201).

Zur Umsetzung der Motorleistung in Vortriebsleistung dient der Propeller.

Die Entwicklung der Propeller wird an etwa fünfundzwanzig Beispielen gezeigt. Sie führte von dem einfachen verwundenen Blechpaddel zu komplexen Konstruktionen aus lamelliertem Holz, aus Leichtmetall, aus faserverstärktem Kunststoff oder Stahl.

Die Entwicklung der Propeller wird an etwa fünfundzwanzig Beispielen gezeigt. Sie führte von dem einfachen verwundenen *Blechpaddel* zu komplexen Konstruktionen aus lamelliertem Holz, aus Leichtmetall oder Stahl. Wesentliches Element der Propellerkonstruktion ist die

Verstellbarkeit der Blätter. Ein Funktionsmodell zeigt den Verstellmechanismus. Der Anstellwinkel der Propellerblätter muß stets der jeweiligen Fluggeschwindigkeit und Motorleistung angepaßt werden, um den größtmöglichen Wirkungsgrad zu erzielen. Das Stellgetriebe muß dabei große Drehmomente übertragen und große Fliehkräfte und Wechselbeanspruchungen aufnehmen.

Erdgeschoß (Neue Luftfahrthalle)

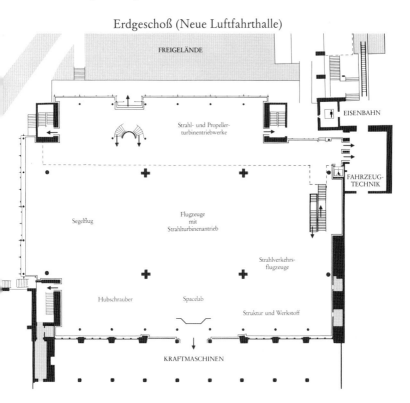

Strahl- und Propellerturbinentriebwerke

Erdgeschoß

Strahlturbinentriebwerke unterscheiden sich grundsätzlich von Kolbenmotor/Propellerantrieb. Beim Kolbenmotor läuft der gesamte thermodynamische Arbeitsprozeß – *Ansaugen der Luft, Verdichten, Verbrennung und Expansion* – in einem einzelnen Zylinder ab, wobei ein verhältnismäßig schwerer Kolben mit hoher Geschwindigkeit auf- und abschwingt. Große, wechselnde Massenbeschleunigungen und Schwingungen sind die Folge. Massive Konstruktionen sind erforderlich.

Im Turbinentriebwerk läuft der Prozeß dagegen räumlich nacheinander ab, und nur rotierende Massen sind daran beteiligt: Ein rotierender Verdichter saugt Luft an und verdichtet sie auf hohen Druck. In der Brennkammer wird Brennstoff eingespritzt und mit der Luft verbrannt. Die Luft wird – bei gleichbleibendem Druck – auf hohe Temperatur erwärmt. Die erhitzte Luft strömt, sich ausdehnend, durch die nachge-

Messerschmitt Me 262 A, 1944 (O), darüber *Messerschmitt Me 163 B,* 1941 (O)
Das Jagdflugzeug *Me 262* war das erste Flugzeug mit Strahlantrieb, das in Serie gefertigt und eingesetzt wurde. Der damals neuartige Antrieb verlieh dem Flugzeug eine Höchstgeschwindigkeit von 870 km/h. Die *Me 163* war ein raketengetriebener Abfangjäger. Da die Brenndauer des Triebwerks mit 5 Minuten sehr kurz war, wurden die Flugzeuge im Gleitflug gelandet.

schaltete Turbine und gibt dabei einen Teil ihrer Energie ab. Die Turbine treibt den Verdichter an. Die Restenergie wird in der anschließenden Schubdüse in kinetische (Geschwindigkeits-) Energie umgewandelt. Die Luft verläßt als Luftstrahl mit hoher Geschwindigkeit die Düse. Entscheidend für die Größe der Schubkraft ist die pro Sekunde durchströmende Luftmasse und die Differenz der Geschwindigkeiten des einströmenden und ausströmenden Luftstromes.

Eine andere Möglichkeit besteht darin, die Restenergie in einer zweiten Turbine zu verarbeiten, die einen Propeller antreibt. Diese Bauart wird Propellerturbinentriebwerk (Turboprop) genannt.

Das Strahltriebwerk hat einen revolutionierenden Einfluß auf die Luftfahrt ausgeübt. Die beschriebene Arbeitsweise zusammen mit dem Vorteil, daß auch der Propeller wegfällt, erlaubt wesentlich höhere Leistungen, größere Flughöhen und höhere Fluggeschwindigkeiten – bis weit in den Überschallbereich. Die ersten Strahltriebwerke wurden in den dreißiger Jahren von Frank Whittle in England und von Hans Joachim Pabst von Ohain in Deutschland entwickelt; ein Nachbau des ersten Heinkel/Ohain-Triebwerkes *He S3B* ist ausgestellt. Mit diesem Triebwerk wurde am 27. August 1939 der erste «Düsenflug» der Welt durchgeführt. Im 2. Weltkrieg kamen die ersten Strahltriebwerke zum Kriegseinsatz: das Junkers-Triebwerk *Jumo 004* (eingebaut in der ausgestellten

Me 262) und das *BMW* 003-Triebwerk (ein Längsschnitt ist hier ausgestellt).

Die englisch-amerikanische Bauweise unterschied sich damals noch in
einigen Elementen von den deutschen Konstruktionen; die deutschen
Triebwerke waren überwiegend reine Axial-Triebwerke, die englischen
Triebwerke hatten noch einen Zentrifugal-Verdichter. Das Schnittmodell *Allison J33* illustriert die Unterschiede. Bedeutende Verbesserungen
in allen Teilsystemen des Triebwerkes, darunter die Verstellbarkeit der
Verdichterleitschaufeln *(General Electric J 79)*, machten das Triebwerk
nicht nur leistungsfähiger (höhere Schubkraft), sondern vor allem auch
wirtschaftlicher, ein besonders kritischer Punkt bei Strahltriebwerken.
Zwei- und Dreiwellen-Triebwerke mit großem Nebenstromverhältnis
kennzeichnen weitere Entwicklungsschritte, die den wirtschaftlichen
Einsatz auch in Verkehrsflugzeugen ermöglichten.

Den Stand der Technik in den siebziger Jahren dokumentieren das
Dreiwellen-Strahltriebwerk *Turbo-Union RB 199* (Längsschnitt) des
Mehrzweckkampfflugzeuges *Panavia Tornado* und das Zweiwellen-
triebwerk mit großem Frontgebläse *Pratt & Whitney JT 9D* (Längsschnitt) für den *Jumbo Jet Boeing 747* und in ähnlicher Bauart das
General Electric CF 6 (am *Airbus*-Flügel). Ferner sind Triebwerke für
Senkrechtstartflugzeuge ausgestellt, so das Triebwerk mit schwenkbaren Schubdüsen, das gleichzeitig für Senkrechtstart und Horizontal-
flug geeignet ist *(Rolls Royce Pegasus)* und das extrem leichte reine
Senkrechtstarttriebwerk *Rolls Royce RB 162* (eingesetzt im Transportflugzeug *Dornier Do 31*).

Wirtschaftlich und leise: das Strahltriebwerk *CF 6* von 1971 (O) der amerikanischen
Firma General Electric für das europäische Verkehrsflugzeug *Airbus A 300*. Das
Triebwerk wird seit 1971 im Luftverkehr verwendet und leistet ca. 250 kN (25 000
Kilopond) Schub.
Der Luftdurchsatz beträgt etwa 660 kg pro Sekunde. Auch in anderen Flugzeug-
mustern wie *Boeing 747* und *Douglas DC 10* wird das *CF 6*-Triebwerk eingesetzt.

Reine Strahlturbinen sind aus Wirtschaftlichkeitsgründen vor allem für hohe Geschwindigkeiten – nahe der Schallgeschwindigkeit und darüber – geeignet.

Wenn es auf hohe Geschwindigkeiten weniger ankommt, verwendet man weiterhin den altbewährten Propeller. Allerdings ist zum Antrieb der Kolbenmotor von den Propellerturbinentriebwerken verdrängt worden. Sie werden vor allem in militärischen Transportflugzeugen (Triebwerke *Rolls Royce Dart* und *Tyne*), in Geschäftsreiseflugzeugen (*Lycoming ALF 502*) und in Hubschraubern (*Allison 250*) eingesetzt.

Einige weitere Flugtriebwerke befinden sich in der Abteilung Kraftmaschinen, die von der Abteilung Luftfahrt aus über den Durchgang hinter dem *Spacelab* zu erreichen ist (S. 201).

Flugzeuge mit Strahlturbinenantrieb

Erdgeschoß

Am Beginn des Jet-Zeitalters in der Luftfahrt stehen die Raketen- und Strahlturbinenflugzeuge des 2. Weltkriegs. Auf deutscher Seite waren es das Raketenflugzeug Messerschmitt *Me 163* und das Strahlturbinenflugzeug Messerschmitt *Me 262*. Zusammen mit dem ebenfalls ausgestellten Raketenflugzeug *Bachem Natter* und der mit einem Pulso-Triebwerk ausgerüsteten fliegenden Bombe *Fieseler Fi 103* oder *V 1* (Vergeltungswaffe 1) sind sie Zeugnisse des gewaltigen Aufwandes in der Waffenentwicklung während des Krieges.

Zehn Jahre nach Kriegsende erreichten Kampfflugzeuge mehr als zweifache Schallgeschwindigkeit (ca. 2000 km/h) und ein Vielfaches an Zerstörungskraft. Die *Lockheed F-104 G* (neben der *Me 262* stehend) ist ein Beispiel für diese neue Art von Flugzeugen. Die *F-104 G (Starfighter)* wurde Ende der fünfziger Jahre von der 1956 neugegründeten deutschen Luftwaffe übernommen und ab 1960 in der Bundesrepublik in Lizenz hergestellt. Der Wiederaufbau der deutschen Luftfahrtindustrie und der Luftwaffe ist eng mit diesem Flugzeug verknüpft.

Ein eigenständiges, technisch überaus anspruchsvolles und finanziell aufwendiges Entwicklungsprogramm verfolgte die Bundesrepublik in den sechziger und siebziger Jahren. Senkrechtstartende Kampf- und Transportflugzeuge sollten die kilometerlangen, durch Bomben leicht zu zerstörenden Start- und Landebahnen überflüssig machen. Zum Serienbau kam es allerdings wegen einer geänderten strategischen Zielsetzung der NATO nicht mehr. Die Prototypen aller drei Projekte, technisch durchaus erfolgreich, konnten für die Sammlungen des Deutschen Museums beschafft werden: das als überschallschnelles Jagdflugzeug konzipierte Projekt *EWR VJ 101* (hier über der F-104 G hängend), der Jagdbomber *VAK 191* (steht im Depot) der Firmengruppe VFW-Fokker und das Transportflugzeug *Dornier Do 31* (im Museumshof).

Mit dem ersten größeren zivilen Entwicklungsprojekt begann 1964 die Hamburger Flugzeugbau GmbH (HFB). Entwicklungsziel war ein

Lockheed F-104 G Starfighter, 1960 (O), darüber *Entwicklungsring-Süd VJ 101 C,* 1965 (O)

Die *F-104 G* war das Standardkampfflugzeug der bundesdeutschen Luftstreitkräfte bis in die achtziger Jahre. Es war das erste Serienflugzeug, das mehr als zweifache Schallgeschwindigkeit erreichte.

Die *VJ 101 C* war ein Experimentalflugzeug. Es wurde als senkrechtstartendes Nachfolgemuster der *F-104 G* entwickelt. Die Triebwerke an den Flügelspitzen werden zum Senkrechtstart vertikal geschwenkt.

schnelles Geschäftsreiseflugzeug mit Strahlantrieb. Der Prototyp *(HFB 320 Hansa Jet)* ist hier ausgestellt. Trotz technischer Vorzüge wurden nur 40 Flugzeuge verkauft, nicht genug, um daraus einen geschäftlichen Erfolg zu machen.

Der zivile Flugzeugbau in Deutschland (und Europa) nahm erst mit dem Start des *Airbus*-Programms Ende der sechziger Jahre einen bedeutenden Aufschwung. Die Entwicklung des Großraumflugzeuges *Airbus A 300* wurde 1969 von Frankreich und Deutschland gegen scheinbar übermächtige Konkurrenz der USA in Angriff genommen. Heute sind daran und an den Nachfolgeprojekten *A 310, A 320, A 330* und *A 340* etwa 47000 Mitarbeiter in nahezu allen Ländern Europas beschäftigt, davon allein in der Bundesrepublik direkt und indirekt (Zulieferindustrie) 20000 Beschäftigte. Im Jahre 1972 startete der *Airbus A 300* zu seinem Erstflug. Von diesem ersten *Airbus* sind eine Tragfläche mit anmontiertem Triebwerk (aus einem anderen Flugzeug stammend) und Fahrwerk sowie eine Rumpfsektion ausgestellt. Größenordnung und Technik des modernen Flugzeugbaues können daran studiert werden.

Rumpfquerschnitt des Airbus A 300, 1972 (O)
Das Großraumverkehrsflugzeug *Airbus* A 300 wird in europäischer Zusammenarbeit gefertigt. In der Kabine finden bis zu 345 Personen Platz, zusätzlich kann in Unterflurräumen in standardisierten Containern Fracht transportiert werden. Die maximale Nutzlast beträgt 35 Tonnen.

Hubschrauber

Erdgeschoß

Die Entwicklung zu einem einsatzfähigen und zuverlässigen Fluggerät dauerte beim Hubschrauber länger als beim Flugzeug. Erst in den dreißiger Jahren, als mit Flugzeugen bereits Transatlantikflüge durchgeführt wurden, entstanden die ersten brauchbaren Hubschrauber. Das liegt an der komplizierten Mechanik des Hubschraubers, denn mit nur einem Bauteil – dem Rotor – werden Auftrieb und Vortrieb erzeugt und zugleich die Steuerung verwirklicht (Demonstration).

Der erste Hubschrauber mit guten Flugleistungen und guter Steuerbarkeit war die *Focke-Wulf Fw 61*. Ein freifliegendes Modell, das 1934 zur Erprobung des Antriebssystems verwendet wurde, ist ausgestellt. Während des 2. Weltkriegs wurde der Hubschrauber zur Serienreife entwikkelt. Diese und die erste Generation der in der Nachkriegszeit entwikkelten Hubschrauber waren wegen ihrer komplexen Rotor- und Antriebssysteme, wie am teilgeschnittenen *Sikorsky S-55* zu sehen ist, teuer im Unterhalt. Als Mitte der sechziger Jahre leichte und sparsame Wellenturbinen als Antrieb die Kolbenmotoren verdrängten, wurde der Betrieb wirtschaftlicher. Glasfaserverstärkte Kunststoffe, die seit 1965 als Werkstoff für Rotorblätter verwendet werden, ermöglichen einen gelenklosen und damit wartungsfreundlichen Aufbau des Rotors. Als Beispiel ist die *BO 105* der Firma Messerschmitt-Bölkow-Blohm (MBB) ausgestellt.

Segelflug

Erdgeschoß

Der Segelflug ist Flugsport in reinster Form. Seine Entwicklung hat die Flugtechnik grundlegend beeinflußt. Die ersten erfolgreichen Fluggeräte waren motorlose Gleitflugzeuge. Sie entstanden als Versuchsgeräte zur Erforschung der aerodynamischen und flugmechanischen Grundlagen (Lilienthal, Wright).

In der Abteilung Segelflug sind die großen Entwicklungsschritte des Segelfluges dokumentiert. Den ersten Schritt zum Segelflug zeigt allerdings das im 1. Obergeschoß (Anfänge der Flugtechnik) ausgestellte Gleitflugzeug von Otto Lilienthal (1895), der als erster bewies, daß der Mensch fliegen kann.

Nach dem 1. Weltkrieg, als die Beschäftigung mit Motorflug in Deutschland untersagt war, wurde das motorlose Fliegen wiederentdeckt. Es bot die Möglichkeit, mit geringem finanziellen und technischen Aufwand zu fliegen und fliegerisch zu forschen. Mit dem *Vampyr* (1921) wurde der Schritt vom Gleitflug zum Segelflug vollzogen:

Messerschmitt-Bölkow-Blohm BO 105, 1969 (O), dahinter *Sikorsky S-55*, 1949 (O)
Die beiden Exponate repräsentieren zwei Hubschraubergenerationen. Der Fortschritt im Flugzeugbau zeigt sich in den Leermassen. Die moderne *BO 105* ist bei gleicher Nutzlastkapazität von einer Tonne und bei fast gleicher Triebwerksleistung um nahezu eine Tonne leichter. Dies wird erzielt durch eine neue Rotorauslegung (gelenkloser Rotor und Rotorblätter aus glasfaserverstärktem Kunststoff) und eine andere Triebwerksart (Wellenleistungsturbine).

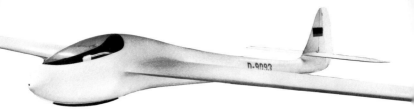

fs 24 Phönix, 1957 (O)
Die Phönix war das erste Segelflugzeug aus glasfaserverstärktem Kunststoff. Diese Bauweise, die bei Segelflugzeugen heute vorherrscht, hat den Vorteil hoher Festigkeit bei geringem Gewicht. Außerdem läßt sich eine hohe Profiltreue erzielen, die für widerstandsarme Laminarprofile Voraussetzung ist.

erstmals gelangen Flüge von mehreren Stunden Dauer. Als man Ende der zwanziger Jahre gelernt hatte, den thermischen Aufwind zu nutzen (Demonstration), stiegen die Flugleistungen sprunghaft an. Der Segelflug konnte nun auch im Flachland betrieben werden: Windenstart und Flugzeugschlepp (Diorama) verdrängten den Gummiseilstart. Das Variometer – ein Instrument, das die Steig- und Sinkgeschwindigkeit des Flugzeuges anzeigt (Demonstration) – wurde zum wichtigsten Instrument des Segelfliegers. In den dreißiger Jahren wurde der Segelflug zum Breitensport und diente der fliegerischen Ausbildung. Neben hochwertigen Leistungsflugzeugen entstanden einfache, robuste Übungsgeräte wie der Schulgleiter *SG 38* (1938).

Der herkömmliche Segelflugzeugbau (Holzbauweise) fand seine Höhepunkte in dem Standard-Leistungsflugzeug *Ka 6* (1958) – dem meistgebauten deutschen Segelflugzeug – und in dem Hochleistungssegler *HKS-3* (1955). Ein neuer Entwicklungsabschnitt begann, als mit der *fs-24 Phönix* (1957) die Kunststoffbauweise in Verbindung mit den modernen Laminarprofilen im Flugzeugbau eingeführt wurde. Während sich der Segelflug als Hochleistungstechnik weiterentwickelte, begann in den siebziger Jahren eine Rückführung des Flugsports, die wieder bei dem ursprünglichen, einfachen Hängegleiter *(Drachen)* ansetzte. Als Beispiel wird der Hängegleiter *Bergfex* (1975) gezeigt.

Ähnlich wie aus der Verbindung des Hängegleiters mit einem kleinen Triebwerk das *Ultraleicht-Flugzeug* entstand (ausgestellt *Ranger M,* 1980), ging aus dem Segelflugzeug mit Hilfstriebwerk der Motorsegler hervor, der sich in seinen stärkeren, zum Eigenstart fähigen Mustern dem leichten Motorflugzeug nähert. Mögliche Energienutzung durch direkte Umwandlung der Sonnenenergie oder durch Muskelkraft wurde neuerdings mit den Versuchsflugzeugen *Solair 1* (1980) und *Musculair 1* (1984), beide von Günter Rochelt, erfolgreich demonstriert. (*Solair 1* ist im Erdgeschoß, *Musculair 1* ist in der alten Luftfahrthalle ausgestellt.)

Struktur und Werkstoff

Erdgeschoß

Die Ausstellung befindet sich zur Zeit noch in der Planung. Das Thema behandelt Geschichte und Technik des Flugzeugbaues. Schwerpunkte werden sein: Entwicklung der Leichtbaustrukturen von der Fachwerk-

zur Schalenbauweise, der Werkstoffe (vom Bambus zur Kohlefaser), der Fertigungsverfahren und der Festigkeitsprüfung.

Am Beispiel des europäischen Verkehrsflugzeugs *Airbus* soll gezeigt werden, wie ein Flugzeug entsteht, von der ersten Idee bis zum Einsatz im Luftverkehrsdienst.

1. Zwischengeschoß (Neue Luftfahrthalle)

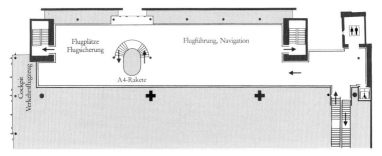

Flugführung und Navigation

1. Zwischengeschoß

Im Gegensatz zu allen anderen Verkehrsmitteln gibt es für Flugzeuge keine festen Bezugslinien oder Zeichen in der Luft. Auch die Lage des Flugzeuges läßt sich nur dann vom Piloten bestimmen, wenn der Horizont sichtbar ist. Zum sicheren Fliegen mit Flugzeugen auch bei schlechten Sichtbedingungen braucht man daher eine Reihe von speziellen Instrumenten.

Für die Flugführung sind die wichtigsten Instrumente Geschwindigkeitsmesser, Höhenmesser und künstlicher Horizont. Bei der Navigation bedient man sich einmal bordeigener Geräte, dazu gehören Kompaß und Trägheitsnavigationsplattform; zum anderen werden Funkempfänger zum Anpeilen von speziellen Sendern verwendet, um so die eigene Position bestimmen zu können. Aus dem Bereich Flugregelinstrumente sind viele einzelne Geräte in Vitrinen ausgestellt. An dem Original Cockpit einer *Boeing 707* kann die für den Laien verwirrende Vielfalt von Bordinstrumenten bestaunt werden. Die Darstellung des Themas Funknavigation befindet sich noch im Aufbau.

Flugsicherung und Verkehrsflug

1. Zwischengeschoß

Der Luftraum über den Industrieländern, auf den Luftstraßen des Weltverkehrs und in der Umgebung von großen Flughäfen ist eng geworden. Beträchtlicher technischer und organisatorischer Aufwand ist nötig, um Flugzeuge unterschiedlichster Größe und Geschwindigkeit der allgemeinen Luftfahrt (Sport-, Privat- und Geschäftsreiseflugzeuge), des regulären Luftverkehrs und der Militärluftfahrt ohne Gefahr für Mensch und Gerät zu leiten.

Mit brennenden Fackeln, die entlang den Flugstrecken für den Nacht-postflug aufgestellt wurden, begann es in den zwanziger Jahren. Heute umspannt ein Netz von Funkfeuern, Nachrichtensendern und Radar-stationen die ganze Erde. Fluglotsen der regierungseigenen Anstalten für Flugsicherung steuern und überwachen den Luftverkehr.

Wie ein Verkehrsflug vom Start bis zur Landung aus der Sicht des Pilo-ten, des Fluglotsen und der Passagiere abläuft, zeigt eine Demonstra-tion: Auf einem Modellflughafen starten und landen auf Plexiglasschie-nen Verkehrsflugzeuge; eine Tonbild-Schau erläutert die Abläufe.

2. Zwischengeschoß (Neue Luftfahrthalle)

RAUMFAHRT

Flugmedizin, Rettung und Sicherheit

2. Zwischengeschoß

Der Vorstoß in den Luftraum brachte für den Menschen extreme physi-sche und psychische Belastungen und vielfältige Gefahren mit sich. Der Fallschirm, im 19. Jahrhundert noch zu spektakulären Schausprüngen vom Ballon verwendet, wurde oft zur letzten Rettung vor dem töd-lichen Absturz. In großen Flughöhen – über 11 km – sinkt die Luft-temperatur auf − 50 °C, der Sauerstoff zum Atmen fehlt. Im Flugzeug muß deshalb eine künstliche Atmosphäre geschaffen werden. Bei Kampfflugzeugen muß der Pilot mit reinem Sauerstoff versorgt wer-den; am Schnittmodell einer automatisch arbeitenden Sauerstoffanlage wird gezeigt, wie die Versorgung funktioniert. Bei schnellen Kurven-flügen lasten auf dem Piloten hohe Zentrifugalbeschleunigungskräfte. Was der Mensch hier ertragen und wie er durch entsprechende Sitzan-ordnung und Schutzanzüge geschützt werden kann, erforschen Flug-mediziner u. a. in Humanzentrifugen (Demonstration anhand einer Modellanlage).

Bei schnellfliegenden Kampfflugzeugen bleibt bei Absturzgefahr nur der Ausschuß aus dem Cockpit mit einem Schleudersitz. Bereits im 2. Weltkrieg sind in Deutschland mit Preßluft betriebene Schleudersitze verwendet worden und haben Pilotenleben gerettet. Ein Nachbau des ersten Schleudersitzes von Heinkel ist ausgestellt. Schleudersitze sind heute hochkomplizierte, vollautomatisch arbeitende Systeme (Schleu-

Schleudersitz, 1967 (O)
Der Schleudersitz ist das
Hauptteil moderner Rettungs-
einrichtungen bei Kampfflugzeugen. Er gewährleistet, daß
das Flugzeug im Notfall bei
hohen Geschwindigkeiten, wie
auch im Stillstand am Boden,
verlassen werden kann.

dersitz von Martin Baker, Lizenzbau Autoflug). Sie sind in der Lage,
den Piloten selbst aus einer am Boden stehenden Maschine heraus-
und so weit hochzuschleudern (mit Raketen), daß er sicher am Fallschirm landen kann.

Nicht nur im Militärflugzeug, auch im Verkehrsflugzeug sind vielfältige
Rettungs- und Sicherheitsausrüstungen vorhanden; ausgestellt sind
Schwimmwesten, Notrutsche, Rettungsinsel, Sauerstoffgeräte.

Flugmodelltechnik

2. Zwischengeschoß

Die Flugmodelltechnik hat eine wichtige Rolle in der Entwicklung der
Luftfahrttechnik gespielt. Flugversuche mit Modellen dienten vor allem
im letzten Jahrhundert der Erforschung der Grundprobleme des Fliegens und der Erprobung von neuen Ideen. Der englische Gelehrte Sir
George Cayley (1773–1857) gilt als ein Begründer der Flugtechnik. Er
demonstrierte im Jahre 1807 mit einem von ihm gebauten Gleitflugmo-
dell überzeugend und noch heute gültig, wie ein stabil fliegendes Flugzeug aufzubauen sei: Tragfläche vorne, Steuerungs- und Stabilisie-
rungsflächen hinten angebracht.

Viele weitere bedeutende Persönlichkeiten der frühen Luftfahrtge-
schichte haben ihren Beitrag zur Lösung des Flugproblems mit Versuchen an Flugmodellen erzielt, darunter Männer wie William Samuel
Henson und John F. Stringfellow (1848), Felix du Temple (1857), Al-

phonse Pénaud (er erfand 1872 den Gummimotor), Victor Tatin (1874), Wilhelm Kress (1885), Samuel P. Langley (1886), Frederik William Lanchester (1895) und Lawrence Hargrave (1888). Auch Otto Lilienthal und die Gebrüder Wright machten Flugstabilitätsversuche mit Modellen, bevor sie selbst den Flug wagten.

Im Laufe des 20. Jahrhunderts hat sich die Flugmodelltechnik verselbständigt und ist zu einem anspruchsvollen Hobby geworden. Die Verbindung zur Luftfahrttechnik mit ständiger gegenseitiger Befruchtung ist allerdings bis heute geblieben.

Die Geschichte und Technik des Flugmodells ist auf ca. 120 m² Ausstellungsfläche in folgenden Gruppen dargestellt: 1. Segelflug, 2. Motor- und Hubschrauberflug, 3. Antriebe, 4. Steuerungen, 5. Zubehör, 6. Modellraketen.

W. Rathjen, G. Filchner, H. Holzer, M. Knopp, W. Heinzerling, H. Trischler

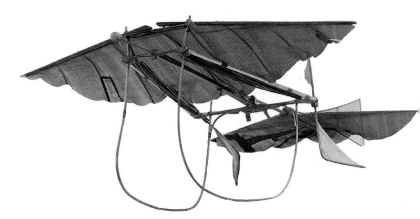

Drachenflieger, 1887 (N)
Ein Flugmodell, genannt «Monoplan», von Wilhelm Kreß. Spannweite 860 mm; Länge 940 mm.

Raumfahrt

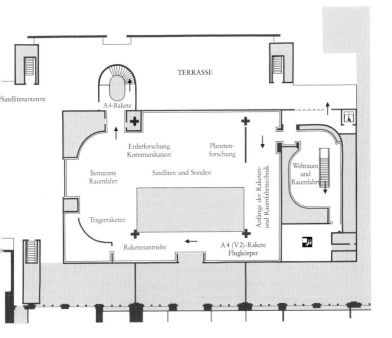

Die Raumfahrt hängt technisch gesehen eng mit der Luftfahrt zusammen. Von der ursprünglichen Zielsetzung her sind es jedoch zwei «verschiedene Welten». Die Flugpioniere wollten fliegen, sich frei im Luftraum bewegen wie ein Vogel, während die Raumfahrer höher hinaus wollten, von der Erde weg zum Mond, zum Mars und noch darüber hinaus zu den Sternen. Suche nach Wahrheit und Gottesnähe war ihr Ziel. Symbolisiert die Sage vom Höhenflug und Absturz des Ikarus den jahrtausende alten Traum vom Fliegen, so zeigt die vom Syrer Lukian verfaßte Satire *Zum Mond und darüber hinaus* (um 120 n. Chr.), daß auch der Raumfahrtgedanke schon recht alt ist und menschliche Phantasie sich nie um die Grenzen technischer Realisierbarkeit kümmerte.

Läßt Lukian noch technische Probleme völlig außer acht, so beschreibt Jules Verne (1828–1905) in seinen Romanen *Von der Erde zum Mond* und *Um den Mond* recht konkret, wie er sich das Raumfahrzeug, die Startanlage, den Start, die Reise zum Mond und die Landung vorstellt.

Er erkennt bereits das Hauptproblem der Raumfahrt: Das Raumfahrzeug muß auf die unvorstellbar hohe Geschwindigkeit von 11,2 km/s (40 000 km/h) beschleunigt werden, damit es die Anziehungskraft der Erde überwinden und hinaus zu einem anderen Himmelskörper fliegen kann. Undurchführbar ist allerdings sein Vorschlag, diese Geschwindigkeit durch einen Schuß aus einer 270 m langen Kanone zu erreichen; kein Lebewesen hielte diese Beschleunigung (Anpreßdruck) aus. Mit Beginn streng wissenschaftlicher und grundlegender Untersuchungen zur Raumfahrt entdeckte man bald, daß nur die mehrstufige Flüssigkeitsrakete den Weg in den Weltraum ermöglicht.

Dieses erkannt zu haben, ist das Verdienst vor allem von drei Persönlichkeiten: des Russen Konstantin Eduardowitsch Ziolkowski (1857 bis 1935), des Amerikaners Robert H. Goddard (1882–1945) und des Deutschen Hermann Oberth (1894–1989). Vor allem die Arbeiten Oberths *Mit der Rakete zu den Planetenräumen* (1923) und *Wege zur Raumschiffahrt* (1928) legten die technisch-wissenschaftlichen Grundlagen zur Raumfahrt.

Erste Experimente mit Flüssigkeitsraketen begannen in den zwanziger Jahren (Start der ersten Flüssigkeitsrakete von Goddard am 16. März 1926). In den dreißiger Jahren übernahm in Deutschland das Militär die Entwicklung der Rakete als weitreichendes Artilleriegeschoß. Ausschlaggebend dafür waren einmal die Fortschritte der Raketentechnik, zum anderen sah man sich durch die Einschränkungen des Versailler Vertrages gezwungen, sich nach neuen Waffenentwicklungen umzusehen. Am 3. Oktober 1942 fand der erste erfolgreiche Versuchsstart einer Großrakete in Peenemünde an der Ostsee statt; sie erreichte eine Höhe von 90 km und kam damit der Grenze zum Weltraum sehr nahe. Diese *A 4* (Aggregat 4) genannte Rakete war in zehnjähriger Entwicklungsarbeit unter der technischen Leitung Wernher vor Brauns geschaffen worden. Als *Vergeltungswaffe 2 (V 2)* erlangte sie zwei Jahre später eine traurige Berühmtheit. Sie wurde zur Bombardierung großer Bevölkerungszentren wie London und Antwerpen eingesetzt. Nach dem 2. Weltkrieg führte der zunehmende *Kalte Krieg* zwischen Ost und West zu ihrer raschen Weiterentwicklung als atomwaffenbestückte Interkontinentalrakete.

Am 4. Oktober 1957 startete die Sowjetunion mit einer abgewandelten militärischen Rakete den ersten Satelliten, *Sputnik I,* in den Weltraum – für die ganze Welt eine Sensation, für die USA ein Schock. Die Überlegenheit der USA war in Frage gestellt. Am 1. Februar 1958 zogen die Amerikaner mit einer von Wernher von Braun und seiner Mannschaft aus der *A 4* entwickelten Rakete nach und brachten ihren ersten Satelliten *Explorer I* ins All.

In den sechziger Jahren machte die Raumfahrt Schlagzeilen in der Weltpresse, und das Fernsehen ließ alle Welt teilhaben an den spektakulären Ereignissen: 12. April 1961 der erste Mensch im Weltraum – der Russe Jurij Gagarin –, im März 1965 der erste freie Ausstieg eines Menschen in den Weltraum – der des Russen Alexei Leonow. Es folgten Gruppenflüge, Kopplungsmanöver und schließlich der Flug zum Mond. Am 21. Juli 1969 setzte als erster Mensch der Amerikaner Neil Armstrong den Fuß auf den Mond. In den siebziger Jahren unternahmen die Amerikaner weitere Mondlandungen; in der Sowjetunion wurden Flüge zu und monatelange Aufenthalte in *Saljut*-Raumstationen zur Routine.

In den achtziger Jahren gelang auch den Europäern der Einstieg in die bemannte Raumfahrt. Im Herbst 1983 brachte der amerikanische

Raumtransporter *Space Shuttle* das in Europa entwickelte Raumlaboratorium *Spacelab* in eine Erdumlaufbahn. Der deutsche Wissenschaftsastronaut Ulf Merbold flog als Nutzlastexperte mit. Das Raumlabor *Spacelab* eröffnete nicht nur den Wissenschaftlern, sondern auch der Industrie völlig neue Dimensionen ihrer Arbeit. Im Herbst 1985 folgte eine Spacelab-Mission unter der Bezeichnung *D 1*, wobei die Bundesrepublik Deutschland die alleinige Verantwortung und Finanzierung des wissenschaftlichen Teils der Mission trug. Die Sowjets haben Ende der achtziger Jahre Flüge zu ihrer Raumstation *Mir* fast zur Routine werden lassen und die Aufenthaltsdauer der Astronauten auf mehrere Monate ausgedehnt.

Die Europäer konzentrieren ihre Bemühungen auf die *Columbus*-Raumstation, die als Teil der amerikanischen Station 1997 ins Weltall gebracht werden soll.

Weniger spektakulär, dafür aber um so bedeutungsvoller, entwickelte sich die unbemannte Raumfahrt.

Die Telekommunikation (s. S. 296) ist ohne die Raumfahrt heute nicht mehr denkbar. Die Vermittlung von Telefongesprächen, Fernsehsendungen und Daten über geostationäre Nachrichtensatelliten ist zum Standard geworden. Die Organisation und der Betrieb laufen über große kommerzielle Gesellschaften (z. B. Intelsat).

Meteorologische Satelliten überwachen mit automatischen Meßgeräten das Wettergeschehen in der Erdatmosphäre und können neben Bildern der Erdoberfläche auch viele andere meteorologische Meßgrößen übermitteln.

Erderkundungssatelliten gewinnen immer größere Bedeutung für die Umweltforschung. Ihre Kameras erreichen Auflösungen, die man früher nur von militärischen Satelliten her kannte.

Navigationssatelliten ermöglichen die Erstellung von präzisen Positionsangaben selbst mit kleinen transportablen Empfangsgeräten, so daß sie sogar schon im Straßenverkehr eingesetzt werden.

Wissenschaftliche Satelliten mit optischen und radiometrischen Teleskopen liefern Daten für die extraterrestrische Forschung ohne den störenden Einfluß der Erdatmosphäre.

Große wissenschaftliche Erfolge hat man mit den Planetensonden erzielt. Bis auf den Pluto gibt es heute detaillierte Aufnahmen von allen Planeten. Die erfolgreichen Voyager-Sonden sollen bei ihrer Reise durchs Weltall noch in diesem Jahrzehnt erste Meßdaten über den interstellaren Raum außerhalb unseres Sonnensystems liefern.

Die extremen Anforderungen an die Technik für sichere und zuverlässige Raumfahrtsysteme führen zu enormen Kosten; viele Ergebnisse aus Forschung und Entwicklung im Raumfahrtbereich haben aber auch Eingang in andere Bereiche gefunden (Mikroelektronik, Computertechnik, Werkstoffe, Systemtechnik u. a.).

Die Kosten für den Transport von Nutzlasten ins Weltall sollen durch Einführung von wiederverwendbaren Systemen erheblich gesenkt werden.

Zur Ausstellung

Seit Eröffnung der neuen Luft- und Raumfahrthalle 1984 präsentiert sich die Abteilung Raumfahrt in einem eigenen Geschoß, das man am besten über die große Freitreppe aus der Luftfahrt erreicht. Das *Spacelab* steht aus Platzgründen im Erdgeschoß, gehört aber zur Ausstellung Raumfahrt. Am Ende des dunklen Einführungsraumes befindet sich der kleine Filmraum, in dem über 100 Exponate von den ersten Raumfahrtprojekten der Bundesrepublik Deutschland aus den sechziger und siebziger Jahren zu sehen sind.

Weltraum und Raumfahrt

Der Besucher gelangt, aus der erdbezogenen Welt der Luftfahrt kommend, in den Einführungsraum der Abteilung Raumfahrt. Mystisches Dunkel empfängt ihn. Gleich am Anfang wird er mit der Gegenüberstellung von Phantasie und Wirklichkeit konfrontiert. Ein Holzschnitt aus dem 16. Jahrhundert zeigt einen Gelehrten, der eine Leiter an das Himmelsgewölbe lehnt, den Drang zu den Sternen symbolisierend; daneben schwebt ein Raumfahrer frei im Weltraum.

Im weiteren Rundgang durch den Einführungsraum werden Themen wie *Das Weltbild der Antike, Entstehung des heutigen Weltbildes, Atmosphäre und Weltraum, Unser Sonnensystem* (maßstäbliche Aufzeichnung der Planetenbahnen und Vergleiche von Größe und Beschaffenheit der Planeten) behandelt. Den Übergang zur eigentlichen Ausstellung bildet das Kapitel *Phantasien und Utopien*, wobei wieder Idee und spätere Wirklichkeit gegenübergestellt werden.

Anfänge der Raketen- und Raumfahrttechnik

Eingangs werden die physikalischen Grundlagen der Rakete – das sogenannte Rückstoßprinzip (Newtonsches Impulsgesetz) – anhand einfacher Demonstrationen erläutert. Das Heronsche Wasserrad (M) zeigt, daß dieses Prinzip schon lange bekannt war. Pulverraketen sind seit dem 13. Jahrhundert in China und Europa als Feuerwerks- und Brandraketen und im 19. Jahrhundert bereits als Artilleriegeschosse verwendet worden. Die ersten praktischen Versuche mit Raketenantrieben für Raumfahrzeuge begannen in den zwanziger Jahren in der Sowjetunion, den USA und in Deutschland (Raketenschlitten und -wagen von Max Valier, 1930, die erste europäische Flüssigkeitsrakete von Johannes Winkler, *HW I*, 1931). Den Durchbruch zur einsatzfähigen Großrakete und den ersten Einsatz der Rakete als Kriegswaffe dokumentiert die Peenemünder A4 *(V2)*. Der Raketenantrieb fand während des 2. Weltkrieges mannigfaltigen Einsatz in ferngelenkten Flugkörpern. Ausgestellt sind dazu drei Beispiele: die Flugzeugabwehrrakete *Rheinmetall R1* (Feststoffrakete), die *Kramer X4* (Flüssigkeitsraketenmotor von BMW) und die Gleitbombe *Henschel Hs 293* (Walter-Raketenmotor mit Wasserstoffperoxyd als Treibstoff).

Astronaut, 1965 (N)
1965 gelangen den Russen und Amerikanern die ersten Aussteigemanöver im All.
Diese Nachbildung erinnert an den «Weltraumspaziergang» von Edward White am
10. Juni 1965 während des Gemini-4-Fluges. Der Astronaut schwebte 22 Minuten im
Weltraum; dabei war er nur durch eine Versorgungs- und Meßleitung mit dem
Raumschiff verbunden.

Die gesamte vor und während des 2. Weltkriegs entwickelte Raketentechnik in all ihren Teilaspekten (Struktur, Antrieb, Steuerung, Fernlen-
kung usw.) bildete die Ausgangsbasis für die Weiterentwicklung der militärischen Fernrakete und Lenkflugkörper, damit letztlich auch der
Raumfahrt-Trägerrakete in Ost und West.

Raumfahrtantriebe

Was beim Thema «Rakete» nur flüchtig gestreift werden konnte, wird
in diesem Ausstellungsteil gründlich behandelt: die verschiedenen Arten
der Raketenantriebe und ihre Funktionsweise (chemische Antriebe, nu-
kleare und elektrische Antriebe). Den Entwicklungsgang dokumentieren mehrere zum Teil komplette Raketenmotoren aus der amerikanischen, europäischen und deutschen Entwicklung: aus der *Saturn*-Ra-
kete der *H1*- und *J2*-Motor (Rocketdyne), das Triebwerk der 3. Stufe
der *Europa*-Rakete (MBB, ERNO), zwei Motoren der europäischen
Ariane-Rakete das *HM7* (MBB) und *VIKING IV* (SEP/Volvo/MAN)
Triebwerk.
Als Beispiel für chemische Satellitenantriebe werden Hydrazin-Steuer-
triebwerke (MBB) und ein Feststoff-Apogäums-Motor (MAN) gezeigt.

Raketenwagen von Max Valier, 1930 (O)
Valier war einer der Pioniere der Raketentechnik und des Raumfahrtgedankens. Er führte an verschiedenen Fahrzeugen die Erprobung des Raketenantriebs durch. Der Wagen *Rak 7* war mit einem Flüssigkeits-Raketentriebwerk ausgerüstet.

A 4-Rakete, auch V-2 (Vergeltungswaffe 2) genannt, 1942 (O)
Die erste Großrakete der Welt. Sie wurde im 2. Weltkrieg von der deutschen Wehrmacht zur Bombardierung großer Städte und Industrieanlagen eingesetzt. Sie gilt als Vorläufer der späteren Raumfahrtträgerraketen und der militärischen Fernraketen.

Zum Thema elektrischer Antriebe wird in einem eigenen Raum eine Demonstration vorgeführt; ein Original-Ionentriebwerk *(RIT 10)* ist ausgestellt.

Trägerraketen und Bodenanlagen

Die ersten Trägerraketen, mit denen Satelliten, Sonden und bemannte Raumfahrzeuge in den Weltraum transportiert wurden, sind meist aus militärischen Mittelstrecken- und Interkontinentalraketen abgeleitet worden (z. B. *Titan-, Sojus*-Trägerraketen). Für die immer größer werdenden Anforderungen an Nutzlastkapazität wurden neue Raketentypen entwickelt: z. B. *Saturn V (Apollo*-Unternehmen), *Ariane, Energija*. Von den wichtigsten Raketen sind Modelle im Maßstab 1:25 zum Vergleich nebeneinander gestellt. Eine neue Ära wurde mit dem wiederverwendbaren Raumtransporter *Space Shuttle* eingeleitet.

Das schwere Unglück des Space Shuttle *Challenger* 1986 dokumentiert auf tragische Weise, daß neue Technologien nicht auf Kosten der Sicherheit realisiert werden dürfen.

Zur Raumfahrt gehören nicht nur die Raketen, Satelliten und Raumfahrzeuge, sondern auch die Startanlagen, Kontrollzentren sowie die weltumspannenden Nachrichten- und Bahnverfolgungsstationen. Einen kleinen Eindruck von den Ausmaßen eines Startgeländes und der Montagegebäude gibt ein Diorama des J. F. Kennedy-Raumfahrtzentrums in Florida, USA. Von hier wurden die *Saturn*-Mondraketen und werden heute die Raumtransporter *Space Shuttle* gestartet. Die Europäer starten ihre *Ariane* in Kourou (Franz.-Guayana, Südamerika).

Satelliten und Sonden

Aus der unübersehbaren Vielfalt der Satelliten und Sonden sowie ihrer wissenschaftlichen, wirtschaftlichen und militärischen Aufgabe werden in der Ausstellung vier Schwerpunkte ausführlicher behandelt:

1. Die ersten Satelliten und Sonden
Modelle der ersten sowjetischen *(Sputnik I)* und des amerikanischen Satelliten *(Explorer I)* und der ersten internationalen Satelliten *(Ariel, Alouette, Heos A)* deuten auf die Anfänge der technischen Entwicklung der Satelliten hin. Technische Details können an Prototypen der ersten in der Bundesrepublik gebauten Satelliten studiert werden *(Aeros* und *Azur)*.

2. Erderforschung und Wetterbeobachtung
Im Mittelpunkt steht eine Satellitenempfangsstation für Wetterbilder. Mehrmals täglich werden aktuelle Wetterbilder des europäischen Wettersatelliten *Meteosat* und der amerikanischen und sowjetischen Wettersatelliten direkt empfangen und auf Bildschreiber und Monitor sichtbar gemacht. An den gestochen scharfen Wolkenbildern wird deutlich, welch ein wertvolles Hilfsmittel die Raumfahrt der Klimaforschung an die Hand gegeben hat.

Empfangsstation für Wetterbilder, 1984 (O)
Die Station empfängt Wetterbilder des europäischen geostationären Wettersatelliten
Meteosat und der auf einer polaren Bahn umlaufenden amerikanischen und sowjetischen Wettersatelliten. Die Bilder werden über einen Bildschirm sichtbar gemacht und
können ausgedruckt werden.

3. Nachrichtensatelliten

Technisch gesehen sind Nachrichtensatelliten Relaisstationen im Weltraum. Sie empfangen Funkwellen von Sendestationen auf der Erde, verstärken sie und senden sie wieder aus. Die entsprechende Empfangsstation auf der Erde könnte auf der anderen Seite des Atlantiks liegen.
Drei Satelliten, auf einer geostationären Umlaufbahn in 36 000 km Höhe über dem Äquator positioniert, reichen im Prinzip aus, eine Nachricht (Telefongespräch, Rundfunk- und Fernsehsendung) rund um den
Globus zu schicken.
Wie ein Nachrichtensatellit aufgebaut ist, erkennt man an einigen Modellen und an dem ausgestellten Originalsatelliten *Symphonie.* Der *Symphonie*-Satellit war ein in deutsch-französischer Zusammenarbeit ent-
wickeltes Experimentalprojekt. Da die Europäer mit der *Ariane* seit
1981 über eine eigene Trägerrakete verfügen, können sie selbst wirtschaftlich einsetzbare Nachrichtensatelliten in den Weltraum schicken
und damit das bisherige Monopol der Amerikaner brechen. So sind
bereits europäische Kommunikations- *(ECS, Olympus)* und Erderkundungssatelliten *(ERS-1)* in den Weltraum gebracht worden; eine neue
Phase im Fernmeldewesen wurde 1989 durch die deutschen und französischen Satelliten *TV-SAT, TDF* und *DFS Kopernikus* eingeleitet. Sie
ermöglichen den direkten Empfang von Rundfunk- und Fernsehsendungen mit kleinen Parabolantennen.

4. Planetenforschung

In wissenschaftlicher Hinsicht profitierten Astronomie und Astrophysik
wohl am meisten von der Raumfahrt. Die Beobachtung der Planeten

und Gestirne von der Erde aus war bisher von der Erdatmosphäre stark behindert. Die Raumfahrttechnik bot den Wissenschaftlern jetzt die Möglichkeit, astronomische Observatorien im Weltraum zu installieren (auf Satelliten) und mit Kameras und Meßgeräten ausgerüstete Raumsonden zu den Planeten zu schicken.

Ein eindrucksvolles Beispiel dafür ist die ausgestellte Sonnensonde *Helios*. Zwei dieser Sonden fliegen seit 1974 um die Sonne und senden wissenschaftliche Meßdaten über elektrische und magnetische Felder, Teilchen- und Photonenstrahlung von der Sonne und aus der Tiefe des Weltalls zur Erde.

Bemannte Raumfahrt

Der Vorstoß des Menschen in den Weltraum hat einen gewaltigen technischen Aufwand erfordert.

Außerhalb der Erdatmosphäre ist die Umwelt für den Menschen absolut tödlich. Es herrscht dort Luftleere (Vakuum); die Sonnenstrahlung prallt ungedämpft durch eine Lufthülle auf das Raumschiff, Meteoriten und kosmische Strahlung können das Schiff treffen. Nicht abschätzbar war auch die Auswirkung der Schwerelosigkeit auf den menschlichen Organismus und die psychische Belastung eines Raumfluges auf die Besatzung. Bei der Rückkehr zur Erde mußte das Raumschiff auf seinem

Raumsonde Helios, 1974 (O)
Die Raumsonde dient zur Erforschung der Sonne. Zwei Helios-Sonden umfliegen die Sonne seit 1974 und 1976 auf stark elliptischen Bahnen. Helios I sandte noch 1985 Daten zur Erde, obwohl sie nur für eine Betriebszeit von 18 Monaten ausgelegt war. Ausgestellt ist der flugtaugliche Prototyp.

Weg durch die Atmosphäre allein durch die Reibungskräfte der Luft abgebremst werden, und zwar von einer Geschwindigkeit von etwa 28 000 km/h auf nahezu null. Trotz dieser Probleme wurde von der UdSSR und den USA in nur zehn Jahren ein Programm ohne Beispiel verwirklicht – im prestigebetonten Wettlauf um Erstleistungen im Weltraum.

1961 flog der Russe Jurij Gagarin als erster Mensch um die Erde, und schon 1969 landeten zwei Amerikaner auf dem Mond. Über 300 000 Menschen haben die Amerikaner für dieses eine Ziel eingesetzt, und etwa 22 Milliarden Dollar hat es gekostet.

Die Reise zum Mond ist zu einem Symbol für die scheinbar unbegrenzten Möglichkeiten der Technik geworden.

Einen Eindruck von der Enge der ersten Raumfahrzeuge bekommt man an der Nachbildung einer *Mercury*-Raumkapsel, mit der die Amerikaner ihren ersten Astronauten auf eine Erdumlaufbahn schickten. Die zwei Original-Raumanzüge von F. Borman *(Gemini 7)* und D. Eisele *(Apollo 7)* ermöglichten den Astronauten einen Aufenthalt außerhalb des Raumschiffes. Ein Höhepunkt der bemannten Raumfahrt sind die Mondlandeunternehmungen des *Apollo*-Projekts.

Das Modell der *Saturn-V*-Rakete, das Diorama vom Mondbahnhof in Florida und ein Original-Wasserstoff-Sauerstoff-Triebwerk der 2. und 3. Stufe der *Saturn V* gehören ebenfalls dazu.

Mercury-Raumkapsel, 1960 (N), dahinter *Gemini-Raumanzug,* 1965 (O)
Die Mercury-Raumkapseln waren die ersten bemannten Raumfahrzeuge der USA. Mit einer Mercury-Raumkapsel umkreiste John Glenn, der erste amerikanische Astronaut, am 20. Februar 1962 dreimal die Erde. Den Raumanzug im Hintergrund trug Frank Bormann während des Gemini-VII-Fluges, der 14 Tage dauerte.

Drei Dioramen illustrieren Vorbereitung und Ablauf des Mondlande-projektes:

Das erste Diorama zeigt den Moment der Annäherung und Kopplung zweier Raumfahrzeuge auf einer Umlaufbahn um die Erde. Solche Kopplungsmanöver verlaufen nach ganz anderen Gesetzmäßigkeiten, als wir sie auf der Erde gewöhnt sind, und mußten deshalb von den Astronauten intensiv trainiert werden. Ihre sichere Beherrschung war unbedingte Voraussetzung für die Durchführung komplexerer Raum-flugunternehmungen wie des Fluges zum Mond oder des Aufbaues von Raumstationen.

Auf dem Flug zum Mond waren beispielsweise Kopplungsmanöver in der Mondumlaufbahn erforderlich. Die Landefähre löste sich hier vom *Apollo*-Raumschiff und stieg danach zur Mondoberfläche ab. Nach dem Wiederaufstieg vom Mond koppelte sie an das Mutterschiff wieder an. Dieser Vorgang wird in einem zweiten Diorama gezeigt.

Das zentrale Diorama ist der Landung auf dem Mond selbst gewidmet, und zwar der vierten wissenschaftlich besonders interessanten Landung *(Apollo 15)*. In einer sprichwörtlich unwirtlichen, wüstenartigen Mond-landschaft arbeiten die zwei Astronauten James Irwin und David Scott. Ihre unförmigen, hermetisch gegen die menschenfeindliche Umwelt abgeschlossenen Anzüge lassen den Menschen darin kaum noch er-kennen. Zahlreiche aufgestellte Geräte deuten auf das umfangreiche wissenschaftliche Programm hin, das die Astronauten auf dem Mond zu erfüllen hatten. Vielleicht erahnt der Betrachter angesichts dieser Szenerie, welch ein ungeheures Wagnis es war, Menschen auf diesen 380000 km von der Erde entfernten Himmelskörper zu schicken.

Ein kleiner Mondstein, vor dem Diorama in einer einbruchsicheren Panzerglasvitrine ausgestellt, ist sichtbarer Ausdruck dessen, was die Astronauten – außer einer Fülle von Meßdaten und Photos – vom Mond mitgebracht haben.

Das von *MBB-ERNO* in Bremen gebaute Raumlabor *Spacelab* kann in verschiedenen bemannten und unbemannten Versionen bei *Space Shuttle*-Flügen eingesetzt werden. Von den ursprünglich weit über 200 geplanten Einsätzen konnten bisher nur 4 realisiert werden, darunter die erste unter alleiniger deutscher Verantwortung durchgeführte *D1*-Mission.

Das im Erdgeschoß der Luftfahrthalle ausgestellte *Spacelab* ist ein Funktionsmodell, das der Originalstruktur entspricht und für vielfälti-ge Bodentests verwendet wurde. Neben dem abgeschlossenen Kabi-nenmodul befindet sich eine Palette, auf der Forschungseinrichtungen installiert werden, die nach dem Öffnen der Shuttle-Nutzlastbucht im freien Weltraum arbeiten. Zur Versorgung der Paletten dient der am Ende befestigte große zylinderförmige Behälter *Igloo*. Die schwarze Experiment-Aufhängestruktur oberhalb der Palette besteht aus Kohle-faserverbundwerkstoffen und befand sich während der ersten Space-lab-Mission *STS-9* 1983 im All.

Neben dem *Spacelab* sind einige Geräte von medizinisch-biologischen Experimenten der *D1*-Mission ausgestellt, so zum Beispiel ein Helm,

Weltraumlaboratorium SPACELAB (N)
Ausgestellt ist hier ein Funktionsmodell, die Struktur entspricht dem Original, die Einbauten sind weitgehend Modelle. Entwickelt wurde das Spacelab im Auftrag der europäischen Weltraumorganisation ESA.

Apollo-15-Landung auf dem Mond, 1971 (Di)
Apollo 15 war das vierte erfolgreiche Mondlandeunternehmen der USA. Die Astronauten David Scott und James Irvin, die sich drei Tage auf dem Mond aufhielten, führten ein umfangreiches wissenschaftliches Programm durch. Erstmals wurde ein «Mondauto» eingesetzt.

Vorschläge zur Fortsetzung des Rundgangs

Man geht (nach einem Besuch der Terrasse) nun über die Rundtreppe um die A4-Rakete hinunter zum 1. Obergeschoß. Hier kann man sich immer noch entscheiden, ob man weiter ins Erdgeschoß gehen oder ob man durch die Ausstellungen über *Flugzeuge mit Propeller/Kolbenmotorenantrieb* zu den Abteilungen *Physik-Kernphysik* (S. 154) oder *Chemie* (S. 173) gelangen möchte, oder ob man über *Aerodynamik/Flugmechanik* und *Anfänge der Flugtechnik* hindurch zu den Aufzügen im Haupttreppenhaus geht und mit den Ausstellungen im 2. Obergeschoß (S. 226) oder 3. Obergeschoß (S. 281) den Rundgang fortsetzt oder zum Planetarium (S. 326) hinauffährt.

der für einen Versuch zur Untersuchung des menschlichen Gleichgewichtsorgans verwendet wurde.

Raumfahrttechnik

Die hohen Anforderungen an die Technik der Raketen, Raumfahrzeuge und Satelliten sowie die speziellen Umweltbedingungen des Weltraums machten die Entwicklung neuer Technologien und Techniken notwendig. Das gilt vor allem für die Gebiete Triebwerkstechnik, Werkstoffe, Strukturmechanik, Fertigungs- und Bearbeitungstechnik, System-Betrieb, Energieversorgung, Thermalhaushalt, Lageregelung und Umweltsimulation.

Eine Auswahl verschiedener Exponate zu diesen Themengebieten ist in Vitrinen ausgestellt, darunter eine *MAUS*-Flugeinheit. Das sind standardisierte Experiment-Behälter für das *Space Shuttle,* die einen vollautomatischen Experimentablauf ermöglichen.

W. Rathjen, M. Knopp

Altamira-Höhle

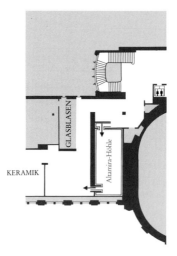

Wie wir aus Funden von Knochen und grobem Gerät wissen, benutzten und stellten Vorfahren des Menschen vor über zweieinhalb Millionen Jahren Steinwerkzeuge her. Die damit beginnende Epoche, die bis zum Ende der letzten Eiszeit vor rund 10000 Jahren reichte, nennt man Altsteinzeit (Paläolithikum). In der Schlußphase dieser Epoche, dem Jungpaläolithikum, hatte sich die Evolution zum Menschen vollendet, und man weiß, daß schon vor etwa 40000 Jahren Menschen vom Typ *Homo sapiens sapiens* in Europa lebten. Sie zogen in kleinen Gruppen durch die eiszeitliche Steppe und ernährten sich durch Jagen, Fischen und Sammeln. Sie besaßen bereits hochspezialisierte Werkzeuge aus Stein, Holz, Knochen und Geweih und kannten Kunst und religiöse Riten.

Gegen Ende der Eiszeit, vor etwa 14000 bis 17000 Jahren, erreichte die steinzeitliche Kunst ihren Höhepunkt. In Nordspanien und Südwestfrankreich entstanden Höhlenmalereien, die in realistischer Weise Tiere darstellen. Neben den Bildern im französischen Lascaux finden sich die schönsten Malereien in der spanischen Höhle Altamira.

Zur Ausstellung

Bevor der Besucher die Kopie der Höhlendecke aus Altamira besichtigen kann, wird ihm auf einer Zeittafel die Entwicklung steinzeitlicher Technik vorgestellt. In dem daran anschließenden abgedunkelten Raum findet er die Darstellung einer Bisonherde, die dem Deckengemälde der *Gran Sala* der Höhle von Altamira nachgebildet wurde.

Die Altamira-Höhle bei Santander in Nordspanien wurde 1869 entdeckt. Damals hielt man die Wandmalereien für eine Fälschung. Erst Anfang des 20. Jahrhunderts, als ähnliche sicher datierbare Höhlenmalereien auch an anderen Stellen des nordspanischen und südfranzösischen Raumes gefunden wurden, konnte das Kunstwerk dem Eiszeitmenschen zugeordnet werden.

Die benutzten Farben sind natürlich vorkommende Pigmente. Die Maler benutzen gelbe, rote und bräunliche Ocker sowie Manganerde und Kohle als schwarze Pigmente. Die Kopie des Deckengemäldes der *Gran Sala* in Altamira wurde in einem sehr komplizierten und aufwendigen Verfahren 1962 vollendet. Sie ermöglicht es dem Besucher nunmehr, einen Eindruck von den Höhlenmalereien in Altamira zu erhalten, auch nachdem die Höhle geschlossen werden mußte. Wegen der vielen Besucher bestand eine akute Gefahr für den Fortbestand dieses einmaligen Kunstwerkes.

Beispiele steinzeitlicher Technik wie die *Lampe von La Mouthe* sind in den Wandvitrinen des Raumes ausgestellt. Auch Kopien bedeutender künstlerischer Äußerungen, darunter die *Frau von Laussel,* werden dort dem Besucher gezeigt.

R. Bülow

Deckengemälde der Altamira-Höhle (N, Ausschnitt)

Keramik

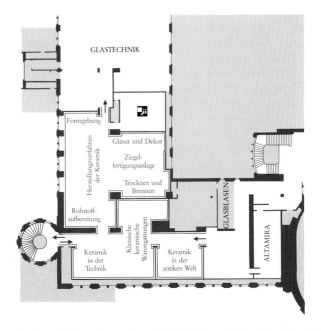

Keramik ist wohl der älteste künstliche Werkstoff der Menschheit. Die Erfindung und erste Verwendung der Keramik vor etwa 10 000 Jahren steht im Zusammenhang mit der Seßhaftwerdung des Menschen, der Kultivierung von Pflanzen und der Domestikation von Tieren. Wegen ihrer Witterungsbeständigkeit und ihrer Beständigkeit gegen hohe Temperaturen haben sich die Behälter aus Keramik als ideale Aufbewahrungsbehälter und Kochgefäße bis in die heutige Zeit bewährt.

Die Rohstoffe zur Herstellung einfacher keramischer Gegenstände, nämlich Tone, sind praktisch überall zu finden, so daß sich die Kenntnis des Herstellungsverfahrens, ausgehend von mehreren voneinander unabhängigen Zentren, verhältnismäßig rasch verbreiten konnte. Um Christi Geburt war Keramik praktisch in allen Teilen der Welt bekannt. Die verschiedenen einfachen Verfahren der Formgebung erlaubten es zunächst nicht, Keramik in großen Stückzahlen herzustellen. Das änderte sich mit der Erfindung der schnelldrehenden Töpferscheibe in der Mitte des 4. Jahrtausends v. Chr. in Mesopotamien. Diese grundlegende Erfindung – sie ist parallel mit der des Wagenrades gemacht worden – führte dazu, daß bereits in der Antiken Welt keramische Werkstätten entstanden, deren jährliche Produktion (bis zu 300 000 Gefäße) Dimensionen annahm, wie sie später erst wieder die vorindustriellen Fayence- und Porzellanmanufakturen des 18. Jahrhunderts erreichten.

Empirisch erworbene Kenntnisse des Brennverhaltens verschiedener Rohstoffe, ihre gezielte Auswahl und Aufbereitung sowie ständige Verbesserungen der Brennöfen führten nicht nur zu künstlerischen, sondern auch zu technischen Meisterleistungen, die sich beispielsweise an den schwarz- oder rotfigurigen attischen Vasen zeigen.

Im 3. Jahrtausend v. Chr. gelang es im nördlichen Mesopotamien, durch Auswahl besonderer Tonsorten Keramik herzustellen, deren Scherben im Gegensatz zu allen bisher bekannten Keramiken nicht mehr porös und besonders hart war. Dieser als *Steinzeug* bezeichnete keramische Werkstoff wurde später unabhängig davon in China durch verbesserte Brennöfen mit wesentlich höheren Brenntemperaturen zu großer Perfektion geführt. Aufbauend auf der vorhandenen Technologie gelang es in China etwa im 7. Jahrhundert n. Chr., erstmals Keramik mit weiß durchscheinendem Scherben – das *Porzellan* – herzustellen.

Die Kunde von dieser Erfindung verbreitete sich auf dem Weg über den islamischen Kulturkreis rasch bis nach Europa. Das erste (unbeabsichtigte) Resultat der Bemühungen, hinter das Geheimnis der Porzellanherstellung zu kommen, war die Erfindung der *Fayence* im 8. Jahrhundert n. Chr. Hierbei wurde der farbige poröse Scherben der keramischen Gegenstände mit einer deckend weißen Glasur überzogen. Man erhielt zumindest dem Aussehen nach Produkte, die dem Porzellan ähnelten, jedoch nicht dessen Härte besaßen. Lange Zeit war Porzellan eine begehrte Ware des hauptsächlich von den Holländern betriebenen Ostasienhandels. Dekore des chinesischen Porzellans beeinflußten die Gestaltung europäischer Fayencen, insbesondere die Produkte der zahlreichen Manufakturen der Stadt Delft.

Das erste europäische Porzellan wurde 1708 in Meißen erfunden. Auch hier blieb man in den ersten Jahren der Produktion den chinesischen und japanischen Dekoren verhaftet, erst allmählich bildete sich ein europäischer Stil heraus. Die Manufakturprodukte Porzellan und Fayence blieben jedoch während des ganzen 18. Jahrhunderts als Luxusware nur einer Oberschicht vorbehalten. Keramik für den alltäglichen Gebrauch der breiten Bevölkerung war nach wie vor die poröse Irdenware, die meist mit einer Bleiglasur überzogen war, oder in manchen Gebieten das Steinzeug. Sie wurden in zünftig organisierten Werkstätten hergestellt.

Ausgehend von England breitete sich in der zweiten Hälfte des 18. Jahrhunderts bald ein neues, diesmal industriell gefertigtes keramisches Produkt aus – das *Steingut*. Diese weiße poröse und daher auch glasierte keramische Warengattung verdrängte verhältnismäßig schnell die Irdenware aus den Haushalten. Dieser Trend setzte sich verstärkt fort, als die mittlerweile ebenfalls industriell gefertigten Porzellanprodukte gegen Ende des 19. Jahrhunderts nahezu von jedem erworben werden konnten.

Wegen ihrer Witterungsbeständigkeit wurde Keramik schon im 4. Jahrtausend v. Chr. als Mauerziegel oder Kanalisations- und Wasserleitungsrohr benutzt. Baukeramik, ob nun als Mauer- oder Dachziegel, als Abwasserrohr, als Wand- oder Bodenfliese, besitzt heute breiteste Verwendung. Die Beständigkeit der Keramik gegen hohe Temperaturen machte man sich schon in der antiken Welt für den Bau von Brennöfen oder zur Herstellung von Schmelztiegeln zunutze, wenn auch die

systematische Herstellung feuerfester keramischer Erzeugnisse erst im
19. Jahrhundert begann.

In dieser Zeit erlangte auch die hohe chemische Resistenz der Keramik
Bedeutung. Insbesondere das säure- und laugenbeständige Steinzeug
war eine der apparativen Voraussetzungen bei der Entstehung der chemischen Industrie im 19. Jahrhundert.

Die grundlegenden und neuen Erkenntnisse der Naturwissenschaften
des 19. und 20. Jahrhunderts führten, wie auch in anderen Bereichen der
Technik so auch in der Keramik, zur Entwicklung neuer Werkstoffe
und Erschließung neuer Anwendungsgebiete. Die Grundschritte des
keramischen Verfahrens: *Mischen der Rohstoffe – Formen – Trocknen –
Brennen* sind im Prinzip unverändert geblieben; sie haben sich aber den
Erfordernissen rationeller Produktionstechnik angepaßt. Die physika-
lisch-chemische Kontrolle der Rohstoffe, die mechanische Durchbildung der Formgebungsverfahren und die technisch-wissenschaftliche
Optimierung des Trocken- und Brennprozesses haben den Charakter
keramischer Fabriken verwandelt. Die Arbeit in Tonwarenfabriken galt
früher als körperlich schwer und gesundheitsschädlich. Heute hat die
überwachende Tätigkeit an Produktionsanlagen und automatischen
Transporteinrichtungen die Handarbeit weitgehend abgelöst.

Ausgehend von den tonigen Rohstoffen hat sich in den letzten hundert
Jahren das Gebiet der Keramik auf eine Vielzahl weiterer anorganischer nichtmetallischer Werkstoffe ausgedehnt. Oxide, wie z. B. Alu-
miniumoxid, sind Rohstoffe für Keramik mit ungewöhnlicher Wider-
standsfähigkeit gegen Hitze und mechanischen Verschleiß. Siliciumcar-
bid und Siliciumnitrid eignen sich als Werkstoffe für wärmebeanspruch-
te Maschinenteile. Wachsende Bedeutung haben keramische Werkstoffe mit besonderen elektrischen Eigenschaften: Kondensator-, Heißlei-
ter-, Halbleiterwerkstoffe und piezoelektrische Keramik. Keramische
Magnete erfüllen vielfältige Aufgaben in der Elektrotechnik, im Ma-
schinenbau und im Haushalt. Die Zahl der Anwendungsbeispiele ist un-
übersehbar groß. Sie wächst ständig, bedingt durch die systematische
Erforschung dieser Stoffgruppen.

Zur Ausstellung

Der Gang durch die Abteilung gliedert sich in vier deutlich voneinander
abgegrenzte Abschnitte. Vorangestellt ist eine Übersicht der historischen Entwicklung keramischer Werkstoffe sowie die Erläuterung des
Begriffs Keramik. (Ein umfangreicher Abteilungsführer ist im Museumsladen erhältlich).

Keramik in der antiken Welt

Ausgehend von der Erfindung der Keramik, belegt durch eine Auswahl
früher Beispiele, werden sowohl die Ausbreitung der Keramik über die
ganze Welt verfolgt, als auch die verschiedenen Techniken der Kera-

mikherstellung gezeigt. Dem Abschnitt über Keramik, die ohne Töpferscheibe hergestellt wurde, schließen sich Beispiele der Scheibenware an. Mit einer Auswahl von Massenprodukten, wie z.B. Öllämpchen, Salbölgefäßen und auch römischen Gebrauchsgeschirr, wird auf die weite Verbreitung der Keramik in der Antike hingewiesen. Ähnliches gilt auch für Baustoffe aus Keramik wie etwa Mauer- und Dachziegel sowie Tonrohre.

Eingehend werden die Dekormöglichkeiten der antiken Keramik dargestellt, wobei die Technik der griechischen Vasenmalerei einen Schwerpunkt bildet.

Klassische keramische Warengattungen

Getrennt nach werkstofftechnischen Gesichtspunkten werden Beispiele der vier klassischen keramischen Warengattungen gezeigt: *Irdenware, Steingut, Steinzeug, Porzellan.* Dabei werden im Bereich der porösen Keramik mit farbigen Scherben – der Irdenware – unglasierte Gefäße, Beispiele mit transparenter Bleiglasur oder der opaken Zinnglasur, die man als Fayencen bezeichnet, präsentiert. Neben der Anwendung für Gefäße aller Art wird auf die Bedeutung der Irdenware auch als Werkstoff der Baukeramik, angefangen von Kachelöfen über Wand- und Bodenfliesen bis hin zu Mauer- und Dachziegeln, hingewiesen. Ein weite-

Keramik aus der antiken Welt
In der Raummitte befinden sich Vorrats- und Transportgefäße. Behälter mit zwei senkrecht stehenden Haltegriffen, die an Gefäßkörper und Hals befestigt sind (Amphoren), wurden vorwiegend für Transporte von Flüssigkeiten verwendet. Sie werden am Meeresboden oft als einzige Reste einst gesunkener Schiffe gefunden. Die großen Vorratsgefäße mit weitem Mündungsrand, sogenannte Pithoi, werden bis heute in ungebrochener, mehr als zweitausendjähriger Tradition hergestellt. Sie werden aus Tonwülsten aufgebaut und am Ort ihrer Entstehung in eigens errichteten Öfen gebrannt.

Zwei Kannen aus Böttger-Steinzeug, um 1712 (O)
Die Erfindung des europäischen Porzellans gelang 1708 dem Gelehrten Ehrenfried
Walter Graf von Tschirnhaus gemeinsam mit Johann Friedrich Böttger. Vorausgegan-
gen waren systematische Untersuchungen eines geeigneten Herstellungsverfahrens
und der einer geeigneten Massezusammensetzung. Ein Jahr zuvor wurde von Böttger
das rote, später nach ihm benannte Böttger-Steinzeug erfunden. Die beiden aus mehr-
teiligen Formen hergestellten Kannen orientieren sich noch stark an ostasiatischen
Vorbildern.

rer Bereich der Ausstellung enthält das ebenfalls poröse, doch weiße,
mit farbloser Glasur überzogene Steingut.
In angrenzenden Vitrinen gegenübergestellt sind die beiden dichtge-
brannten keramischen Werkstoffe Steinzeug (mit farbigen Scherben)
und Porzellan (mit weißem durchscheinendem Scherben). Auch hier
wird ein kurzer Überblick der historischen Entwicklung dieser Werkstoffe seit ihrer Erfindung gegeben.

Keramik in der Technik

In diesem Abschnitt der Ausstellung wird eine Übersicht der möglichen
Anwendungsgebiete der Keramik für die Technik gegeben, wie sie sich
– bis auf wenige Ausnahmen – etwa seit der Mitte des 19. Jahrhunderts,
besonders jedoch in diesem Jahrhundert entwickelt haben. Keramik mit
elektrischer Isoliereigenschaft, zu der der Porzellanisolator ebenso
zählt wie die Zündkerze, wird keramischen Werkstoffen gegenübergestellt, die Halbleitereigenschaften besitzen oder piezoelektrisch sind.
Ein heute weitverbreiteter Werkstoff ist die Magnetkeramik.
Die enorme Härte vieler keramischer Werkstoffe wird bei verschleißfe-
sten Bauteilen hoch beanspruchter Maschinen genutzt, beispielsweise
als Gleitlager, Fadenführer von Textilmaschinen, Werkzeug für die
Drahtziehtechnik. Eine besondere Anwendung sind Schneidwerkzeu-
ge, die den vielfach verwendeten Werkzeugen aus Stahl oder Widia
überlegen sind. Die Beständigkeit der mechanischen und chemischen

Eigenschaften einiger keramischer Werkstoffe macht sie zum erfolgversprechenden Material beim Bau von Verbrennungsmotoren mit hohen Betriebstemperaturen.

Die sehr umfangreichen klassischen Anwendungsgebiete der Keramik in der Technik, nämlich als feuerfester Werkstoff und als chemisch resistentes Material, können in der Ausstellung nur anhand einiger Beispiele gezeigt werden. In einem kleinen Bereich wird auf die Rolle der Keramik in der Medizin, z. B. für den prothetischen Ersatz von Gelenken, hingewiesen.

Keramik für die Industrie
Im Vordergrund links befinden sich zwei Steinzeugrohre, eines 1910, das zweite 1980 hergestellt. Ihr wesentlicher Unterschied liegt in der Art der dichten, aber flexiblen Rohrverbindung, die erst in jüngster Zeit befriedigend gelöst werden konnte.
Vorne rechts ist ein Gehäuseisolator aus braun glasiertem Porzellan für einen 245 kV-Meßwandler zu sehen.
In der zweiten Reihe links sieht man eine Kurbelwellenschleifscheibe mit keramisch gebundener Korundkörnung, daneben eine Kühlschlange aus Steinzeug. Wegen der im Gebrauch auftretenden Temperaturwechselbeanspruchung ist das 15 m lange keramische Rohr lose gelagert.
Rechts ist ein Säurebehälter aus Steinzeug aufgestellt. Das um 1900 gebaute Gefäß faßt etwa 1500 Liter. Im 19. Jahrhundert war Steinzeug das einzige Material, das zur Aufbewahrung und Beförderung von Säuren geeignet war. Aus gleichem Grunde wurden Geräte zum Fördern heißer ätzender Gase und Dämpfe, wie der Kreiselsauger in der dritten Reihe links, ebenfalls aus dem säurebeständigen Steinzeug hergestellt.
Links hinten befindet sich ein Modell (Maßstab 1:5) eines Wasch- und Absorptionsturmes, der vollständig mit säurefesten keramischen Formsteinen ausgekleidet ist. Anlagen dieser Art haben sich in der chemischen Industrie, insbesondere bei der Salpetersäureherstellung, seit fast 70 Jahren bewährt.

Tonschneider-Ziegelpresse,
1856 (O)
Die Maschine stellt den Prototyp der ersten Tonschneider-
Ziegelpresse dar. Sie wurde
1856 von Carl Schlickeysen erfunden und gebaut. Mit großem
Erfolg wurde sie auf der Londoner Weltausstellung 1862
vorgeführt. Die Presse besteht
aus einem Zylinder mit ver-
schlossenem Boden und einer
trichterförmigen Öffnung an
der Oberseite. Konzentrisch
zur Achse dreht sich eine Welle,
an der schräggestellte Messer
befestigt sind. Oben eingefüllter
Ton wird durch die Schrauben-
bewegung nach unten ge-
drückt, dabei geknetet und ho-
mogenisiert. An der Unterseite
des Zylinders tritt durch ein
seitlich angebrachtes Mund-
stück ein kontinuierlicher Tonstrang aus. Der Antrieb erfolgte
mit Pferdekraft.

Vollautomatische Ziegelfertigungsanlage im Miniaturmaßstab (V, Ausschnitt)
Die funktionsfähige Anlage entspricht einem vollautomatischen Ziegeleibetrieb nach
dem Stand der Technik von 1980. Der in einem Kastenbeschicker eingebrachte plasti-
sche Ton wird zu Lochziegeln (60 × 45 × 30 mm) geformt. Nach einer Trocknungs-
dauer von 20 Stunden werden die Ziegel in einem Tunnelofen bei einer Temperatur
um 850 °C gebrannt. Die Durchschubzeit durch den Tunnelofen beträgt rund 4 Stunden. Im Bild sind die Drahtabschneider zu sehen, die den kontinuierlichen Tonstrang
in einzelne Ziegel zerlegen. Im Hintergrund sieht man einen beladenen Trockentrans-
portwagen.

Brennen in der Keramik
Im Vordergrund ein zweilinsiger Brennapparat (um 1700), der Ehrenfried Walter Graf
von Tschirnhaus zugeschrieben wird. Schon 1687 stellte Tschirnhaus erste Versuche
zur Herstellung von Porzellan an. Mit Hilfe von Brennapparaten – heute würde man
sagen: mit Laboröfen unter Nutzung von Sonnenenergie – untersuchte er das
Schmelzverhalten verschiedener Gesteine und Minerale. Im Hintergrund ist ein Querschnitt durch die Brennerzone eines modernen Tunnelofens und des Wagenaufbaus
für einen Porzellanglattbrand dargestellt.

Das Herstellungsverfahren der Keramik

Gegliedert nach den grundlegenden Verfahrensschritten der Keramik-
herstellung werden Geräte, Maschinen, Modelle und Anschauungsta-
feln gezeigt. Dem Überblick der Rohstoffe schließt sich ein Bereich an,
in dem Maschinen, die man zur Aufbereitung der Rohstoffe benötigt,
präsentiert werden. Die Formgebung keramischer Werkstücke kann auf
der Töpferscheibe, ebenso in Pressen oder neuerdings auch mit komplizierten Drehmaschinen erfolgen. Eine Auswahl dieser Werkzeuge und
Maschinen ist ausgestellt.

Das Brennen der Keramik wurde und wird meist in großen Öfen durchgeführt. Einen historischen Überblick der Entwicklung des Ofenbaus
für die Keramik gibt eine Reihe von Modellen. Schließlich spielt die
oberflächliche Veredelung keramischer Erzeugnisse eine große Rolle.
Anhand einiger ausgewählter Beispiele und Muster wird erklärt, welche
Glasuren es bei der Keramik gibt und welche Möglichkeiten des Deko-
rierens bestehen.

Ein zusammenfassender Überblick der Herstellungsschritte wird für
das Porzellan in einer Vitrine angeboten und stellvertretend für alle keramischen Produkte in einem vollautomatischen Funktionsmodell, das
Ziegel im Miniaturmaßstab herstellt.

S. Fitz

Glastechnik

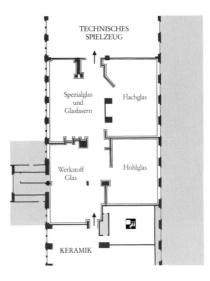

Glas ist ein vom Menschen geschaffener Stoff. Massenglas (wie für Flaschen, Behälter- und Fensterglas) wird aus Sand, Soda und Kalk erschmolzen und im heißen, zähflüssigen (zähviskosen) Zustand mit der Glasmacherpfeife oder einer Maschine geformt. Daneben ist vor allem in den letzten hundert Jahren eine Vielzahl von Spezialgläsern für besondere Einsatzzwecke erschmolzen worden.

Die Wiege des Glasmachens stand im alten Ägypten. Um 3000 v.Chr. goß man dort kleine Schmuckstücke; 1500 v.Chr. wickelten die ägyptischen Glasmacher in Tell el Amarna zähflüssige Glasstränge um einen Sandkern: erste brauchbare Fläschchen entstanden. In der Gegend zwischen Sidon und Babylon gelang um 200 v.Chr. syrischen Handwerkern der technologisch entscheidende Durchbruch: die Erfindung der Glasmacherpfeife. Nun konnten dünnwandige Hohlgefäße in großer Formenvielfalt geblasen werden.

Bedeutende Glaszentren entstanden vielerorts im Römischen Reich. Glas wird zum aufwendig veredelten Luxusartikel, aber auch zum preiswerten Gebrauchsgut. In den Thermen von Pompeji fand man die ersten Glasfenster. Um 1100 n.Chr. beschreibt der deutsche Mönch Theophilus die Herstellung von Glas für die farbigen Kirchenfenster der Gotik. Die Renaissance sieht die Glasindustrie der Handelsrepublik Venedig an der führenden Stelle in Europa, denn allein auf der Insel Murano beherrschte man die Kunst, das «cristallo» (Kristallglas) zu fertigen, während der Norden Europas nur das grünschimmernde Wandglas zu erschmelzen verstand. Riesige Glasspiegel schimmern im Spiegelsaal von Versailles und in allen barocken Fürstenresidenzen.

1867 baute Friedrich Siemens den ersten Wannenofen, der Glas in großen Mengen erschmilzt. Die Glasschmelzwanne war die Voraussetzung für zahlreiche glasformende Maschinen, die inzwischen eine Massenproduktion von Glaserzeugnissen ermöglichen. Seit Ende des 19. Jahrhunderts ergeben neue Rohstoffe in der Schmelze neue Gläser: die Spezialgläser. Otto Schott begründet hiermit die moderne Glastechnologie. Glas ist so heute ein alltägliches Gebrauchsgut, aber auch unersetzlicher Werkstoff für modernste Technologien.

Zur Ausstellung

Die Abteilung Glastechnik gliedert sich in vier Bereiche entlang einer Glasstraße mit herausragenden Exponaten: Der Eingangsraum unterrichtet über den *Werkstoff Glas* selbst, während drei durch Tore zu betretende Räume die verschiedenen im Verlauf der Geschichte entstandenen Glasarten *Hohlglas*, *Flachglas* und *Spezialglas und Glasfasern* behandeln.

Werkstoff Glas

Der Eingangsraum erklärt anhand von Strukturmodellen und Demonstrationen die gegenüber Kristallen andersartige Struktur glasiger Stoffe und zeigt die Haupteigenschaften von Glas (Durchsichtigkeit, Zerbrechlichkeit, Formbarkeit im heißen Zustand) auf. Verschiedene

Amalienburg, 1734–1739 (Di)
Ende des 17. Jahrhunderts gelang erstmals das Auswalzen von großen Scheiben für Spiegel, die man schliff, polierte und mit Amalgam belegte. Spiegelsäle sind eine Besonderheit in der Architektur des Barock und durften in keinem repräsentativen Schloßbau fehlen.

Modelle historischer Glasschmelzöfen und der Nachbau einer modernen Glasschmelzwanne machen deutlich, daß Glas künstlich aus den Rohstoffen erschmolzen werden muß und im heißen zähflüssigen Zustand in fast jede beliebige Form gebracht werden kann. Die hohen Temperaturen bis über 1400 °C erfordern einen hohen Energieaufwand und bringen Umweltprobleme mit sich – beides Fragen, die mit intensivem Einsatz moderner Techniken bewältigt werden müssen.

Hohlglas

Unter Hohlglas versteht man alle hohlen Glaskörper wie Flaschen, Behältergläser, Trinkgläser und Glasbausteine. Die wesentliche technologische Innovation war die Erfindung der Glasmacherpfeife um 200 v.Chr. im Raum von Sidon/Syrien, womit es erstmals möglich war, dünnwandige Glaskörper in nahezu beliebiger Form zu blasen.

Der Glasmacher nimmt mit der Pfeife einen Klumpen, einen «Posten», zähflüssiges Glas aus dem Schmelzgefäß, dem «Glashafen», und bläst Luft ein. Auf diese Weise entsteht in dem Posten ein Hohlraum, den der Glasmacher wie einen Ballon weiter aufbläst und zu einer Flasche, einem Trinkglas usw. formt. Die Arbeit in der Mundblashütte wird in einem Diorama gezeigt.

Bei der heutigen Massenproduktion befinden sich zahlreiche Maschinen im Einsatz, von denen mehrere Originale bzw. Originalteile für die Flaschenfertigung, zum Pressen von Glas und für das maschinelle Blasen von Kelchgläsern ausgestellt sind. Die halbautomatische Severin-Flaschenblas-Maschine (O) hatte eine Produktionskapazität von 1 Flasche je Minute, während moderne IS-Maschinen bis zu 500 Flaschen je Minute blasen können.

Glas kann auf verschiedenste Weise dekoriert werden. Die einzelnen Techniken der Hohlglasveredelung sind künstlerischer Ausdruck der jeweiligen Epoche und zugleich oft die einzige Möglichkeit, ein Glas auf eine bestimmte Zeit zu datieren. Zahlreiche Glaskünstler zeichnen sogar auf den Gläsern, wie sonst bei der bildenden Kunst, mit ihrem Namen oder ihrer Signatur. Der Besucher kann an verschiedenen Herstellungsreihen und Originalobjekten die wichtigsten Veredelungstechniken wie Fadentechnik, Emaillieren, Schleifen, Ätzen und Sandstrahlen studieren.

Flachglas

Unter Flachglas versteht man alle in flacher Form hergestellten Gläser, d.h. Gläser für Hausfenster, Autofenster und Spiegelglas.

Die frühesten Glasfenster fand man in den Ruinen der Forumsthermen von Pompeji (zerstört 79 n.Chr.); aus der gleichen Zeit stammt das erste literarische Zeugnis bei dem römischen Philosophen Lucius Annaeus Seneca (†65 n.Chr.), der die Verweichlichung der Jugend durch Glasfenster in den römischen Bädern beklagt. In der späteren römischen Kaiserzeit bildete sich im moselländisch-rheinischen Raum eine

Severin-Champagnerflaschen-Blasmaschine, um 1900 (O)
Um 1900 gab es zahlreiche Eigenentwicklungen zur maschinellen Fertigung von Flaschen. Hierzu gehört dieser Halbautomat, bei dem ein Arbeiter das Glas noch von Hand zuführt und die Maschine die Flaschen in einem zweistufigen Prozeß ausbläst.

bedeutende Glasindustrie heraus, die u. a. die großen Repräsentationsbauten der Kaiserresidenz Trier mit Glasscheiben beliefert hat.

Um 1100 n. Chr. schrieb der deutsche Mönch und Priester Theophilus sein Werk «Schedulae diversarum artium», das Kunde von den verschiedensten Zweigen kunstgewerblicher Tätigkeit des Mittelalters gibt, darunter auch eine ausführliche Anleitung zum Herstellen farbiger Glastafeln, wie sie in den Kirchenbauten der Romanik und dann der Gotik in großer künstlerischer Reife verwendet wurden. Man blies mit der Glasmacherpfeife Hohlzylinder, die dann aufgeschlitzt und in einem Ofen zu Tafeln ausgebügelt wurden. Daneben kam im Spätmittelalter das Mondglas-Verfahren auf, bei dem runde Glasplatten aus einer Kugel geschleudert wurden, die dann zu einzelnen, in Blei gefaßten Scheiben weiterverarbeitet wurden. Die Qualität der hiermit erzeugten Scheiben war jedoch gering: das Glas war nicht durchsichtig, sondern nur durchscheinend, oft grünlich gefärbt und mit mancherlei Einschlüssen und Luftblasen durchsetzt.

Die Epoche des Barock bevorzugte große Spiegelsäle in den fürstlichen Schlössern, so zum Beispiel in Versailles oder in der Amalienburg des Schloßparks von Nymphenburg (Di). Für die Spiegelglasproduk-

Amalgam-Spiegel, um 1760 (O)
Dieser Spiegel wurde um 1760 in der kurmainzischen Manufaktur in Lohr gefertigt. Die spiegelnde Schicht ist Amalgam, eine Quecksilber-Zinn-Legierung, deren Dämpfe bei den Arbeitern in Dauerbelastung zu langsamen Vergiftungen führte.

tion entstanden neue Techniken: Das flüssige Glas wurde aus dem Hafen auf eine Metallplatte gegossen, ausgewalzt und nach dem Kühlen auf der Rückseite mit Amalgam belegt. Mitte des 19. Jahrhunderts erfand Justus von Liebig das neue Verfahren der Naßversilberung von Spiegeln, mit dem auch heute noch die meisten Spiegel belegt werden.

Erst kurz vor dem Ersten Weltkrieg kamen die ersten Verfahren auf, Flachglas maschinell herzustellen. Emile Fourcault erfand eine Ziehmaschine (O), mit der eine Glastafel aus der Glasschmelze gezogen werden konnte. Seit den 1960er Jahren hat das Float-Verfahren (M), bei dem die Glasschmelze auf ein flüssiges Zinnbad aufschwimmt und hierbei eine völlig planparallele Tafel ausbildet, alle anderen Verfahren verdrängt.

In einer historischen Reihe werden alle wichtigen Herstellungstechniken für Flachglas vorgestellt. Eine weitere Gruppe ist den verschiedenen Veredelungstechniken des Flachglases gewidmet: die Fertigung von Einscheiben- und Verbundsicherheitsglas ist ebenso behandelt wie die modernen Schutzgläser wie Wärmeschutz-, Sonnen- und Brandschutzglas. Die Geschichte der Spiegel ist in einem Amalgamspiegel aus der kurfürstlich-mainzischen Manufaktur in Lohr (O) vertreten.

Spezialglas und Glasfasern

Für optische Instrumente wie Fernrohre und Mikroskope sowie für Brillen und Lichtleitfasern benötigt man ein spezielles Glas. Es muß höchste Anforderungen erfüllen, denn Licht deckt jeden Fehler im

Glas schonungslos auf. Daneben müssen auch die optischen Eigenschaften wie Brechzahl und Streuung genau eingehalten werden. Über viele Jahrhunderte bemühten sich Wissenschaftler und Techniker, diese hohen Ansprüche zu erfüllen, jedoch ohne entscheidenden Erfolg. Neben dem lange bekannten Kronglas aus Sand, Soda und Kalk entdeckte man in England die bleihaltigen Flintgläser. Doch auch weiterhin konnten optische Instrumente nur durch «Pröbeln», durch das Ausprobieren verschiedenster Linsen, hergestellt werden.

Erst Otto Schott erforschte zwischen 1876 und 1884 in enger Zusammenarbeit mit Ernst Abbe als erster systematisch, welche Auswirkungen neue Rohstoffe auf das erschmolzene Glas haben. Mit einem neuen Rührverfahren konnte er seine Gläser völlig homogenisieren. Durch Einführung von Borverbindungen in die Schmelze entstand eine neue Gruppe von Gläsern, die Borosilicate, die bisher ungekannte optische Eigenschaften aufweisen. Schott gründete das Jenaer Glaswerk, in dem er optische Gläser im industriellen Maßstab herstellte. Seit dieser Zeit wurden zahlreiche neue Gläser erschmolzen, die man jeweils für verschiedene «spezielle» Zwecke verwendete.

Die Ausstellung stellt in den vier Gruppen *Optisches Glas, Brillen, Chemie und Medizin* sowie *Elektroindustrie* Eigenschaften und wichtige

Glasdruck-Ofen, um 1950 (O)
Zur Herstellung von Glasschmuck, Glasknöpfen und anderer Gablonzer Ware. Der Ofen wurde um 1950 aus dem Schrott einer ehemaligen Munitionsfabrik zusammengebastelt.

Verwendungszwecke der Spezialgläser vor. Für das optische Glas wird die Zusammensetzung der Rohstoffe und die Herstellungstechnik beschrieben. Wichtigste Lieferform sind Rohlinge für Linsen (Fertigungsstufen, O). Daneben finden sich Borosilicatgläser in Chemie und Medizin, da sie nicht nur gegen Säuren und Laugen besonders resistent sind, sondern abrupte Temperaturwechsel aushalten. Erst das Jenaer Thermometerglas N 16 erlaubte die Fertigung von meßgenauen Thermometern. Für die Fertigung von Glühlampenkolben setzt man neben dem klassischen Kalk-Natron-Glas auch Spezialgläser ein. Die Ribbonmaschine (Teile, O) fertigt heute pro Tag über 1 Million Glühlampenkolben; eine Fabrik in Lommel (Belgien) beliefert den gesamten europäischen Markt.

Im 20. Jahrhundert erschloß die Fertigung von Glasfasern neue, zukunftsträchtige Anwendungsgebiete. Flüssige Glasmasse läßt sich zu Fäden ausziehen, die Ausgangsprodukt für zahlreiche weitere Anwendungen sind. Glaswolle (Isolierglasfasern) dient als Wärme- und Brandisolierung von Gebäuden. Textil weiterverarbeitete Glasfasern setzten sich als Ersatzmaterial während des Zweiten Weltkriegs und in der Nachkriegszeit für die Traggewebe von Bitumen und Bandagen durch. Heute werden viele Kunststoffe durch Glasfasern verstärkt. Die Herstellung und Anwendung beider Arten von Glasfasern verdeutlichen eine frühe Glasfaser-Ziehmaschine (N), ein TEL-Spinner (O) sowie verschiedene Demonstrationen und Produkte.

Für optische Zwecke werden hauchdünne, nur wenige Hundertstel Millimeter dicke Fäden aus hochbrechendem optischem Glas mit einem Mantel aus niedrigbrechendem Glas umgeben. Das auftreffende Licht durchläuft aufgrund der Totalreflexion am Mantel den Faden. Lichtleitfasern werden für Endoskope in Medizin und Technik eingesetzt. In der Ausstellung Glastechnik kann der Besucher mit dem Endoskop einen Rundgang durch ein Modell der Ausstellung unternehmen.

Jüngstes Kind der Glastechnik ist die Glaskeramik, bei der die natürliche Tendenz der Gläser, einen energieärmeren kristallinen Zustand zu erreichen, durch eine gezielte Wärmebehandlung unterstützt wird. Dadurch entstehen Werkstoffe mit Nullausdehnung über einen weiten Temperaturbereich und ohne Empfindlichkeit gegen schroffe Temperaturwechsel.

Glasblasen

Die Besucher können beim Eingang zur Altamira-Höhle einem Glasbläser vor der Lampe bei der Arbeit zusehen. Der Glasbläser erschmilzt im Gegensatz zum Glasmacher sein Glas nicht selbst aus den Rohstoffen, sondern verarbeitet industriell hergestellte Glasrohre, die er erhitzt und dann verformt. Glasbläserarbeit dient heute fast nur noch künstlerischen Zwecken. Bis ins 20. Jahrhundert stellten Glasbläser – häufig in Heimarbeit – kleinere technische Glaserzeugnisse wie Thermometer und Christbaumkugeln her. *W. Glocker*

Technisches Spielzeug

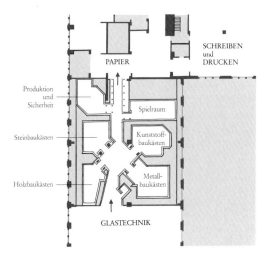

Technische Gegenstände und Erfindungen beeinflußten schon vor über hundert Jahren die Herstellung von Spielzeug. Spielzeug, Umwelt im kleinen, bringt damit auch die Technik ins Kinderzimmer, sei es als historische Dampfmaschine des 19. Jahrhunderts oder als computergesteuerte Werkzeugmaschine unserer Tage. Immer rascher paßten sich die Spielmodelle der technischen Entwicklung an. Technik wird im Spielzeug anschaulich und begreifbar. Im Spiel erschließt sich das Kind die Welt der Erwachsenen; darin liegt eine wesentliche gesellschaftliche Aufgabe des Spielzeugs.

Aber nicht nur Kinder, auch Erwachsene – Techniker, Ingenieure und Erfinder – beschäftigen sich in vielfältiger Weise spielerisch bei ihrer Arbeit mit dem Ziel, zu neuartigen Schöpfungen zu kommen. Technisches Spielen ist daher nicht «Spielerei», sondern häufig Vorstufe des Umgangs mit der Technik selber. Deshalb ist es für das Deutsche Museum im Rahmen seiner Zielsetzung, einer breiten Bevölkerungsschicht die Grundprinzipien der Technik zu vermitteln, ganz selbstverständlich, technisches Spielzeug zu sammeln, zu erforschen und in Ausstellungen zu präsentieren.

Bis zur Einrichtung einer Dauerausstellung finden zunächst Spezialausstellungen statt, gegenwärtig eine mit dem Thema *Bauklötze staunen*.

Zur Ausstellung «Bauklötze staunen»

Am spielerischen Bauen und an der Geschichte der Baukästen lassen sich exemplarisch die Zusammenhänge zwischen Technik, Architektur und Spiel darstellen. Themen der Ausstellung sind: Bauen und Baukästen, insbesondere deren Geschichte, technische, wirtschaftliche und gesellschaftliche Fragen sowie Produktion und Sicherheit. In einem Spielraum können nach schriftlicher Voranmeldung Schulklassen und Kindergartengruppen verschiedene Baukastenprogramme erproben.

Holzbaukästen

Das Spiel mit Bauklötzen ist sicher weitaus älter als zweihundert Jahre. In den achtziger Jahren des 18. Jahrhunderts tauchen Baukästen auf, d. h. systematisch konzipierte und in Kästen eingeordnete Bauteile. Schon bald bilden sich zwei Richtungen heraus: *Themenbaukästen* und *Elementarbaukästen.*

Themenbaukästen gestatten, Häuser, Paläste, Kirchen, Festungen u. v. a. m. zu bauen. Bekannte Beispiele dafür sind: Bauspiele im Katalog des Versandhauses Bestelmeier (1793), *Münchner Kindl-Baukästen* (ab 1904), Architektur-Baukasten *A-Ba-Ka* (1919) sowie eine Reihe von Baukästen aus dem Erzgebirge der Firmen S. F. Fischer, Emil Reuter, Carl Fritzsche, Louis Engel, Gotthard Drechsel (ab Ende des 19. Jahrhunderts).

Elementarbaukästen lassen dem spielenden Kind mehr Freiheit bei der Wahl der Baumotive, bieten mehr Gestaltungsmöglichkeiten und erlauben ein verstärktes Erfahren und Begreifen des Raumes.

Friedrich Fröbel (1782–1852), einer der bedeutendsten Pädagogen der ersten Hälfte des 19. Jahrhunderts und Begründer des Kindergartens, schuf mit seinen Spielgaben die Grundlagen für diese Art von Baukästen, die er zum ersten Mal gezielt als Spiel- und Lernmittel einsetzte. Baukästen waren zwar nur ein Teil der Spielgaben; ihnen kam jedoch zentrale Bedeutung zu. Die Spielgaben, mathematisch reine Formen, Kugel, Würfel, Walze und ihre Teilungen, waren gedacht als Medien, durch die das spielende Kind, aber auch der Jugendliche Zeit- und Raumstrukturen wahrnehmen, begreifen und über das Aufmerken zum vergleichenden und urteilenden Denken gelangen sollte. Die nach dem 2. Weltkrieg entstandenen *Uhl-* und *Kietz-Baukästen,* in großem Umfang in Kindergärten eingesetzt, greifen die Ideen Fröbels wieder auf.

Die Instabilität von größeren Bauwerken aus Holz ließ Erfinder schon früh nach Befestigungselementen und -möglichkeiten suchen. Bereits 1829 erhielt der Wiener Joseph Trentsensky ein Patent auf Bausteine, die mit einem Verbindungsdraht stabilisiert waren. Verwendet wurden in der Folge auch hölzerne und metallische Zapfen, Blech-(Minerva-Baukasten) oder Gummihülsen.

Andere Befestigungsmöglichkeiten ergaben sich durch Löcher, Schlitze, Nuten, Vorsprünge und ähnliches in den Bauelementen selber. Bekannte Baukästen dieser Art: *Thuringia-Baukästen* (nach der Jahrhundertwende), *Ingenius-Baukästen* (zwanziger Jahre), *Dusyma-Baukästen* (dreißiger Jahre). Auch der Baukasten *Matador* (1901) fußt auf diesem Befestigungssystem, ermöglicht allerdings darüber hinaus zum ersten Mal Drehbewegungen und dadurch die Darstellung funktionsfähiger technischer Gegenstände, eine Novität bei Holzbaukästen. 1954 übertrug Hans Wammetsberger die bei Metallbaukästen erfolgreiche Kom-

bination Lochstreifen und Schraube auf Holzbaukästen. Er fügte Würfel mit Bohrung und Gewinde sowie Schraubenzieher und -schlüssel aus Holz hinzu und kam so zu seinem erfolgreichen Konstruktionsspiel *baufix*.

Steinbaukästen

Bekannt ist Otto Lilienthal als Flugpionier; aber auch die ersten Steinbaukästen, später unter dem Namen *Anker-Steinbaukasten* weltweit vertrieben, gehen auf die Gebrüder Lilienthal zurück. Motor der Entwicklung war allerdings nicht Otto, sondern sein Bruder Gustav Lilienthal, ein engagierter Architekt und Kinderfreund.
Grundform der Steine ist der Würfel in seinen Teilen und Vielfachen sowie andere einfache mathematische Körper wie Zylinder und Pyramide. Die von Lilienthal entwickelten Farben, blasses Ziegelrot, Ockergelb und Schieferblau, entsprechen den Architekturfarben der Gründerzeit. Die Orientierung an der Architektur führte zu einer weiteren Differenzierung der Steine.
Nach vergeblichen Versuchen, die Baukästen selber zu verkaufen, überließ Gustav Lilienthal die Erfindung Adolph Richter. Dieser clevere Geschäftsmann ließ sie 1880 patentieren und brachte den Anker-Steinbaukasten ergänzt durch mustergültige Vorlageblätter auf den Markt. Die Richterschen Steinbaukästen bildeten ein weitverzweigtes Stufen- und

Ergänzungssystem, das mit einem kleinen Kasten mit 19 Steinen begann und zum Kastensatz mit 3861 Steinen führte; dazu gab es zahlreiche Sonderausführungen wie den *Anker-Brückenkasten* (1901), den *Landhaus-Baukasten* (1912) und den *Festungsbaukasten* (1916).

Das wohldurchdachte System von Baukästen und Bauanleitungen, eine umfangreiche Werbung und der «Richter Anker-Steinbaukasten Verein» führten den Anker-Steinbaukasten zu einem weltweiten Erfolg, an dem sich andere Hersteller orientierten: *Bing-Steinbaukasten* (um 1915) und *Domusto-Brückenbaukasten* (1912). Nach dem Krieg kam eine Reihe weiterer Steinbaukästen auf den Markt, die aber bald wieder verschwanden; *Tetek-Baukasten* und *Meadom-Baukasten* waren die bekanntesten.

Metallbaukästen

Mehr als achtzig Jahre sind vergangen, seit Frank Hornby (1863–1936) den ersten Metallbaukasten erfand (1901). Der Zeitpunkt war nicht zufällig; die rapide voranschreitende Industrialisierung und der Ausbau der Eisenbahn hatten Techniker zu grandiosen und mächtigen Bauwerken inspiriert. Der Glaube an den technischen Fortschritt war ungebrochen, die Zeit reif für die Idee eines Baukastens, mit dem die technische Umwelt modellhaft nachgestaltet werden konnte.

Der Metallbaukasten *Meccano* von Hornby setzte sich aus Lochstreifen mit Muttern und Schrauben sowie Achse/Welle als Bauelementen für Drehbewegungen zusammen. Meccano wurde – mit großem Erfolg weltweit vertrieben – zum Vorbild für andere Baukästen. Die Firma Walther übernahm bei den *Stabil-Baukästen* die Grundideen Hornbys und entwickelte sie weiter; die Gebrüder Märklin erwarben die Rechte an der konfiszierten Niederlassung der Meccano Ltd. in Berlin. Bis nach dem 2. Weltkrieg orientierten sich Metallbaukästen noch in ihrer Struktur an Meccano. Neue Wege ging man bei Trix mit einem dreireihigen Lochstreifen (1930), der vielfältige und stabile Kombinationen ermöglichte, sowie bei *Metall-Trigon* mit dreieckigen Grundelementen (1912) und bei *Dux* mit flächigen Bauteilen (1939). Bei *Meco* und *Meweka* verlegte man die Fertigung von Bauteilen in die Hand des Benutzers; lediglich Werkzeuge standen zur Verfügung.

Die größte Bedeutung hatten Metallbaukästen zwischen den beiden Weltkriegen. Nach dem 2. Weltkrieg erlebten sie noch einmal einen Aufschwung; mit dem Aufkommen der Kunststoffbaukästen ging ihre Bedeutung allerdings entscheidend zurück.

Kunststoffbaukästen

Mit Kunststoffbaukästen gelang es, die engen gesellschaftlichen Grenzen früherer Baukästen zu überwinden: Sie sind Spielzeug für alle: für alle Altersstufen, für alle Schichten, für Mädchen und Buben.

Die ersten Kunststoffbaukästen, d.h. Baukästen mit Teilen aus thermoplastischem Kunststoff, sind Produkte der fünfziger Jahre. Die ersten

Bauklötze staunen (Plakat zur Ausstellung)
Die Ausstellung «Bauklötze staunen» erzählt die Geschichte der Baukästen:
– die Arten (Holz, Stein, Metall, Kunststoff),
– ihre Entwicklung in technischer Hinsicht,
– ihre gesellschaftliche, insbesondere pädagogische sowie wirtschaftliche Bedeutung.

Bausteine von *Idema,* dem ersten Kunststoffbaukasten in der BRD, waren dem Ziegelstein nachempfunden. Sie bestanden aus Bakelit. Noch kam beim Bauen keine Fixierung zustande. Erst mit dem Übergang vom Bakelit zum Polystyrol gelang es 1959 dem Erfinder von Idema, Josef Dehm, eine stabile Verbindung zwischen Einzelteilen herzustellen. Kinder konnten Gebäude bauen, Räder machten statische Modelle beweglich.
Gleichfalls dem Ziegelstein nachgestaltet ist *Lego,* das sein Erfinder Godtfred Kirk Christiansen zum Bausystem ausbaute, bei dem alle Baukästen aufeinander abgestimmt sind und das für alle Altersstufen Angebote enthält.
Stand bei den beschriebenen Bausystemen der Backstein Pate, so orientierte sich Max Amsler mit seinem Bausystem *constri* am Hochhausbau (1960); auch an bewegliche Modelle war von Anfang an gedacht.

Der Start des sowjetischen Sputnik im Jahr 1957 löste Entwicklungen aus, die zu einer Aufwertung von Naturwissenschaften und Technik führten, auch in den Schulen. In diese Zeitströmung eingebettet ist die Erfindung Artur Fischers (*fischertechnik* 1966). Mit ihr gelang es, technische Funktionen wirklichkeitsgetreu nachzugestalten. Für die spezifischen Wünsche der Lehrer bezüglich des Werkunterrichts entstanden eine Reihe von Baukästen (*ut-Serie* 1969/1971).

Ging es bisher darum, Technik modellhaft nachzuahmen, so weisen die neuerdings aus fischertechnik hergestellten Industriemodelle darüber hinaus; Technik wird gestaltet, d.h. die Baukastenmodelle sind Vorbild für die Technik selber.

Produktion und Sicherheit

Die Produktion von Baukästen erforderte von Anfang an Genauigkeit; sehr früh wurden Maschinen eingesetzt. Mechanisierung und Automatisierung führten bis zum heute angewendeten Spritzgießen von Kunststoffbauteilen. Mit diesem Verfahren lassen sich Bauteile präzis, schnell und billig produzieren – eine Vorbedingung für weite Verbreitung.

Im Rahmen dieses Bereichs wird über die Produktion von Holz- und Kunststoffbauteilen sowie über mechanische und chemische Sicherheit von Spielzeug informiert.

(Ein umfangreicher Abteilungsführer «Bauklötze staunen» ist im Museumsladen erhältlich.)

G. Knerr

Industriemodelle – eine neue Perspektive für Baukästen
Mit «fischertechnik» entstehen im Kleinen Modelle, die später im Großen verwirklicht werden.

Papier

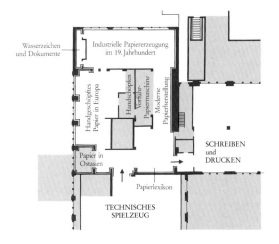

Den ersten Hinweis auf die Erfindung des Papiers enthält das chinesische Geschichtswerk *Hou Han Shu*, das die jüngere Han-Zeit (25–220 n. Chr.) beschreibt. Darin teilte der chinesische Staatsbeamte Ts'ai Lun im Jahre 105 dem Kaiser mit, daß es ihm gelungen sei, aus Baumrinde, Hanf, alten Lumpen und Fischnetzen Papier herzustellen. Im 8. Jahrhundert erlernten die Araber in Samarkand von den Chinesen die Papierherstellung und verbreiteten sie im Laufe mehrerer Jahrhunderte bis nach Europa.

Die älteste Nachricht von Papiermühlen auf europäischem Boden stammt aus dem 12. Jahrhundert (Xativa, Spanien).

An der Technik der Papierherstellung hat sich von diesen Anfängen bis zum 19. Jahrhundert nur wenig geändert. Als Ausgangsmaterial dienten Lumpen, auch Hadern genannt, aus pflanzlichen Fasern (Cellulose) wie Leinen, Hanf und Baumwolle. Die Lumpen wurden in Wasser mit Hilfe von Stampf- oder Mahlwerken zerfasert. Aus der Fasersuspension schöpfte man die einzelnen Bogen, die zwischen Filzen ausgepreßt und an der Luft getrocknet wurden.

In einer kleinen Papiermühle mit einer Schöpfbütte waren etwa zehn bis fünfzehn Personen beschäftigt, die an einem Tag bis zu 5000 Papierbogen herstellen konnten. Um 1600 soll es in den verschiedenen Gegenden Deutschlands etwa 150 bis 200 Papiermühlen, um 1800 etwa 1300 Bütten mit insgesamt um die 15000 Beschäftigten gegeben haben. Papiermühlen wurden im deutschen Raum oft von den Reichsstädten, regierenden Fürsten und Klöstern eingerichtet und an Papiermacher verpachtet.

Im 14. Jahrhundert begann in Europa das Papier allmählich das bis dahin übliche Pergament zu verdrängen. Dementsprechend war der Papierverbrauch in den Schreibstuben der Klöster, den Kanzleien und im privaten Bereich zunächst gering. Diese Situation änderte sich mit der

Erfindung des Buchdrucks um die Mitte des 15. Jahrhunderts. So wurden von 180 Exemplaren der 42zeiligen *Gutenberg-Bibel* bereits 150 auf Papier und nur noch 30 auf Pergament gedruckt. Papier, das billiger und besser zu bedrucken war, wurde zur materiellen Voraussetzung für die kulturelle Entwicklung und für das merkantile System. Nachdem bereits im 15. Jahrhundert Neuigkeiten auf Flugblätter gedruckt worden waren, kamen um 1600 die ersten regelmäßig erscheinenden Zeitungen auf. Die Auflagenhöhe von Büchern ging im 16. Jahrhundert bereits in die Tausende. Immer mehr Menschen lernten Schreiben und Lesen; die Zahl derer, die sich für Bücher interessierten und sie sich auch leisten konnten, wuchs ständig.

Verständlicherweise mußte dies bald dazu führen, daß Lumpen, das lange Zeit einzige Ausgangsmaterial für die Papierherstellung, knapp wurden. Alle Bemühungen um einen Ersatzstoff waren jedoch bis zum 19. Jahrhundert, als man das Holz als Fasermaterial entdeckte, weitgehend erfolglos geblieben. Zerfasertes Holz (Holzschliff) für die Papiererzeugung zu verwenden, hat 1843 Friedrich Gottlob Keller vorgeschlagen – Zeitungsdruckpapier, Verpackungspapiere und Pappen enthalten heute bis zu 90% Holzschliff. Ein den Lumpen nahezu gleichwertiges Fasermaterial bildete jedoch erst der seit der zweiten Hälfte des 19. Jahrhunderts durch chemischen Aufschluß von Holz gewonnene Zellstoff (Benjamin Chew Tilghman: Sulfitzellstoff 1886/87; Carl Ferdinand Dahl: Sulfatzellstoff 1882). Erst mit der Erschließung von Holz als Rohstoff konnten Papier und Pappe ihre heutige Bedeutung als Verpackungsmaterial erreichen; bis zum 18. Jahrhundert wurde die weitaus überwiegende Menge des hergestellten Papiers beschrieben und bedruckt. Ins 19. Jahrhundert zurück geht auch die Idee, durch Zusatz von «aufgelöstem» Altpapier andere Faserstoffe einzusparen.

Eine revolutionäre Veränderung in der Papierherstellung bedeutete die Erfindung der Langsiebmaschine durch den französischen Ingenieur Louis-Nicolas Robert (1798/99), deren Prinzip noch den modernsten Maschinen zugrunde liegt. Der wegweisende Gedanke liegt darin, die Fasersuspension auf ein sich endlos fortbewegendes Sieb aufzugießen und so das Papier als Bahn herzustellen – im Gegensatz zum Schöpfen der einzelnen Bogen. Diese Umstellung vom intermittierenden zum kontinuierlichen Produktionsvorgang hat zu Maschinen geführt, die heute bis zu 2000 Meter Papier in einer Breite von 6 bis 9 Meter pro Minute erzeugen.

Solche Maschinenleistungen sind zu verstehen, wenn man bedenkt, daß zum Beispiel 1988 in der Bundesrepublik Deutschland pro Kopf 200 kg Papier und Pappe verbraucht wurden, was einer Gesamtmenge von über 12 Mio. Tonnen entspricht.

Was ist Papier?

Papier ist ein Filz aus pflanzlichen (Cellulose-) Fasern. Der Zusammenhalt der Fasern beruht, abgesehen von der mechanischen Verfilzung, auf chemischen Bindungen (Wasserstoffbrücken), die sich bei der Papierherstellung zwischen den Hydroxylgruppen der Cellulosemoleküle ausbilden. Diese Bindung ist so stark, daß Papier – unter Berücksichtigung des spezifischen Gewichts – in der Zugfestigkeit gewöhnlichen Baustahl übertreffen kann.

Zur Ausstellung

Im Mittelpunkt steht die Geschichte der Papierherstellung, die ihren Entwicklungsphasen entsprechend in drei Raumabschnitte gegliedert ist. (Ein umfangreicher Abteilungsführer ist im Museumsladen erhältlich.)

Die Zeit des handgeschöpften Papiers

Der erste Abschnitt beginnt mit den Vorläufern des Papiers – *Papyrus und Pergament* – und mit dem Papier der Naturvölker, der sogenannten *Tapa*. Gerätschaften einer japanischen Papiermacherwerkstatt veranschaulichen den Vorgang der Papierherstellung in Ostasien.

Die europäische Papiermacherei mit ihren Anfängen im 13. Jahrhundert, die bis in das 19. Jahrhundert weitgehend unverändert blieb, zeigt sich als typischer Mühlenbetrieb. Davon zeugen die originalen Einrichtungen wie Hadernschneider, Stampfwerk, Holländer und Spindel-

Papiermacherwerkzeuge aus Japan, um 1900 (O)
Als Rohstoff für Japanpapier dienen Rindenbastfasern, die mit Schlagwerkzeugen (links) aufbereitet werden. Aus der hölzernen Bütte (Mitte) schöpft man das Papierblatt mit einem Bambussieb, das in einem aufklappbaren Rahmen eingespannt ist.

Papiermühleneinrichtungen aus der «Zeit des handgeschöpften Papiers» (O)
Der Hadernschneider aus Zettelsdorf bei Bamberg, um 1800, und das Stampfwerk aus
Fabriano (Italien), 16. Jahrhundert (?), dienten zur Aufbereitung der Hadern (Lumpen). Der Holländer aus der Papiermühle August Plöger in Schieder (Westfalen),
datiert 1845, ist ein Mahlwerk zum Bearbeiten der Fasern. Solche Mahlwerke kamen
am Ende des 17. Jahrhunderts in Holland auf und verdrängten allmählich die in Europa üblichen Stampfwerke. Mit der hölzernen Spindelpresse entwässerte man schon im
17. Jahrhundert in der Moulin de la Combe-Basse, Auvergne (Frankreich), die zwischen Filzen liegenden nassen Papierblätter. In Deutschland war es üblich, jeweils
einen Stoß von 181 Bogen Papier zu pressen, den man Pauscht nannte.

Herstellung von handgeschöpftem Papier (V)
Im Hintergrund sind originale Schöpfformen und T-Stücke (zum Aufhängen der
feuchten Papierbogen) aus dem 18. und 19. Jahrhundert zu sehen.

presse aus verschiedenen Papiermühlen sowie Modelle einer westfälischen, mit Wasserkraft betriebenen und einer holländischen Papiermühle, die mit Windenergie arbeitet. Außerdem beherbergt die Sammlung eine große Anzahl von Schöpfformen aus dem 18. und 19. Jahrhundert.

Die einzelnen Stadien der Herstellung sind in vier Dioramen dargestellt. Als Vorlage dienten Kupferstiche aus Diderot/d'Alembert: *Encyclopédie*, Paris 1751-1780, und aus *Descriptions des arts et métiers*, Paris 1761–1789.

Zum besseren Verständnis des Vorgangs, wie aus der Fasersuspension das Papierblatt entsteht, wird täglich das Handschöpfen vorgeführt. Für die Ausstellung alter Papiere mit Wasserzeichen und verschiedener Dokumente zur Papiergeschichte ist ein dunkler Raum eingerichtet, in dem die lichtempfindlichen Exponate bei einer Beleuchtungsstärke von nur 50 Lux vor Lichtschäden bewahrt werden sollen.

Beginn der industriellen Papiererzeugung

Im 19. Jahrhundert wurde der Grundstein für die moderne Papierindustrie gelegt. Die Erfindung der Papiermaschine leitete die Mechanisierung in der Papierproduktion ein. Der Ersatz der immer knapper gewordenen Lumpen durch Holz war bahnbrechend für die industrielle Papierfertigung.

Unter den Exponaten in diesem zweiten Raumabschnitt dürfte die französische Langsiebmaschine, die um 1820 datiert wird, das bedeutendste sein. Soweit uns bekannt ist, gibt es in keinem anderen Museum ein so

Papiermaschine, Frankreich, um 1820 (O)
Die Maschine stammt aus dem Besitz von Claude Sauvade, dem die Moulin de la Combe-Basse in der Auvergne gehörte.
Bei dieser wahrscheinlich ältesten erhaltenen Langsiebmaschine handelt es sich um eine verbesserte Ausführung der von Louis-Nicolas Robert 1798 erfundenen Papiermaschine. Die aus dem hölzernen Stoffkasten fließende Fasersuspension wird auf dem Sieb entwässert und als nasse Bahn in das Preßwalzenpaar geführt. Da die Maschine keine Trockeneinrichtung hat, muß das sich feucht auf einer Haspel aufwickelnde Papier abgeschnitten und an der Luft getrocknet werden. Der Antrieb erfolgt über ein Wasserrad mit 2,2 bis 2,9 kW (3 bis 4 PS), Geschwindigkeit: etwa 5 m/Minute (Ansicht von der Antriebsseite).

frühes und noch dazu hervorragend erhaltenes Exemplar einer Papiermaschine. Ebenso einzigartig ist der kleine Handschleifapparat, mit dem Friedrich Gottlob Keller 1843 seine Versuche zur Holzschliffherstellung durchgeführt hat. Die Entwicklungen des 19. Jahrhunderts dokumentieren außerdem Modelle von zwei Holzschliffabrikationsanlagen, eines Kollergangs und eines Holländers, die in den zwanziger Jahren von Maschinenbaufirmen für das Deutsche Museum angefertigt wurden. Erst durch die Erfindung der maschinellen Papiertrocknung mit dampfbeheizten Zylindern im Jahr 1820 war die Produktion von Papier in fertigen Rollen möglich. Die Bedeutung dieser Neuerung führt ein originaler Trockenzylinder vor Augen, den die berühmte Maschinenbaufirma von Bryan Donkins in London 1859 herstellte.

Die Einführung von Lumpenersatzstoffen und die Erzeugung von Sorten für bestimmte Verwendungszwecke machten es erforderlich, Papiere nach ihrer Qualität zu normen, was wiederum Prüfmethoden voraussetzte. Eine Vitrine beherbergt die Sammlung von Prüfgeräten vom Ende des 19. und aus den ersten Jahrzehnten des 20. Jahrhunderts.

Moderne Papierherstellung

Das Deutsche Museum versucht, neben der geschichtlichen Entwicklung auch stets den aktuellen Stand der Technik zu zeigen. Dies ist allerdings nur in begrenztem Maße möglich, da, abgesehen vom raschen Wandel, die meisten Maschinen schon wegen ihrer Größe in der Ausstellung keinen Platz finden können. Die heute verwendeten Roh- und Hilfsstoffe sind als Materialproben ausgestellt, ihre Gewinnung kann nur anhand von Modellen veranschaulicht werden, z.B.: Stetigschleifer und Refineranlage zur Erzeugung von Holzstoff, Zellstoffkocher, Anlage für das kontinuierliche Aufschlußverfahren und Altpapier-Deinkingzelle.

Gegenüber der Vitrine mit den Ausgangsmaterialien steht eine Versuchspapiermaschine, die als funktionsfähiges Modell einer modernen Papiermaschine gelten kann. Mehrmals in der Woche wird damit Papier erzeugt. Die langsame Geschwindigkeit von etwa 2 m/min. erlaubt es, die Bildung der Papierbahn auf dem Sieb und den Durchgang durch die Pressen- und Trockenpartie im Zeitlupentempo zu beobachten.

Natürlich kann die Versuchspapiermaschine in keiner Weise das Erlebnis des Besuchs einer Papierfabrik ersetzen. Selbst Diapositive von Produktionsanlagen, die auf die Wand hinter der Papiermaschine projiziert werden können, oder Filmaufnahmen vermögen den gigantischen Eindruck solcher schnellaufenden, am Tag bis zu 500 Tonnen Papier erzeugenden Maschinen nur unzureichend wiederzugeben.

Den Abschluß des dritten Raums bildet ein *Papierlexikon an der Wand*, eine Vitrine, in der etwa 80 verschiedene Sorten Papier und Pappe in alphabetischer Reihenfolge ausgestellt und in ihren wesentlichen Eigenschaften beschrieben sind. Bei der Auswahl konnte nur ein kleiner Teil

Langsiebmaschine zur Herstellung von Papier im Labormaßstab, 1956/57 (O,V)
angefertigt in den Lehrwerkstätten der Firma Escher-Wyss, Ravensburg.
Die 7 m lange Vorführmaschine stellt pro Minute etwa 2 m einer 25 cm breiten
Papierbahn her (Vorführung dreimal wöchentlich).

aller existierenden Papiersorten berücksichtigt werden; es stand nicht
die wirtschaftliche Bedeutung der einen oder anderen Sorte im Vordergrund, sondern das Bestreben, die Vielfalt des Materials Papier und seiner Anwendungsgebiete zu zeigen.

L. Michel

Papiermaché (Pappmaché)

Knetbare Masse, die man durch Zerfasern von Papier in
Wasser erhält (zur Festigkeitssteigerung wird meist Leim
oder Kleister zugesetzt). Von Hand geformt oder als
Abformmaterial dient es zur Herstellung plastischer Gegenstände, die beim Trocknen erhärten.

*Marionettenköpfe aus
Pappmaché*
Beispiel aus einer Reihe
von über 80 Produk-
ten, die stellvertretend
für ungefähr 3000 be-
kannte Sorten die Viel-
falt des Materials Pa-
pier zeigen. (Leihgabe
des Stadtmuseums
München)

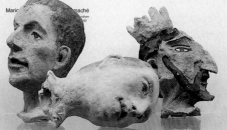

Schreiben und Drucken

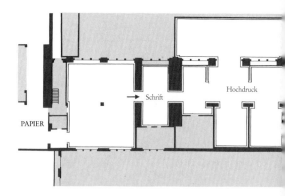

Vor etwa 6000 Jahren begannen sich bei verschiedenen Völkern Schriften zu entwickeln, die zunächst auf Wände, Gegenstände, Stein-, Metall-, Holz- und Tontafeln, auf Leder, Pergament und Papyrus geritzt, gedrückt, gemeißelt, gemalt oder geschrieben wurden. Die Phönizier gebrauchten um 1400 v. Chr. die erste aus 22 Zeichen bestehende Buchstabenschrift, aus der neben den semitischen Schriften die arabische, kyrillische, griechische und die lateinische Schrift hervorgegangen sind. Den ersten Beispielen vervielfältigter Schriften begegnen wir in chinesischen Einblattdrucken und Blockbüchern aus der Zeit um 600 n. Chr. (Drucke von einem geschnittenen Holzblock).

Johannes Gutenbergs (1395/1400–1468) Verdienst war die Erfindung einer Vervielfältigungsmöglichkeit für Schrift, die hohe Auflagen preiswert herzustellen gestattete. Dies war die technische Voraussetzung dafür, daß Bücher weiteren Kreisen zugänglich wurden, daß Zeitungen und Zeitschriften entstehen und ganz allgemein Mitteilungen in schriftlicher Form eine ungeahnte Verbreitung finden konnten. Nur wenige andere Erfindungen dürften einen so außerordentlichen Einfluß auf die Kultur und die menschliche Gesellschaft gehabt haben.

Der Druck mit beweglichen Lettern aus Metall setzte das Gießinstrument – Kernstück von Gutenbergs Erfindung – ebenso voraus wie die Druckpresse, die Druckfarbe und Kenntnisse im Umgang mit Papier. Innerhalb weniger Jahre war es Gutenberg gelungen, die 42zeilige Bibel herzustellen, die heute noch als eines der schönsten Druckwerke gilt. Während die ersten Drucker noch gleichzeitig Stempelschneider, Schriftgießer, Setzer, Verleger und Buchhändler in einer Person waren, begannen sich nach 1500 die einzelnen Sparten zu verselbständigen. Einer der ersten selbständigen Schriftenschneider war Claude Garamond (1480–1561), dessen Drucktypen auch heute noch verwendet werden. Anton Koberger (um 1440–1513) in Nürnberg hatte den ersten Großbetrieb mit bis zu 24 Pressen, 100 Gesellen und 16 Buchläden. Das System Gutenbergs war so vollkommen, daß es bis 1800, also über 350 Jahre lang, kaum Veränderungen hinnehmen mußte.

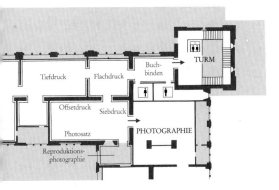

Die Vervielfältigung von Bildern bzw. Illustrationen erfuhr eine grundlegende Neuerung durch den Kupferstich, der Anfang des 15. Jahrhunderts aufkam. Neben dem Holzschnitt zur bevorzugten Technik
geworden, entwickelte er sich zusammen mit der Radierung und ihren
Varianten wie Schabkunst, Aquatinta und Weichgrundradierung zur
dominierenden Illustrationsart. Als Stich und Radierung konnten die
Werke vieler Künstler weite Verbreitung finden.

Mit dem wachsenden Bedarf an gedruckten Büchern, der zunehmenden Auflagenhöhe und nicht zuletzt mit dem Aufkommen von Zeitungen (1660 erste Tageszeitung in Leipzig) sowie dem Verlangen nach
größerer Aktualität konnten die Handpressen mit einer Druckgeschwindigkeit von etwa 300 Bogen pro Stunde nicht mehr Schritt halten. Die erste Zylinderdruckmaschine konstruierte Friedrich Koenig
1811 und leitete damit das Maschinenzeitalter in der Druckerei ein.

Das Streben nach höherer Druckgeschwindigkeit aufgrund der Verbreitung des Zeitungswesens förderte den Bau der Schnellpresse (1000
bis 1500 Drucke pro Stunde), der Schön- und Widerdruckmaschinen
(zum gleichzeitigen Bedrucken beider Papierseiten) sowie von Schnell-
pressen mit mehreren Druckwerken (4000 Drucke pro Stunde) und
führte schließlich 1865 zur Einführung der Rollenrotationsmaschine
(8000 Drucke pro Stunde).

Die in der zweiten Hälfte des 19. Jahrhunderts aufkommenden Tiegel-
druckmaschinen füllten eine Lücke zwischen Hand- und Schnellpresse.
Sie waren für den Druck kleinerer Auflagen bestimmt.

Die erhöhte Menge an Drucktypen konnte zwar mit Gießmaschinen
hergestellt werden; das Setzen selbst blieb trotz zahlreicher Mechanisie-
rungsversuche vorerst Handarbeit. Die entscheidende Erfindung gelang
Ottmar Mergenthaler mit der *Linotype*-Zeilensetz- und -gießmaschine
(1883–1886), die neben der *Monotype*-Einzelbuchstabensetz- und
-gießmaschine (1885) und dem *Typograph* (1890) bis zur Einführung des
Photosatzes in den siebziger Jahren unseres Jahrhunderts marktbeherr-
schend war.

Während die Neuerungen beim Textdruck im 19. Jahrhundert im wesentlichen nur die Steigerung der Geschwindigkeit betrafen, beschritt der Bilderdruck völlig neue Wege. 1796 bis 1798 erfand Alois Senefelder mit der Lithographie das erste Flachdruckverfahren. Die daraus hervorgegangene Chromolithographie bot erstmals die Möglichkeit, naturgetreue Farbdrucke herzustellen.

In der zweiten Hälfte des 19. Jahrhunderts kamen Farbreproduktionsverfahren auf, die auf Anregungen aus der Photographie und Fortschritte in der Chemie zurückgehen:

Lichtdruck, Joseph Albert (München, 1868),
Photogravüre (Heliogravüre), Karl Klič (Wien, 1879),
Photochromdruck, Orell Füßli (Zürich).

Besonders hervorzuheben ist Georg Meisenbach, München, der 1882 bis 1889 ein Verfahren entwickelte, auf photographischem Wege Halbtonvorlagen in Rasterpunkte zu zerlegen und auf Zinkplatten zu übertragen. Wenige Jahre später beherrschte man die Drei- und Vierfarbenreproduktion im Buch-(Hoch-), Tief- und Offsetdruck (Flachdruck), der aus der Lithographie hervorging.

Die technischen Fortschritte im 19. Jahrhundert verbilligten vor allem auch die Druckerzeugnisse. Neben der unterhaltenden illustrierten Presse und der informierenden Tageszeitung, der Werbung mit Plakaten, Prospekten und Katalogen erschienen Buchreihen und Taschenbücher als billiges Konsumbuch. Die nach dem ersten Weltkrieg entstandenen Buchklubs und Buchgemeinschaften gewannen dem Buch Millionen von neuen Lesern.

Heute dienen viele traditionsreiche Druckverfahren praktisch nur noch künstlerischen Zwecken. Dem Hochdruck blieb bisher noch das Gebiet des Zeitungsdrucks; er wird jedoch auch dort bereits vom Rollenoffsetdruck verdrängt. Die in großen Auflagen erscheinenden Illustrierten und Werbekataloge (z. B. *Der Spiegel*, Auflage ca. 1 Million; *Stern*, Auflage ca. 1,8 Millionen; *Quelle-Katalog*, Auflage ca. 8 Millionen) werden im Rollentiefdruck (45 000 Zylinderumdrehungen pro Stunde) hergestellt.

Für fast alle übrigen Druckerzeugnisse, vom Buch bis zur Verpackung, wendet man das Offsetverfahren an. Bogenmaschinen erreichen Geschwindigkeiten bis etwa 10 000, Rollenoffsetmaschinen 25 000 Drucke pro Stunde.

Eine wesentliche Veränderung erfuhren Satz- und Bildreproduktion, nachdem die Elektronik auch den Druckbereich eroberte. In den siebziger Jahren haben Photosatzgeräte, in denen die Buchstaben in Form eines Schwarzweiß-Negativs oder elektronisch als codierte Informationen digital gespeichert vorliegen, die mechanischen Setzmaschinen verdrängt. Für die Bildherstellung verwendet man ebenfalls elektronische Geräte, die sogenannten Scanner. Mit diesen ist es möglich, direkt von der Vorlage druckfähige Farbreproduktionen in einem Arbeitsgang zu erhalten.

Zur Ausstellung

In der 1965 eröffneten Abteilung sind die verschiedenen Druckverfahren nach ihren wesentlichen Merkmalen in die Gruppen *Hochdruck, Tiefdruck, Flachdruck* und *Siebdruck* gegliedert. Behandelt werden außerdem die Entwicklung der Schrift und der Satzherstellung ebenso wie Reproduktionsphotographie und Buchbinderei. Der Betrieb von Setz- und Druckmaschinen in der Abteilung soll das Verständnis der oft komplizierten Verfahren erleichtern.

Die Entwicklung der Schrift

Im ersten Raumabschnitt werden Schreibgeräte, Beschreibstoffe und Schriftproben aus der Antike gezeigt. An die im Mittelalter einzige Möglichkeit, Texte zu vervielfältigen, soll die Nachbildung eines Mönchs in einer Klosterschreibstube erinnern.

Die Schreibmaschine ist erst in der zweiten Hälfte des 19. Jahrhunderts aufgekommen. Eine Auswahl von Schreibmaschinen belegt die wichtigsten Entwicklungsstufen bis hin zum modernen Schreibautomaten. Bemerkenswert ist eine chinesische Schreibmaschine aus dem Jahr 1959 mit 2314 einzelnen Zeichen.

Hochdruck (Buchdruck)

Das älteste zum Hochdruck zählende Druckverfahren ist der Holzschnitt. Als Beispiel gezeigt wird eine um 1530 entstandene St. Rochus-Darstellung, das Werk eines unbekannten Künstlers, zusammen mit dem originalen Druckstock. Koreanische Lettern und Drucke aus dem 17. und 18. Jahrhundert, japanische Farbholzschnitte des 20. Jahrhunderts (zusammen mit den Druckstöcken, mit Werkzeugen und Farben) sowie ein überlebensgroßer Holzschnitt mit Druckstock von HAP Grieshaber *(Epheben 1965)* sollen die weltweite Anwendung andeuten.

Werkzeuge zur Herstellung von Buchstabenmatrizen und Lettern-Handgießinstrumente bilden den Kern von Johannes Gutenbergs Erfindung der Buchdruckerkunst (um 1450). Durch eine Ausgabe der *Schedelschen Weltchronik* von 1493 sowie eine Seite aus der 42zeiligen *Gutenberg-Bibel* und dem *Katholikon* (1460) wird die Zeit der Frühdrucke repräsentiert.

Einen Eindruck von der Arbeitswelt des Druckers im 18. Jahrhundert, der alle Verfahrensschritte – vom Gießen der Lettern bis zum Drucken – noch selbst durchführte, vermittelt eine zum Teil mit Originalen ausgestattete Werkstatt mit Bleischmelzofen, Gießeinrichtungen, Setzregal und einer hölzernen Druckpresse.

Daß sich die Technik des Druckens bis ins 19. Jahrhundert hinein nur wenig verändert hat, belegen eine hölzerne Spindelpresse (signiert Christian Adam und Sohn Franz Kurz, Reutlingen 1793) und eine eiserne Hebelpresse *Columbian* von George Clymer (London, 1826).

Das betriebsfähige Modell der ersten Schnellpresse dokumentiert die zukunftsweisende Erfindung Friedrich Koenigs, der 1811 zusammen mit Andreas Friedrich Bauer in London die erste Zylinderdruckmaschine konstruierte.

Ausgestellt sind eine Schnellpresse mit Handbetrieb von Helbig und Müller (Wien, 1842) und die betriebsfähige *Planeta* der Dresdener Schnellpressenfabrik (Coswig, 1910–1920). Mit einem kleinen funktionsfähigen Modell warb die Augsburger Maschinenfabrik auf der Weltausstellung in Wien (1873) für die erste deutsche Rollenrotationsmaschine.

Drei zur Zeit der Ausstellungseröffnung (1965) moderne Buchdruckmaschinen (*Original Heidelberger* Tiegeldruckautomat, *Original Heidelberger* Zylinderdruckautomat, Buchdruck-Zylinderautomat *Albert-Export-Ala*, Frankenthal) stehen am Ende der Entwicklung von Bogendruckmaschinen für den Buchdruck.

Die Steigerung der Druckgeschwindigkeit im 19. Jahrhundert verlangte eine beschleunigte, d. h. mechanisierte Satzherstellung. Seltene Exponate aus einer Reihe weniger erfolgreicher Versuche sind die Typensetzmaschinen von Ch. Kastenbein 1871 und J. Thorne 1884. Weltweite Bedeutung hingegen erlangte die von Ottmar Mergenthaler 1883 bis 1886 erfundene *Linotype*-Zeilensetz- und -gießmaschine. Ein 1965 hergestelltes Exemplar dieses Typs sowie eine *Monotype*-Einzelbuchstabensetz- und -gießmaschine (England, 1965) werden im Betrieb vorgeführt.

Hölzerne Spindelpresse, signiert an der Spindel: «Canstat 1790» (O)
Signatur des Fundaments: «Gemacht in Reutlingen von Christian Adam und Sohn Franz Kurz vor Gebrüder Mäntler Hof- und Canzley Buchdrucker in Stuttgart. 1811.» Auf dieser Buchdruckpresse, der ältesten des Deutschen Museums, wurde im letzten Jahrhundert in Oberndorf am Neckar der ‹Schwarzwälder Bote› gedruckt.

Eiserne Hebelpresse «Columbian Press», London, 1826 (O)
Die von George Clymer, Philadelphia, im Jahr 1810 konstruierte Presse zeichnet sich durch leichten Gang aus, da das Gegengewicht in Form eines Adlers den schweren Tiegel entlastet.

Als revolutionierend für die Bildwiedergabe (im Buchdruck) sollte sich die Erfindung des Autotypierasters durch Georg Meisenbach (München) erweisen. Die neben der Patentschrift Nr. 22244 vom 21. April 1883 ausgestellte Druckplatte hat der Erfinder selbst hergestellt.

Tiefdruck

Der im 15. Jahrhundert aufkommende Kupferstich sowie die etwas spätere Radierung sind manuelle Tiefdrucktechniken. Werkzeuge, Druckplatten und Abdrucke sollen das Verständnis dieser Verfahren und ihrer Varianten – Kaltnadel, Schabkunst, Roulette, Weicher Grund, Aquatinta und Heliogravüre – erleichtern.
Die Arbeit in einer Kupferdruckerei des 17. Jahrhunderts zeigt ein Diorama, das in den Werkstätten des Deutschen Museums gebaut worden ist. Ein sehr seltenes Exemplar ist die aus dem norddeutschen Raum stammende hölzerne Kupferdruckpresse aus der ersten Hälfte des 19. Jahrhunderts.
Als Vorstufe des modernen Tiefdrucks gilt die von Karl Klič 1879 in Wien erfundene Heliogravüre. Die 1910 von Karl Blecher zusammen

Stangenpresse von Alois Senefelder, 1797 (O)
Die weitgehend aus originalen Teilen bestehende Steindruckpresse hat der Erfinder selbst hergestellt. Auf den zum Druck vorbereiteten Stein legt man einen Bogen Papier und klappt den mit Leder bespannten Rahmen darüber. Der an einer langen Stange befestigte Reiber wird mit dem Fußbrett niedergedrückt und von Hand über die Lederbespannung gezogen. Alois Senefelder, geboren am 6.11.1771 in Prag, gestorben am 26.2.1834 in München, hat mit der Erfindung der Lithographie nicht nur eine vereinfachte Methode des Drucks von Bildern, sondern auch die Grundlage für den modernen Offsetdruck geschaffen.

mit dem Kempewerk, Nürnberg, entwickelte erste Bogenrotations-Tiefdruckmaschine stellt einen wichtigen Entwicklungsschritt für den «Massentiefdruck» dar. Mit riesigen Tiefdruckmaschinen werden heute die großen Auflagen der Illustrierten und Werbekataloge hergestellt.

Flachdruck

Mit der Lithographie, bei der ein präparierter Kalkstein als Druckträger dient, hatte Alois Senefelder in den Jahren 1796 bis 1798 das erste Flachdruckverfahren erfunden. Aus Senefelders Werkstatt stammen die Stangenpresse (1797) und eine kleine, transportable Handpresse (1818), beides sogenannte Reiberpressen. Erwähnenswert sind weiterhin die Handpressen (Reiberpressen) von Johann Mannhardt (München, 1848) aus Holz und von Karl Krause (Leipzig, 1906) aus Metall.
Eine Sammlung von Druckplatten veranschaulicht die verschiedenen lithographischen Techniken, darunter auch die 1837 von Gottfried Engelmann in Paris entwickelte Chromolithographie.
Aus der Frühzeit des Lichtdrucks, der vor allem für die Reproduktion von Gemälden eine wichtige Rolle spielte, stammt eine kleine hölzerne Presse. Der Lichtdruck wurde um das Jahr 1868 von Josef Albert in München zum ersten Mal angewandt.
Dem Lichtdruck und der Lithographie verwandt ist der Offsetdruck, der ebenfalls auf dem sich gegenseitig abweisenden Verhalten von Fett und Wasser beruht.

Die erste Offset-Rotationsdruckmaschine mit drei Zylindern (Platten-zylinder, Gummizylinder, Druckzylinder) kam um 1900 in den USA auf den Markt.

Caspar Hermann in Augsburg stellte im Jahr 1907 die erste deutsche Flachdruckmaschine her. Heute ist der Offsetdruck das häufigste Ver-fahren, das sich gleichermaßen für Bild- und Textdruck wie auch zum Bedrucken der unterschiedlichsten Arten von Verpackungen eignet. Die ausgestellte betriebsfähige Einfarben-Bogen-Offsetmaschine *MAN-Roland* (Offenbach am Main, 1980) bedruckt bis zu 10000 Bo-gen pro Stunde.

Siebdruck

Die weitreichenden Möglichkeiten des Siebdrucks zum Bedrucken von Gegenständen (auch nicht ebener Flächen wie Geschirr usw.) hat man erst in den fünfziger Jahren unseres Jahrhunderts erkannt und indu-striell zu nutzen begonnen.

Zur Erläuterung des Verfahrens sind Schablonen und Siebe, eine Sieb-druckmaschine für ebene Druckflächen (Holzschuher, Wuppertal, 1965) und der *Rondomat* (Albert, Frankenthal, 1971) zum Bedrucken von zylinderischen, konischen, balligen und flachen Körpern ausge-stellt.

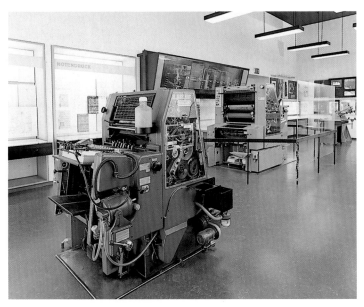

Zwei moderne, für den Vorführbetrieb eingerichtete *Offsetdruckmaschinen* (O)
Vorne: Heidelberger Einfarben-Offsetmaschine, Modell GTO 52, Heidelberger Druckmaschinen AG, Heidelberg, 1982. Maximales Papierformat 36 × 52 cm. Maxi-male Druckgeschwindigkeit 8000 Bogen pro Stunde.
Hinten: Einfarben-Offsetmaschine Roland Favorit RF 01, M.A.N.-Roland Druckma-schinen AG, Offenbach am Main, 1980. Maximales Papierformat 46 × 64 cm. Maxi-male Druckgeschwindigkeit 10000 Bogen pro Stunde.

Reproduktionsphotographie

Die zur Herstellung von Bilddruckformen nötigen Vergrößerungen, Strich- und Rasteraufnahmen sowie Farbauszüge fertigt man mit Reproduktionskameras, deren Prinzip auf dem des Photoapparates beruht, oder mit sogenannten Scannern, bei denen die Vorlage linienweise abgetastet wird. Beispiele beider Funktionsprinzipien sind die Kamera *Super-Autovertikal 60* von Klimsch (Frankfurt am Main, 1964) und der elektronisch arbeitende *Chromagraph* von Rudolf Hell (Kiel, 1968).

Photosatz

Die Übertragung eines Buchstabenbildes in elektrische Größen sowie deren Speicherung und Abrufung bedurfte entsprechender Vorausset-

Setzmaschine Linotype, Modell 6 C Quick, Berlin, 1965 (O)
Ottmar Mergenthaler aus Hachtel (Baden-Württemberg) entwickelte in Baltimore 1883–1886 die erste brauchbare Zeilensetz- und -gießmaschine. Über Tastendruck sammeln sich die im Magazin gespeicherten Buchstabenmatrizen zu einer Zeile, die mit Spatienkeilen in den Wortzwischenräumen ausgeschlossen und mit Blei ausgegossen wird. Übereinandergestellt ergeben die einzelnen Zeilen den druckfertigen Satz. Die Linotype-Setzmaschine hatte weltweite Bedeutung, bis die in den sechziger Jahren aufkommenden Photosetzmaschinen den Bleisatz verdrängten.

Photosetzgeräte in einer Entwicklungsreihe (O)
Von links: Titelsetzgerät, Starlettograph TS 61, Film-Klischee GmbH, München,
1964. Photosetzgerät diatype, Berthold AG, Berlin, 1961. Photosetzmaschine CPS
2000, Berthold AG, Berlin, 1980.

zungen auf dem Gebiet der Elektronik. In den sechziger Jahren kamen
die ersten Anlagen auf, die die Bleisetzmaschine schließlich verdrängt
haben. Zum Belichten des photographischen Films dienen in der Photosetzmaschine *CPS 2000* (Berthold, Berlin, 1980) auswechselbare Nega-
tiv-Schriftbildträger. Andere Photosetzgeräte zeichnen stattdessen das
Buchstabenbild mit einem elektronisch gesteuerten Kathodenstrahl auf
den Film. Aufbau und Arbeitsweise einer *Digiset*-Lichtsetzanlage demonstriert das Funktionsmodell von Rudolf Hell (Kiel, 1978).

Buchbinden

Das Buchbinden beschränkt sich in der Ausstellung auf die «klassische»
Buchbinderei. Heftlade, Bestoßhobel und Werkzeuge für das Vergol-
den gehören ebenso wie die Stockpresse (Johann Mannhardt, München, 1866) zu den Geräten, die der Handbuchbinder seit Jahrhunderten benutzt.

L. Michel

Photographie

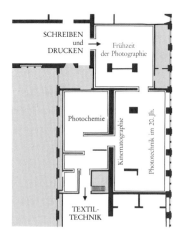

Es war ein lange gehegter Wunsch des Menschen, mit einem technischen Verfahren – ohne Zeichenstift und Pinsel – Dinge naturgetreu und objektiv abzubilden.

Als Geburtsjahr der Photographie gilt das Jahr 1839, in dem der Physiker François Arago am 19. August das Verfahren des Louis-Jacques-Mandé Daguerre (1787–1851) vor der *Akademie der Wissenschaften* in Paris bekanntgegeben hat. Sogenannte Daguerreotypien sind photographische (Positiv-) Bilder mit Unikatcharakter, die man durch Belichten von versilberten und mit Joddämpfen lichtempfindlich gemachten Kupferplatten erzielte.

Die für die Photographie typische Vervielfältigungsmöglichkeit über Negative erlaubte erst das 1851 von Frederik Scott Archer veröffentlichte Naßkollodiumverfahren, das gegenüber der Daguerreotypie auch kürzere Belichtungszeiten zuließ. Zur Verbreitung der Photographie haben anfangs weniger die Vertreter der künstlerischen Richtung wie Nadar (eigentlich Felix Tournachon 1820–1910) beigetragen als Photographen mit vorwiegend kommerziellen Interessen. André Adolphe Disdéri (1819–1890) insbesondere hatte das Gespür für das Repräsentationsbedürfnis breiter Volksschichten, dem er durch Aufnahmen in entsprechenden Posen und mit Staffagen entgegenkam.

Einen wesentlichen technischen Entwicklungsschritt bedeutete die 1871 von Richard Leach Maddox (1816–1902) vorgeschlagene Bromsilber-Gelatineschicht, wie sie heute noch üblich ist. Mit der Gelatinetrockenplatte war das Photographieren viel einfacher geworden; es brauchte keine so umfangreiche Ausrüstung mehr mitgeführt zu werden wie beim Naßkollodiumverfahren, das die labormäßige Behandlung der Platte unmittelbar vor und nach der Aufnahme erforderte.

Wiederum kommerzielle Interessen ließen nach Mitteln und Wegen suchen, das faszinierende Erlebnis des selbst angefertigten Abbildes breiten Bevölkerungsschichten zugänglich zu machen. Der entscheidende Schritt in dieser Richtung gelang George Eastman (1854–1932) mit der Einführung des Rollfilms (Zelluloidfilm 1889, kurz vorher Papierfilm) und der Box-Kamera *The Kodak* für 100 Aufnahmen auf Rollfilm. Treffender als mit dem Werbetext *You press the button, we do the rest* hätte man die große Vereinfachung des Photographierens nicht ausdrücken können. Zugleich eröffnete der Rollfilm mit kürzeren Belichtungszeiten und der Möglichkeit schnellerer Bildfolgen den Weg für ein wichtiges neues Anwendungsgebiet: den aktuellen Bildbericht.

Die weitere Entwicklung kennzeichnet die Tendenz zu kleineren, handlicheren und leichter zu bedienenden Photoapparaten, unter denen die 1925 eingeführte Kleinbildkamera *Leica* einen Meilenstein darstellt. Mit der Kleinbildphotographie, deren Spitzenkameras heute den höchsten Grad an technischem Raffinement aufweisen, waren das unmittelbare Dabeisein des Photographen am Geschehen, der unbemerkte Schnappschluß und die Bildserie besser möglich als mit dem größeren Format.

Schon in der Frühzeit der Photographie hatte man sich um das farbige Abbild bemüht. Bedeutung unter den zahlreichen Versuchen sollte jedoch erst der von Frederic Eugen Ives (1856–1937) im Jahre 1888 patentierte Dreifarbenprozeß erhalten. Dabei wurden von dem Motiv drei Schwarzweiß-Aufnahmen durch einen Rot-, Grün- und Blaufilter hergestellt (ähnlich den Farbauszügen bei farbigem Druck) und diese mit Hilfe von drei Projektoren – denen die entsprechenden Farbfilter vorgeschaltet sind – übereinanderprojiziert. Neben diesem indirekten Verfahren leitete das von den Brüdern August und Louis Lumière 1904 vorgestellte Rasterverfahren mit farbigen Stärkekörnern (die sozusagen die Farbfilter des Ives-Verfahren bilden) eine neue Entwicklung ein. Auf diese 1907 eingeführten *Autochromplatten* folgte 1916 eine ähnliche Farbrasterplatte der Agfa.

Der Aufschwung der Farbphotographie setzte jedoch erst in den dreißiger Jahren mit den Diapositivfilmen von Kodak (1935) und Agfa (1936) ein, die aus übereinanderliegenden verschieden farbempfindlichen Schichten bestehen. Der Negativ-Positiv-Prozeß wurde erst 1939 von Agfa eingeführt.

Die vielleicht wichtigste Neuerung der Nachkriegszeit auf photochemischem Gebiet ist die 1948 von Dr. Edwin Land vorgestellte *Polaroid 95* – die erste Sofortbildkamera der Welt.

Die Kinematographie kann in technischer Hinsicht als spezieller Zweig der Photographie aufgefaßt werden, bei der eine schnelle Sequenz von Bildern aufgenommen und vorgeführt wird, wodurch der Eindruck von Bewegung entsteht. Vorläufer sind deshalb rasch nacheinander aufgenommene Aufnahmen auf Glasplatten, die Bewegungsstudien zum Ziel hatten (Eadweard Muybridge, 1872). Einen Film zu drehen, setzt jedoch größere Mengen Aufnahmematerial voraus, das erst mit dem Rollfilm gegeben war (erste Konstruktion einer Filmkamera durch Lumière, 1895). In der Frühzeit konnten Filme nur mit dem Ton eines Grammophons unterlegt werden. Das Lichttonsystem, bei dem der Ton neben dem Bild als Lichtspur aufgezeichnet ist, kam 1922 auf (Triergon Lichttonfilmgerät).

Die ersten Unterhaltungsfilme sind in Deutschland 1912/1913 *(Der Andere, Der Student von Prag)* gedreht worden. Bereits im 1. Weltkrieg hatte man die Möglichkeiten des Films zur Dokumentation auf Kriegsschauplätzen *(Wochenschau)* wie auch für Propagandazwecke entdeckt. Von etwa 1927 an begann der Tonfilm, den zu dieser Zeit künstlerisch hochstehenden Stummfilm zu verdrängen.

Im Jahre 1936 entstand in Deutschland der erste farbige Kurzfilm (Carl Froelich *Das Schönheitsfleckchen*); längere farbige Spielfilme kamen ab 1941 auf.

Zur Ausstellung

Die Ausstellung umfaßt drei Räume: im ersten und zweiten kann der Besucher die geschichtliche Entwicklung der photographischen Geräte für Bild und Film verfolgen; im dritten Raum sind vor allem die photochemischen Verfahren dargestellt.

Frühzeit der Photographie

So ist der erste abgedunkelte Raum der Frühzeit der Photographie (1839 bis ca. 1900) gewidmet. Ein für die Geschichte der Photographie besonders bedeutendes Objekt stellt die erste nach Deutschland gelangte Daguerre-Kamera dar, die von 1839 an nach Daguerres Angaben von

Daguerre-Kamera, 1839 (O)
Im «Geburtsjahr» der Photographie von dem Pariser Optiker Giroux angefertigt. Schild mit Siegel und der Aufschrift: «Aucun Appareil n'est garanti s'il ne porte la Signature Mr. Daguerre et le Cachet de Mr. Giroux. Le Daguerreotype Exécuté sous la Direction de son Auteur à Paris chez Alph. Giroux et Cie, Rue du Coq St. Honoré No. 7».

Ganzmetallkamera von Voigtländer, 1841 (O)
mit der vollständigen Ausrüstung zur Herstellung von Daguerreotypien, d.h. Kassetten, Platten, Jodierungskasten und Entwicklungschemikalien. Die konische Kamera auf Stativ trägt die Signatur: «Voigtländer & Sohn in Wien, Nr. 84».

dem Pariser Optiker Alphonse Giroux gefertigt wurde. Als Probe des Verfahrens befindet sich neben der Kamera eine 1840 von Lebrun aufgenommene sogenannte Daguerreotypie (positives Bild auf versilberter Kupferplatte).

Bemerkenswert für diese Epoche ist außerdem die Ganzmetallkamera von Peter Wilhelm Friedrich Voigtländer (1841) mit dem ersten berechneten Photoobjektiv der Welt (im dritten Raum).

Als Photoapparate für das Kollodium-Naßplattenverfahren (gegenüber der Daguerreotypie kürzere Belichtungszeiten und Vervielfältigungsmöglichkeit) sind zu erwähnen: die Panoramakamera nach Thomas Sutton (ca. 1860), deren Weitwinkelobjektiv aus einem wassergefüllten Linsensystem besteht, und die *Dubroni* von Jules Bourdin (ca. 1867). Letztere kann zugleich als erste Sofortbildkamera gelten, da die gesamte Behandlung des Bildträgers (Sensibilisieren, Belichten, Entwikkeln, Fixieren) im Kameragehäuse stattfindet.

Mit der fabrikmäßigen Herstellung der Trockenplatte fand vom Ende der siebziger Jahre des 19. Jahrhunderts an die Photographie auch bei den Amateuren zunehmende Verbreitung. Diese Entwicklung dokumentiert sich zum Beispiel in der Steinheil Detektivkamera (ca. 1890), der Krügener *Electus* (ca. 1890; zweite Ausführung der ersten deutschen, zweiäugigen Spiegelreflexkamera), der einäugigen Spiegelreflexkamera von Dr. Adolf Hesekiel (ca. 1895) und der *Nettel-Deckrollo* (ca. 1905).

Aus dem gleichen Zeitabschnitt stammt auch eine Reihe von Spezialkameras, wie die sogenannten Geheimkameras in Gestalt von Büchern (z.B. Krügeners Buchkamera, ca. 1888), Ferngläsern (z.B. Goerz *Photo-Stereo-Binocle,* ca. 1906), Spazierstöcken (*Ben Akiba* gebaut von A. Lehmann, ca. 1903), Taschenuhren (*Ticka* von A. Houghtons Ltd., ca. 1907) sowie Apparate, die verdeckt unter einer Weste getragen werden (Stirn'sche Knopflochkamera, ca. 1888, die am weitesten verbreitete Geheimkamera). Weiterhin sind ausgestellt: Dreifarbenkameras (A. Miethe-Bermpohl, ca. 1902); Brieftaubenkamera (*Doppelsport* von J. Neubronner, ca. 1902), Photoautomat (*Bosko* von C. Bernitt, ca. 1894); Panoramakameras (*Liesegangs Rotationsapparat,* ca. 1895, *Ernemann Rundblickkamera,* ca. 1907; beide Geräte können Rundumbilder aufnehmen); Multiplikatorkamera (*Royal Mail* von W. Talbot mit 15 Objektiven, ca. 1907); Stereokameras (Fa. Ernemann, ca. 1909).

«*Bosco*» *Photoautomat von Bernitt,* ca. 1894 (O)
Bei Geldeinwurf hat ein Federwerk folgende Vorgänge ausgelöst: Einschieben der Platte, Aufnahme mit Magnesiumblitzlicht, Aufgießen des Entwicklers und der Fixierlösung, Wässern und schließlich Ausgabe des fertigen Bildes. Die als Aufnahmematerial verwendete Blechplatte mit lichtempfindlicher Schicht hatte einen ringsum hochgezogenen Rand und bildete so eine Schale, in der entwickelt, fixiert und gewässert wurde.

«Cinématographe» von Lumière,
1895 (O)
Erste Filmaufnahmekamera;
diente zugleich als Projektor
für die entwickelten Filme.

Phototechnik im 20. Jahrhundert

Der zweite Raum beherbergt Darstellungen zur Geschichte der Belichtungsmessung, des Blitzlichtes, der Verschlüsse und Objektive. Unter den im gleichen Raum ausgestellten neueren Rollfilmkameras sind erwähnenswert:

1. Kleinstbildkameras, wie die *Minox* (VEF Riga, ca. 1937/Format 8 × 11 mm) und *The Kombi* (A. Kemper, ca. 1893/Format 28 mm Durchmesser.

2. Kleinbildkameras, die als Aufnahmematerial perforierten 35 mm-Kinofilm verwenden, wie der *Minigraph* (Fa. Levi-Roth, ca. 1915), die *Sico* (Simons & Co., ca. 1925) und die *Leica I* (Fa. E. Leitz, ca. 1930);

3. Mittelformatkameras, wie die *Prominent* (Fa. Voigtländer, ca. 1933/Format 6 × 9 cm), die *Pupille* (Aug. Nagel, ca. 1934/Format 3 × 4 cm) und die *Hasselblad 1600F* (Victor Hasselblad, ca. 1948/Format 6 × 6 cm);

4. Großformatkameras, wie die *Clack I* (H. Rietzschel, ca. 1901/Format 10 × 12,5 cm).

Kinematographie

Weiterhin befinden sich im zweiten Raum Exponate zur Kinematographie. Den Übergang von der Einzelaufnahme zum bewegten Bild dokumentiert die *Serien-Momentkamera* von Friedrich Wilhelm Kohlrausch (ca. 1894), die allerdings kaum Verbreitung gefunden hat, da 1895 bereits der Lumièresche *Cinématograph* auf den Markt kam, der im

Unterschied zur Kamera von Kohlrausch Rollfilm als Aufnahmematerial verwendete und sich wegen geringen Gewichts und seiner Handlichkeit schnell durchsetzen konnte.

Unter den Aufnahmegeräten zu nennen sind außerdem die 35 mm *Kine Messter* (O. Messter, ca. 1899), die *Filmette II* (Ertel-Werke, ca. 1923) und eine Sammlung von Amateurschmalfilmkameras aus der Zeit zwischen 1920 und 1977.

Die Kinoprojektion ist mit drei 35-mm-Großprojektoren vertreten: aus der Frühzeit das *Panzerkino* (Messter, ca. 1912), bei dem zur Verminderung der Brandgefahr das asbestbeschichtete Lampengehäuse vom vollummantelten Triebwerk getrennt ist, ein Projektor mit dem ersten *Triergon*-Lichttonfilmgerät (ca. 1923) und schließlich ein moderner Großprojektor (Fa. Bauer, ca. 1977). Hinzu kommt eine Auswahl von Schmalfilmprojektoren aus der Zeit von 1920 bis 1977.

Photochemie

Im dritten Raum sind photographische Verfahren und die moderne Labortechnik dargestellt. Unter den Exponaten, die in der Hauptsache zur Erklärung der Verfahren dienen, ist vor allem die Ganzmetallkamera von Voigtländer mit vollständigem Zubehör für die Daguerreotypie (1841) und ein vollautomatischer Schnellvergrößerer von Agfa (ca. 1976) mit einer stündlichen Leistung von bis zu 8000 Abzügen zu erwähnen.   *H. Kühn*

«Panzerkino» von Oskar Messter, 1912 (O)
Zur Synchronwiedergabe konnte dieser Projektor mit einem Grammophon gekoppelt werden. In Berlin hat es 1914 bereits zahlreiche Tonbildschauen mit dem sogenannten Biophon gegeben.

Textiltechnik

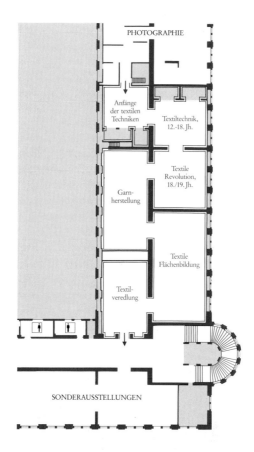

Für den Menschen ist es heute kein Problem, sich jederzeit Klimaschwankungen anzupassen. Wir haben gewissermaßen eine auswechselbare «zweite Haut»: unsere Kleidung. Sie steigert unser Wohlbefinden, weil sie den Wärme- und Feuchtigkeitshaushalt regulieren hilft; sie erweitert unseren Lebensraum, weil sie uns von Witterungs- und Klimaeinflüssen unabhängig macht. Kleidung ist aber auch eine Möglichkeit, Persönlichkeit und Geschmack auszudrücken.

In welchen Entwicklungsstufen haben Menschen Textiltechnik erdacht und angewendet?

Die Körperbehaarung des Menschen bildete sich im Laufe seiner Entwicklungsgeschichte langsam zurück und bot damit immer weniger Schutz vor Klimaeinflüssen. Als Jäger und Sammler «bekleidete» er sich zunächst mit Tierfellen oder auch mit Grasgeflechten.

Vermutlich führten Herstellung und Gebrauch solcher primitiven Kleidungsstücke zunächst zur (Weiter-)Entwicklung textiler Techniken wie *Flechten und Nähen* mit der Knochennadel – lange vor dem *Spinnen und Weben*.

Die eigentlichen Textiltechniken Spinnen und Weben setzen geeignete Faserstoffe und Geräte voraus. Die Handspindel und der Gewichtswebstuhl wurden in genialer Einfachheit erfunden.

Nach herrschender Meinung erfolgte dieser technische Entwicklungssprung erst nach dem zivilisatorischen vom Jäger und Sammler zum Seßhaften. Ackerbau und Viehzucht ermöglichten den Anbau von Kulturpflanzen, z.B. Flachs oder Baumwolle, und das Halten von Schafen zur Gewinnung textiler Faserstoffe. Bestätigt wird diese Auffassung durch Textilfunde:

Ausgrabungen in Catal Hüyük, Türkei, haben die bislang ältesten Textilfunde, Gewebefragmente aus Wolle, gewebte Matten aus Marschgras, Webgewichte und Spinnwirtel, freigelegt; ihr Alter wird auf etwa 8500 Jahre datiert. Gewebereste aus Flachs, dem altägyptischen Kulturbereich Fajyum «A» zugeordnet, sind etwa 7000 Jahre, Baumwollgewebefragmente aus Westpakistan etwa 5000 Jahre alt. Die Seidenraupenzucht ist ebenfalls nachweislich seit fast 5000 Jahren in China bekannt.

Die Handspindeln zum Verspinnen der Fasern zum Garn und der Gewichtswebstuhl zum Verweben des Garns waren folglich in jenen Kulturbereichen zumindest seit der Jungsteinzeit in Gebrauch. Die Lebens- und Wohngemeinschaften stellten damit Textilien im Rahmen ihres eigenen Bedarfs her.

Wesentliche technische Verbesserungen erfolgten erst im Spätmittelalter. Mit Spinnrad und Trittwebstuhl konnten Textilien einfacher, schneller und vielfältiger in der Musterung gefertigt werden. Aus der Produktion für den Eigenbedarf entwickelte sich in Europa in den mittelalterlichen Städten das gewerbliche Textilhandwerk.

Gewerbliche Textilkleinbetriebe produzierten, marktwirtschaftlich ausgerichtet, für den sich immer weiter ausbreitenden Handel. Das rasche Anwachsen der Bevölkerung und der damit verbundene steigende Bedarf an Konsumgütern aller Art begünstigte das Entstehen großer Textilmanufakturen und der «verlegten Hausindustrie» im 18. und 19. Jahrhundert. Lohnabhängige Arbeiterinnen und Arbeiter stellten in den Manufakturen oder in Heimarbeit mittels Spinnrad und Handwebstuhl Textilien her, der Manufakturist oder der Verleger brachte die Erzeugnisse auf den Markt.

Mit der Mechanisierung der Spinn- und Webprozesse im 18. und 19. Jahrhundert und dem erstmaligen Einsatz der Dampfmaschine in einer mechanischen Spinnerei, 1785 in England, begann schließlich die industrielle Revolution, der Umbruch von der manuellen zur industriellen Fertigung.

Die meisten Zeitgenossen, vor allem natürlich die Spinner und Weber, sahen ihren Broterwerb durch die neuartigen Maschinen gefährdet, und es kam zu Ausschreitungen gegenüber denjenigen, die die Maschinen erfunden hatten oder sie in Gebrauch nahmen.

Trotz aller Widerstände war die technische Weiterentwicklung jedoch nicht aufzuhalten. Die neuen Maschinen in Verbindung mit den besseren Kraftantriebsmöglichkeiten, ständig in technischer und wirtschaftlicher Hinsicht verbessert, bewirkten, daß immer mehr Textilfabriken entstanden. Nach streng ökonomischen Prinzipien wurde in vielen Teilen der Welt begonnen, Massenartikel zu produzieren und in den weltweiten Handel zu bringen.

Die immer rasanter fortschreitende Industrialisierung im 19. und 20. Jahrhundert führte zunächst zur Mechanisierung der textilen Arbeitsprozesse für die Herstellung von Massengütern. Ihr folgte die Automatisierung und seit den siebziger Jahren der Einsatz der Mikroelektronik in der Textilindustrie.

Zur Ausstellung

Die Abteilung Textiltechnik wurde im Jahr 1961 neu eingerichtet. Sie zeigt in sechs Räumen technikgeschichtlich wichtige Entwicklungsstufen der textilen Techniken wie Spinnen, Weben, Wirken, Stricken, Filzen und Textilveredlung vom Altertum bis in unsere Zeit.

Anfänge der textilen Techniken

Eingangs werden die bereits im Altertum bekannten Faserstoffe Flachs, Naturseide, Baumwolle und Wolle gezeigt. Das Prinzip des Handspinnens, das Ordnen und Parallellegen der zunächst wirr durcheinander liegenden Einzelfasern und das Verdrehen zu einem Faden, ist schematisch dargestellt. Einige Handspindeln sind als Beispiele für das ursprünglichste und einfachste Spinngerät ausgestellt. In der Mitte des Raumes steht ein originalgetreu nachgebildeter Gewichtswebstuhl, der in dieser bereits in der Jungsteinzeit bekannten Form noch um 1940 in

Gewichtswebstuhl (N)
mit hängenden, durch Webgewichte beschwerten Kettfäden. Funde von Webgewichten aus dem 7./6. Jahrtausend v. Chr. lassen darauf schließen, daß der Gewichtswebstuhl bereits in der Mittelsteinzeit gebräuchlich war.

Lappland Verwendung fand. Das Prinzip des Webens, das Verkreuzen von Kett- und Schußfäden, ist aus Text und Zeichnungen ersichtlich.

An einer Wandseite sieht man das Walken und Waschen von Tuch (Wollgewebe) nach einem Wandgemälde in Pompeji. Darunter befinden sich Darstellungen des Walkens und der Filzherstellung bei den Kirgisen. Bemerkenswert ist ein türkischer Teppichknüpfstuhl, dessen Teppich etwa eine Million Knüpfungen pro Quadratmeter aufweist.

Textiltechnik vom 12. bis 18. Jahrhundert

Das Handspinnrad stellt die nächste Entwicklungsstufe des Spinnens dar. Handspindel und Handspinnrad funktionieren nach dem *unterbrochenen Spinnverfahren*. Einen großen Fortschritt brachte die Erfindung des Flügelspinnrades, von dem mehrere Ausführungsformen ausgestellt sind. Es ermöglichte als erstes Gerät das gleichzeitige Spinnen und Aufwickeln des Garnes. In zwei Nischen sind eine Wollkämmerei aus dem 18. Jahrhundert und eine Webstube mit einem über 200 Jahre alten Webstuhl aus dem Fichtelgebirge nachgestellt. Sie repräsentieren die Entwicklung des spezialisierten Textilhandwerks und das beginnende Manufaktur- und Verlagswesen. Von entscheidender Bedeutung für die Entstehung der Textilindustrie ist die Erfindung der *Schnell-Lade* durch den Engländer John Kay im Jahre 1733. Ein Webstuhl in diesem Raum ist mit einer solchen Einrichtung versehen. Der auf Rollen gleitende Webschützen (Schiffchen) wurde durch Betätigung eines Schnurzuges durch das Fach hin- und hergeschnellt, was eine wesentlich höhere Webgeschwindigkeit erbrachte. Diese Produktionssteigerung hatte zur Folge, daß mit den damals üblichen Spinnrädern nicht mehr genügend Garn für die Weber gesponnen werden konnte – man sprach von «Garnhunger» – und zwangsläufig neue Spinnmaschinen entwickelt werden mußten.

Die «Textile Revolution»

Im 18. und 19. Jahrhundert vollzog sich schließlich durch immer weitergehende Mechanisierung und Aufteilung der Arbeitsgänge der Umbruch von der Handarbeit zur industriellen Fertigung.

In der Ausstellung finden sich Nachbildungen einiger der ersten Spinnmaschinen: eine Karde, eine Vorspinnmaschine (die sogenannte Laternenbank) und eine Flügelspinnmaschine, die als Vor- oder Feinspinnmaschine Verwendung fand, alle von dem Engländer Richard Arkwright entwickelt, und eine *Jenny*-Spinnmaschine von 1860, ähnlich der berühmten *Spinning Jenny*, die James Hargreaves 1764 erfand.

Eine umwälzende Erfindung für die Weberei machte 1805 der Franzose Joseph Marie Jacquard. Durch den nach ihm benannten Jacquard-Apparat werden am Webstuhl durch mustermäßig gestanzte Lochkarten die einzelnen Kettfäden unabhängig voneinander gehoben oder gesenkt, wobei das gewünschte Muster entsteht. Das Modell einer

«Jenny»-Spinnmaschine, um 1860 (O)
Die Original-Spinning-Jenny erfand der Engländer James Hargreaves 1764. Es konnten zunächst 16, wenige Jahre später bis zu 80 Fäden gleichzeitig gesponnen werden.

Teilansicht des Raumes «Textile Revolution»
In der Bildmitte ein Teppichwebstuhl für Handbetrieb mit Jacquard-Einrichtung, um 1860 (O). Die Jacquard-Einrichtung, 1805 erfunden von Joseph Marie Jacquard, Sohn eines Lyoner Seidenwebers, dient zur Musterung von Geweben.

Jacquard-Maschine für Demonstrationszwecke und ein Teppich-webstuhl mit Jacquard-Einrichtung sind ausgestellt.

Weiterhin befinden sich in diesem Raum ein Bandwebstuhl sowie zur Herstellung von Maschenwaren ein Walzenstuhl und ein Rößchenstuhl. Letzterer ist dem Wirkstuhl ähnlich, der 1589 von dem Engländer William Lee in beinahe vollkommener Weise entwickelt wurde.

Den Abschluß bildet eine kleine Modeldruckerei mit einer Reihe von Handmodeln, wie sie etwa in der ersten Hälfte des 19. Jahrhunderts ver-wendet wurden.

Textilindustrie im 20. Jahrhundert

Räumlich und technisch unterteilt in Garnherstellung (Spinnerei), tex-tile Flächenbildung (z. B. Weben, Stricken, Wirken, Filzen) und Textil-veredlung (z. B. Färberei, Textildruckerei, Ausrüstung) wird ein Über-blick über die Weiterentwicklung der Textilindustrie durch Mechanisie-rung und Automatisierung im Laufe des 20. Jahrhunderts gegeben.

1. *Garnherstellung.* Die Arbeitsgänge in der Baumwoll- und der Kamm-garnspinnerei, in der Fachsprache *Passagen* genannt, können vom Besu-cher durch Knopfdruck abgerufen werden: Demonstrationsmodelle zeigen in vereinfachter Form die Arbeitsgänge der einzelnen Spinnerei-maschinen und die daraus resultierende Umstrukturierung der Rohstof-fe Baumwolle und Schafwolle von der ungeordneten Fasermasse bis hin zum feingesponnenen Garn.

Ein weiteres klassisches Spinnverfahren wird mittels der Streichgarn-kleinspinnanlage demonstriert: Man kann die Entstehung des *Vorgarnes* und dessen Weiterverarbeitung zum Streichgarn in natura verfolgen. Die neueste Entwicklung, das sogenannte «Offen-End-Spinnen», repräsentiert eine Rotorspinnmaschine, an der das Prinzip des OE-Spinnens veranschaulicht wird.

Eine Doppeldrahtzwirnmaschine und eine Vitrine mit Textilprüfgeräten vervollständigen den Raum.

2. *Textile Flächenbildung.* Der Bereich Weberei beginnt mit dem Thema Webereivorbereitung. Zu den Vorbereitungsarbeiten für das Weben ge-hören vor allem das Spulen sowie das Zetteln bzw. Schären des Kett-baumes. Die dazu notwendigen Maschinen sind zum Teil im Original, zum Teil als Modell ausgestellt. Für die Weberei stehen jeweils zwei me-chanische Webstühle älterer Bauart und zwei Webautomaten modern-ster Prägung: ein Tuchwebstuhl von Schönherr aus dem Jahr 1891 und ein Buntwebautomat von Saurer mit Jacquard-Einrichtung (1961), bei-de mit herkömmlichem Schußeintragungssystem (Schützen mit Schuß-spule), sowie ein Greiferwebstuhl von Gabler (1928) und eine Webma-schine mit Greiferschützen (1964). Den Abschluß der Abteilung Webe-rei bildet eine Großvitrine, in der die drei Grundbindungsarten mit ih-ren Abwandlungen sowie einige Spezialbindungen dargestellt sind.

Die Abteilung Strickerei/Wirkerei beginnt mit der Darstellung der Garnvorbereitung und des Maschenbildungsvorganges beim Stricken und Wirken. Es folgen die wichtigsten Flach- und Rundstrickmaschi-

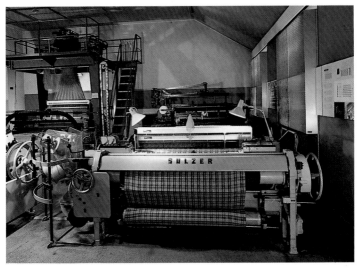

Teilansicht des Raumes «Moderne Weberei»
Im Vordergrund eine Webmaschine mit Greiferschützen, 1964 (O), im Hintergrund
ein Buntwebautomat mit Jacquard-Einrichtung, 1961 (O).

nentypen, auf denen von feiner Unterwäsche bis zu groben Schals oder
Skipullovern praktisch alle Strickwaren hergestellt werden können, sowie zwei Kettenwirkmaschinen und eine Rundwirkmaschine, die Wirk-
waren erzeugen, aus denen u. a. Unterbekleidung und Trainingsanzüge
hergestellt werden. Schließlich wird noch der Werdegang des Filzes gezeigt, die Verdichtung ungeordneter Einzelfasern durch Wärme, Druck
und Feuchtigkeit zu einem vielfältig verwendbaren textilen Gebilde.

3. *Textilveredlung.* Unter Veredlung oder Ausrüstung versteht man alle
Nachbehandlungen, denen die direkt von der Web-, Wirk- oder Strick-
maschine kommenden Textilien meist noch unterzogen werden. Dazu
gehören beispielsweise das *Bleichen, Färben, Bedrucken und Hochver-
edeln.* Bei der Hochveredlung werden einer Ware durch Einlagerung
von Kunstharzen verschiedene, bleibende Eigenschaften verliehen, die
ihre Gebrauchstüchtigkeit erhöhen: geringe Knitterneigung, Was-
serundurchlässigkeit, Formbeständigkeit, leichte Pflege, Schwerent-
flammbarkeit. Eine große Schautafel und eine Reihe von Modelltextil-
veredlungsmaschinen geben über die Ausrüstungsverfahren Aufschluß,
während die drei Dioramen *Hochveredlung, Garnfärberei* und *Filmdruk-
kerei* einen Eindruck von Fabrikationsräumen in der Veredlungsindu-
strie vermitteln.

Bei den Führungsvorträgen (täglich um 15 Uhr) können nahezu alle
Geräte und Maschinen der Textilabteilung vorgeführt werden.

Schätze aus dem Textildepot

Eine Vitrine gegenüber der Textilabteilung zeigt historische Textilgeräte
aus dem Depot unter Hinweis auf die Hauptaufgaben musealer Arbeit:
das Sammeln und Bewahren historischer Objekte.   *H. Tietzel*

Sonderausstellungen

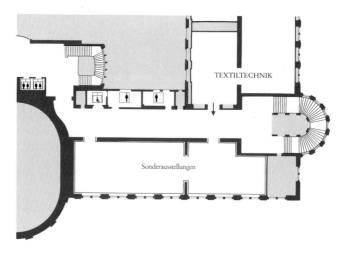

In diesem über 300 m² großen Ausstellungsraum werden in ständigem Wechsel Sonderausstellungen gezeigt; er wurde im Sommer 1985 eingerichtet.

Weitere Informationen finden Sie in der Eingangshalle und im vierteljährlich erscheinenden Veranstaltungsprogramm.

Vorschläge zur Fortsetzung des Rundgangs
Der Rundgang im 2. Obergeschoß ist beendet. Sie gehen nun zum Haupttreppenhaus mit Blick auf die historischen Flugzeuge und Schiffe und setzen von hier die Besichtigung mit den neuen High-Tech-Ausstellungen *Informatik und Automatik, Mikroelektronik* und *Telekommunikation* fort.

Informatik und Automatik

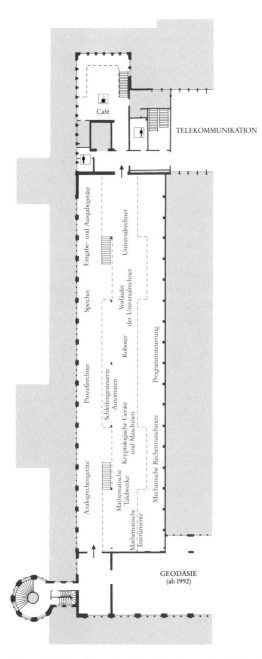

Seit mehr als zwei Jahrzehnten ist für die wissenschaftliche Beschäftigung mit dem inzwischen allgegenwärtigen Computer die Bezeichnung «Informatik» üblich. Dagegen weiß man bei dem zweiten Begriff im Ausstellungstitel, «Automatik», zuerst nicht recht, ob er wirklich das bedeuten soll, was man üblicherweise darunter versteht. Tatsächlich ist hier mit «Automatik» etwas gemeint, was sich nicht nur vom Klang, sondern auch vom Inhalt her gut auf «Informatik» reimt. Es geht dabei um die ebenfalls wissenschaftliche Beschäftigung mit der großen Vielfalt von automatischen Apparaten und Anlagen und damit um einen Bereich der Technik, der die Informatik nicht nur berührt, sondern sie vielfältig durchdringt und von ihr durchdrungen wird.

Informatik und Automatik – in diesem Sinne – sind historisch in vielen unterschiedlichen Bereichen der Technik und der Wissenschaften verwurzelt. Sie haben eine Vorgeschichte, die in der Vielfalt der ausgestellten Instrumente, Geräte und Maschinen erkennbar werden soll. Zirkel und Winkelmesser, Proportionalzirkel und kunstvolle Astrolabien vergangener Jahrhunderte gehören ebenso dazu wie die alten mechanischen Rechenmaschinen von Wilhelm Schickard, Blaise Pascal, Gottfried Wilhelm Leibniz, Antonius Braun und Johann Christian Schuster, aber auch die teilweise noch älteren kunstvollen programmgesteuerten Uhren- und Musikautomaten.

Viele Aufgaben, die von der heutigen Informatik mit digitalen Computern bearbeitet werden, gehörten früher zum Anwendungsbereich mathematischer Instrumente, die nach dem Analogprinzip funktionierten. Auch heute ist die Berechnung graphisch dargestellter Funktionen und Konturen mit Planimetern in manchen Fällen noch handlicher als mit dem Computer oder Taschenrechner. Mechanische Integrieranlagen stellten am Anfang der 1950er Jahre die größten mathematischen Maschinen in der Bundesrepublik dar. Elektronische Analogrechner waren seit etwa 1960 in einigen Bereichen der Ingenieurarbeit lange Zeit unverzichtbar. Das verbreitetste analog funktionierende mathematische Rechengerät war indes lange Zeit der Rechenschieber, ohne den die mathematisierte Ingenieurarbeit des 19. und 20. Jahrhunderts nicht möglich gewesen wäre. Als er mit dem Aufkommen der billigen elektronischen wissenschaftlichen Taschenrechner in der ersten Hälfte der 1970er Jahre schnell vergessen wurde, ging beinahe unbemerkt eine Epoche zu Ende.

Zu den wichtigsten digital funktionierenden Vorläufern der modernen

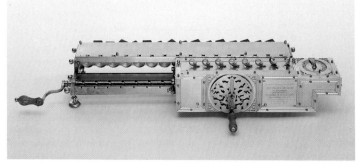

Rechenmaschine, 1923 (R)
konstruiert von Gottfried Wilhelm Leibniz zwischen 1670 und 1700.

Informatik und der Automatik im Sinne einer Automatisierung des Rechnens gehört das Lochkartensystem, bei dem verschiedene Maschinen nach einem Organisationsplan zusammenarbeiteten. Zwar betraf Hermann Holleriths Lochkartenpatent aus dem Jahr 1889 die Lochkarte als maschinenlesbares Formular für die bei der Volkszählung erfaßten Einzelinformationen, d. h. als Datenspeicher, aber schon bald lochte man auch Angaben ab, mit denen der Verarbeitungsprozeß gesteuert wurde. Die verschiedenen Lochkartenmaschinen waren noch lange Zeit unverzichtbarer Bestandteil elektronischer Datenverarbeitungsanlagen, bis sie in den 1970er Jahren durch die heute so selbstverständlichen Bildschirmarbeitsplätze abgelöst wurden. Viele Firmen und Verwaltungen legten während dieser 8 Jahrzehnte der Lochkartentechnik die Grundlagen für ihre maschinelle Datenverarbeitung und waren deshalb auf das Computerzeitalter bereits vorbereitet.

Die während des Zweiten Weltkriegs entstandenen digitalen Rechner Z3 und Z4 von Konrad Zuse werden heute als der gewichtigste Beitrag zur Entstehungsgeschichte «des» Computers gesehen, der aus Deutschland kam. Zuse realisierte in diesen frei programmierbaren «Rechenmaschinen des Ingenieurs», wie er sie nannte, früher als andere in konsequenter Weise Rechen- und Speichermechanismen im Dualsystem und das Rechnen mit Gleitkomma. Diese Maschinen sollten sowohl die Ergebniszahlen von Gleichungssystemen als auch den logischen Ausgang eines Schachspiels berechnen können. Ihr Aufbau aus Holz und Pappe, gebrauchten Telefonrelais und von Hand bearbeiteten mechanischen Teilen läßt die eingeschränkten technischen Möglichkeiten erkennen, die Zuse für die Ausführung seiner Ideen zur Verfügung standen.

Unabhängig von den Arbeiten Zuses kamen die entscheidenden Anstöße zur Verwendung und auch zum Bau des elektronischen universellen Computers, der sein Programm speichern und während des Arbeitsablaufs verändern kann, aus den USA und England. Bis in die Mitte der 1950er Jahre konnte man in Deutschland elektronische Computer weder kaufen noch mieten. Die einzige Möglichkeit bestand in der damaligen Zeit des Wiederaufbaus und des beginnenden Wirtschaftswunders im Eigenbau. Die an der Technischen Hochschule in München unter der Leitung der Professoren Robert Sauer und Hans Piloty gebaute PERM und die 1955 entstandene G1a, ein verbesserter Nachbau der einige Jahre zuvor von Heinz Billing am Max-Planck-Institut für Physik und Astrophysik in Göttingen entwickelten G1, repräsentieren dieses historische Kapitel, in dem der Grundstein für die Informatik in der Bundesrepublik gelegt wurde.

Die seit 1958 ausgelieferte Z22 der Firma Zuse KG ist die erste in Deutschland serienmäßig gebaute elektronische Maschine. Schon vorher boten amerikanische Unternehmen wie Remington-Rand mit der UNIVAC und IBM mit der IMB650 weltweit bereits erprobte und sehr leistungsfähige Maschinen an. Seither bestimmt der von der Industrie in Serie gefertigte und unaufhörlich in verbesserten Typen auf dem Markt angebotene Computer das Bild.

Bis in die 1970er Jahre waren die Computer noch große, zentral angeordnete Maschinen, die von allen Seiten her mit Daten und Programmen gefüttert werden wollten. Die rasante Entwicklung der mikroelektronischen Bauelemente führte dazu, daß seither der gesamte klassische Computeraufbau in einigen wenige Zentimeter großen Bausteinen zusammengefaßt werden kann. Ein Ergebnis war der leistungsfähige Taschenrechner mit zahlreichen fest einprogrammierten komplizierten mathematischen Funktionen. Viele Anwendungsgebiete, darunter die Bearbeitung komplizierter Aufgaben der Mathematik, der Verwaltung, der Textverarbeitung, erforderten leistungsfähigere Ein- und Ausgabeeinheiten. Deshalb entstand am Beginn der 1980er Jahre die heute bereits klassische Form des Computers: neben dem Kasten mit den in wenigen elektronischen und elektromechanischen Bausteinen zusammengefaßten Speicher- und Recheneinheiten gehört eine von der Schreibmaschine abgeschaute Tastatur und der vom Fernsehen übernommene elektronische Bildschirm dazu.

Zur Ausstellung

In der Ausstellung im neu ausgebauten 3. Obergeschoß werden auf 1020 m² rund 700 Exponate gezeigt.
Die Farben der Texttafeln erfüllen eine Leitfunktion: Rot für mathematische Instrumente und analoges Rechnen, blau für digitales Rechnen, beige für Aspekte der Ablaufstrukturen und metallfarben für den Bereich der Universalrechner.

Mathematische Instrumente und analoges Rechnen (rote Texttafeln)

Mathematische Instrumente

Eine große Auswahl von Zirkeln und Winkelmessern, zu denen auch Sonnenuhren und Astrolabien gezählt werden, verdeutlicht das analoge «Rechnen» mit Längen und Winkeln ohne die Verwendung von Zahlen. Mehrere Demonstrationen erläutern den Zusammenhang zwischen mechanischen Getrieben und geometrischen Kurven. Das Deutsche Museum besitzt eine bedeutende Sammlung von Proportionalzirkeln, die geschlossen gezeigt wird. Proportionalzirkel stellen den historischen Vorläufer der logarithmischen und speziellen Rechenschieber des 19. und 20. Jahrhunderts dar.

Analogrechengeräte

Die Vitrinen entlang der Fensterseite enthalten zahlreiche Planimeter, Integratoren und Integraphen, darunter zwei mechanische Harmonische Analysatoren (Fourieranalysatoren). Die mechanisch arbeitenden Integriermaschinen werden unter anderem durch den Fahrzeitrechner für die Erstellung von Eisenbahnfahrplänen, System Conzen-Ott, sowie von drei Funktionstischen der Integrieranlage «IPM-Ott» reprä-

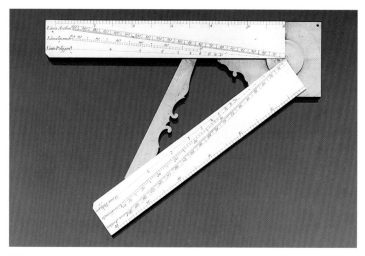

Silberner Proportionalzirkel aus einem Reißzeug von Georg Drechsler Hannover 1775 (O).

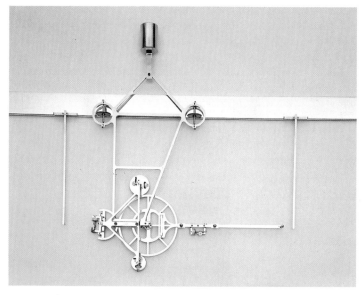

Momentenplanimeter (Integrator) Amsler Nr. 4, 1906 (O), Instrument Nr. 456.

sentiert. Ein einfaches Gerät der Firma Schoppe & Faeser und zwei Typen der Firma Telefunken stehen für die elektronischen Analogrechner.

Diese Zusammenstellung repräsentiert ein technisches Gebiet, das seit etwa 1960 als abgeschlossen gelten kann. Die vorhandenen Analogrechner fanden zwar auch weiterhin Verwendung, die technische Weiterentwicklung verlagerte sich jedoch ganz auf das Gebiet der Digitalrechner.

Digitale Rechengeräte und Tafeln *(blaue Texttafeln)*

Mathematische Tafelwerke und Schriftliches Rechnen

Geschriebene und gedruckte Zahlentafeln werden ebenfalls zu den mathematischen Instrumenten gerechnet. Sie sind bereits aus babylonischer Zeit bekannt und erfuhren seit der Erfindung des Buchdrucks eine besonders große Verbreitung. Das verbreitetste mathematische Tafelwerk stellte seit dem 17. Jahrhundert bis vor zwei Jahrzehnten die Logarithmentafel dar, die man als Recheninstrument zur genauen Multiplikation von vielstelligen Zahlen ansehen kann. Auch heute sind zahlreiche Tafelwerke mit den Werten komplizierter Funktionen im Gebrauch. Sie werden mit dem Computer berechnet, sind aber bis heute nicht durch ihn ersetzt worden.

Rechenhilfen und Rechenmaschinen

Der Abacus wird in seiner japanischen, chinesischen und russischen Ausführung gezeigt. Ein oberdeutsches Rechentuch, auf dem statt der verschiebbaren Kugeln des Abacus Rechenmünzen ausgelegt werden, verdeutlicht die Möglichkeit des Rechnens mit nichtdezimalen Zahlensystemen, wie es die alten Währungssysteme erforderten.

In der benachbarten Vitrine werden Napiers Rechenstäbchen und die rekonstruierte Rechenmaschine von Wilhelm Schickard aus dem Jahr 1623 gezeigt.

Mehrere Vitrinen enthalten zahlreiche mechanische Rechenmaschinen, darunter Kopien der Maschinen von Pascal (1642) und Leibniz (um 1700) sowie eine Originalmaschine von Braun (um 1735).

Kryptologische Geräte und Maschinen

In einem kryptologischen Kabinett werden unter anderem zwei im Zweiten Weltkrieg verwendete Exemplare der ENIGMA und der Ver-

Chiffrier- und Dechiffriermaschine ENIGMA, um 1940 (O),
Marine-Ausführung mit vier Chiffrierwalzen.

schlüsselungsteil SZ42 einer Maschine der Firma Lorenz gezeigt, das weltweit offenbar nur noch in zwei Exemplaren existiert. Die mit dem SZ42 verschlüsselten deutschen Funksprüche veranlaßten in der englischen Entschlüsselungszentrale Alan Turing und andere zur Entwicklung des elektronischen Spezialrechners COLOSSUS.

Aussagenlogik und Binärcodierung

Hier werden die für die Informatik so wichtigen Zusammenhänge der mathematischen Logik erläutert. Die gezeigten logischen Maschinen von Bauer aus München und Weipoldshammer aus Wien stammen aus der ersten Hälfte der 1950er Jahre.

Dualsystem und Realisierung durch binäre Schaltungen

In einer Folge mechanischer und elektronischer Demonstrationsschaltungen können die Besucher die elementaren logischen Verknüpfungs- und Speicherschaltungen selbst bedienen. Die verschiedenen Schaltungstechnologien werden anhand originaler Computerbausteine in den drei benachbarten Vitrinen gezeigt.

Mechanischer Trompeter von Friedrich Kaufmann, 1810 (O)
Melodie und Rhythmus des Trompetenklangs werden durch ein Stiftwalzensystem gesteuert. Der durch Blasbälge erzeugte Spielwind gelangt über zwölf aufschlagende Zungen in die Trompete.

Automatik *(beige Texttafeln)*

Schleifengesteuerte Automaten und Roboter

Der automatische Trompeter von Friedrich Kaufmann aus dem Jahr 1810 und die Uhren aus dem 16. und 17. Jahrhundert mit Schlag- oder Bewegungswerken funktionieren alle über eine starre schleifenförmige Ablaufsteuerung. Zur Verdeutlichung des Prinzips ist ein moderner elektronischer Taschenrechner mit einer einprogrammierten endlosen Doppelschleife zur Berechnung der Quadrat- und Kubikzahlen gegenübergestellt. Elektronische Prozeßrechner und ein einarmiger Industrieroboter stehen für die heutigen Möglichkeiten des als Robotik bezeichneten Gebiets.

Programmsteuerung bei Lochkarten- und Buchungsmaschinen

Eine Vitrine enthält einige Lochkartenmaschinen der verschiedenen Systeme der Firmen IBM, Powers und Bull, eine andere enthält historische Buchungsmaschinen. Alle sind mit Elektromotor kontinuierlich angetrieben und verrichten ihre Arbeitsabläufe, von einem festen Programm gesteuert, automatisch. Die mit einer austauschbaren Programmstecktafel ausgestattete Lochkartenmaschine D11 der Deutschen Hollerith Maschinengesellschaft, die in den 1930er Jahren entstand, kann für die Ausführung verschiedener Arbeitsgänge programmiert werden.

Vorläufer der Universalrechner

Ganz im Zentrum der Ausstellung stehen die historischen Maschinen von Konrad Zuse Z3 und Z4. Die im Krieg zerstörte Z3, die 1941 erstmals voll funktionsfähig war, gilt als erstes frei programmierbares vollautomatisches Rechengerät überhaupt. Sie wird in einem von Zuse autorisierten funktionsfähigen Nachbau gezeigt und vorgeführt. Die im Original gezeigte Z4 war 1945 fertiggestellt und wurde zwischen 1950 und 1959 im Routinebetrieb eingesetzt, zeitweilig als einziger funktionierender Rechner in Europa. Daneben ist der elektronische programmgesteuerte Rechner G1a zu besichtigen. Diese Maschinengruppe wird noch auf beigen Tafeln erläutert, da bei ihnen zwar der Rechenablauf frei programmiert werden kann, sie jedoch noch nicht alle Merkmale der Universalrechner aufweisen.

Universalrechner *(metallfarbene Texttafeln)*

Rechner mit Elektronenröhren

In diesem Bereich werden die zentralen Einheiten der ersten elektronischen Computer gezeigt, die in der Bundesrepublik gebaut wurden und in Betrieb waren. In den Jahren 1950 bis 1956 entstand an der TH München in eigener Entwicklung die PERM. Industriell hergestellte Rechner mit Elektronenröhren sind die IBM650 und die Zuse Z22. Eindrucksvoll ist die Größe des UNIVAC FACTRONIC der Firma Remington-Rand, der durch eine Tür bestiegen werden konnte.

Rechner mit Halbleiterbauelementen

Die ersten von den Firmen Siemens und Telefunken entwickelten Rechenanlagen vom Typ 2002 und TR4 sind mit Schaltungen aus einzelnen Transistoren aufgebaut. Ebenfalls gezeigt werden die Rechner 7074 und 360-20 der Firma IBM. Einen Höhepunkt der Entwicklung von Großrechnern stellt der Höchstgeschwindigkeitsrechner CRAY-1 aus dem Jahr 1983 dar.

Speicher und Peripherie

In einer Vitrine an der Fensterseite werden die Entwicklung der Arbeitsspeicher von der Verzögerungsleitung über die Magnettrommel zum Magnetkernspeicher und der Fortschritt in der Technik der peripheren Massenspeicher vom Magnetband zum Großraum-Plattenspeicher gezeigt. Daneben sind in einer zweiten Vitrine Eingabe- und Ausgabegeräte zu sehen, wobei die Drucker und Drucktechniken besonders berücksichtigt sind.

H. Petzold

Ausschnitt aus einem Relaisrahmen des programmgesteuerten Rechners ZUSE Z4,
1942–45 (O)

Aufsicht auf das Rechenwerk des PERM (Programmgesteuerte Elektronische Rechen-
anlage München), 1952–55 (O)

Mikroelektronik

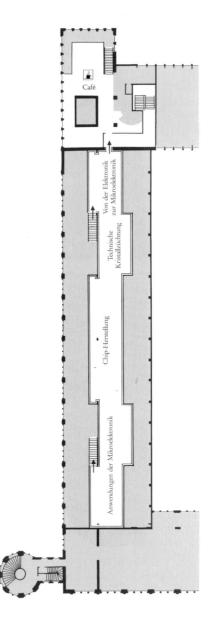

Café

Von der Elektronik
zur Mikroelektronik

Technische
Kristallzüchtung

Chip-Herstellung

Anwendungen der Mikroelektronik

Unter Elektronik verstand man Anfang des 20. Jahrhunderts das wissenschaftliche Gebiet, das physikalische Effekte mit freien Elektronen im Vakuum oder in Gasen behandelte. Bald ging der Begriff «Elektronik» auch auf die Technik über, in deren Mittelpunkt die Elektronenröhre und später der Transistor stand. Mit dem Transistor, 1948 in den Bell-Laboratorien (USA) entwickelt, weitete sich der Gegenstandsbereich der Elektronik aus: Effekte wie Gleichrichtung, Verstärkung oder Schaltung bewirken hier freie Elektronen in einem Halbleiter-Kristall.

Aus der Halbleitertechnik resultierte die Mikroelektronik; sie integriert einzelne Bauelemente wie Transistoren, Widerstände und Kondensatoren in einem einzigen Baustein. Erste monolithische Schaltungen (monos: einzig; lithos: Stein) entwickelten 1958 unabhängig voneinander die amerikanischen Physiker Jack S. Kilby und Robert N. Noyce. Von 1960 bis 1990 wuchs die Zahl der Transistorfunktionen auf einem Halbleiter-Baustein, dem «Chip», von 10 auf etwa 10 Millionen an. Als Halbleiter-Element verwendet man meist Silicium, in das verschiedene Fremdatome eingelagert werden.

Die Chips lassen sich im wesentlichen nach Speicher- und Logik-Bausteinen unterscheiden. Mit zunehmendem Integrationsgrad konnten in den 1980er Jahren diese Funktionen auf einem einzigen Chip, dem Mikrocomputer, vereinigt werden. Zu den Vorteilen hochintegrierter Schaltungen zählen kleiner Raumbedarf, hohe Arbeitsgeschwindigkeit und Zuverlässigkeit, geringer Energieverbrauch und geringe Kosten. Die Mikroelektronik beeinflußt daher nahezu jeden technischen Bereich; ihr Einsatz reicht von den Haushaltsgeräten über die Medizintechnik bis hin zu automatischen Fertigungsstraßen in der Industrie.

Zur Ausstellung

Die Ausstellung «Mikroelektronik» besteht seit 1989. Sie entstand im Rahmen des Ausbaus des Deutschen Museums unter besonderer Berücksichtigung aktueller Hochtechnologien, der mit der Eröffnung der Abteilung «Informatik und Automatik» 1988 eingeleitet wurde.

Die Ausstellung, die sich auf einer Fläche von etwa 400 m² präsentiert, gliedert sich in sechs Bereiche. Besondere Schwerpunkte bilden die Gewinnung von Reinstsilicium als Grundelement für die Chipherstellung sowie die Fertigung der Chips selbst. Die Vielfalt der Inte-

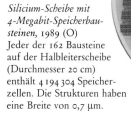

Silicium-Scheibe mit 4-Megabit-Speicherbausteinen, 1989 (O) Jeder der 162 Bausteine auf der Halbleiterscheibe (Durchmesser 20 cm) enthält 4 194 304 Speicherzellen. Die Strukturen haben eine Breite von 0,7 μm.

grierten Schaltungen wird sowohl in ihrer historischen Entwicklung als auch in ihrer systematischen Einordnung erklärt. Die Anwendungsbreite der Mikroelektronik verdeutlichen Objekte und Demonstrationen zur Kraftfahrzeug-Elektronik, Haushalts- oder Medizintechnik. Mit Hilfe von Computer-Demonstrationen läßt sich schließlich der enge Zusammenhang von Hardware und Software erfahren: Es wird gezeigt, wie einerseits das Programmieren zur Fertigung von Chips notwendig ist, andererseits die Entwicklung der Chips ständig neue computerunterstützte Rechenverfahren ermöglicht.

Elektronik und Halbleitertechnik

Die Mikroelektronik hat vielfältige historische Wurzeln. Hierzu gehört die Entwicklung nachrichtentechnischer Bauelemente. Beispiele sind der Kristalldetektor (Ferdinand Braun, 1874) und die Verstärkerröhre (Robert von Lieben und Lee de Forest, 1906). Weitere Voraussetzungen sind Erkenntnisse über das Verhalten von freien Elektronen im Vakuum und in Halbleitern, das Physiker wie Robert Pohl, Walter Schottky und Heinrich Welker in den dreißiger und vierziger Jahren beschrieben haben. Schließlich ist die Konstruktion frei programmierbarer Rechner zu nennen, die um 1940 mit elektromechanischen Bauteilen begann.

Objekte und Schautafeln im Einführungsbereich zeigen den Weg von der Elektronik zur Mikroelektronik. Gleichzeitig führen sie in die Grundlagen der Halbleitertechnologie ein, indem sie beispielsweise die Funktionsprinzipien von Bipolar-Transistoren und Feldeffekt-Transistoren erläutern. Hier findet sich auch ein Modell der ersten Integrierten Schaltung von Jack S. Kilby (im Maßstab 15 : 1).

Kristallzüchtung

Das meist verwendete Halbleitermaterial in der Mikroelektronik ist Silicium. In der Natur kommt es nur in Verbindungen vor, etwa im Sand als Quarz-Kristall (Siliciumdioxyd). Zur Fertigung hochintegrierter Schaltungen benötigt man jedoch reinstes Silicium in der Form eines Einkristalls.

Die verschiedenen Verfahren, die zur Herstellung des Einkristalls erforderlich sind, erläutern Graphiken und Modelle. So wird bei dem weit verbreiteten Tiegelzieh-Verfahren an einem Impfkristall aus der Silicium-Schmelze ein einkristalliner runder Stab gezogen. Aus diesem lassen sich sodann die Halbleiterscheiben (Wafer) für die Fertigung von Chips schneiden.

Halbleiter-Bausteine für spezielle Anwendungen, beispielsweise Sensoren oder Leuchtdioden, besitzen als Grundmaterial auch Halbleiterverbindungen wie Galliumarsenid oder Indiumphosphid (wegen der Anzahl der Außenelektronen der Elemente heißen sie III/V-Verbindungen). Sie können in der Form von Einkristallen durch Ziehverfahren oder durch gerichtete Erstarrung der Schmelze produziert werden.

Reinstraum mit Ätzanlage und Diffusionsofen, um 1984 (N) Im Vordergrund ist eine Naß-ätzanlage zu sehen, die nicht gewünschte Schichten von Halbleiterscheiben entfernt. Anschließend gelangen die Scheiben in den Diffusions-ofen, um Fremdatome wie Bor oder Arsen einzulagern.

Chip-Herstellung

Die Herstellung eines Speicher- oder Prozessor-Chips erfordert zunächst den Entwurf einer logischen Schaltung. Dies geschieht an computerunterstützten Arbeitsplätzen. Die dort gewonnenen Daten werden mit einem Elektronenstrahlschreiber auf Glasplatten übertragen, die als Masken für den weiteren Herstellungsprozeß dienen.

Die Fertigung der Chips, an Geräten einer Fertigungsstraße aus der Mitte der 1980er Jahre demonstriert, erfolgt in Reinsträumen und bei Gelblicht: Das Gelblicht ist nötig, um die photolithographischen Verfahren durchführen zu können, das heißt das Übertragen der Strukturen von der Maske auf die Halbleiterscheibe. Da jedes Staubkorn den Fertigungsprozeß stört, muß der Prozeß in einem Reinstraum stattfinden.

Zu den Fertigungsschritten gehören neben der Strukturierung mit Hilfe von Masken die gezielte Dotierung (das Anlagern von Fremdatomen), die Metallisierung (zum Herstellen der Leiterbahnen) sowie die Prüfung der Chips und ihre Montage in Gehäusen.

Halbleiter-Bausteine und Baugruppen

Die Integrierten Schaltungen lassen sich sowohl nach ihrer Funktion als auch nach ihrer Herstellungstechnik unterscheiden. Bipolare Technik setzt man dort ein, wo hohe Schaltgeschwindigkeiten erforderlich sind, beispielsweise in der Unterhaltungselektronik. Eine größere Anwendungsbreite besitzt die Feldeffekt-Technik wegen des geringeren Platzbedarfs (höhere Integrationsdichte) und niedrigeren Stromverbrauchs.

Entwicklungsreihe von Mikroprozessoren, 1971–1989 (O) Der von M.E.Hoff (USA) entwickelte 4004 (1971; l.u.) leitete den Einsatz von Mikroprozessoren als Standardbausteine in Rechnern ein. Die Auswahl hier zeigt ferner den 8080 (1974; l.m.), 80186 (1982; r.u.), 80386 (1985; r.o.) und den i486 (1989; l.o.)

Halbleiter-Bausteine besitzen vielfältige Funktionen. So finden sich in den Vitrinen Speicherchips, Mikroprozessoren und Mikrocomputer, aber auch Analog/Digital-Umsetzer sowie Sensoren und Aktoren in ihrer historischen Abfolge angeordnet. Die Zusammenstellung der Integrierten Schaltungen zu Baugruppen, sei es auf Leiterplatten oder Keramikträgern, gibt schließlich Auskunft über die vielfältigen Kombinationsmöglichkeiten.

Anwendungen der Mikroelektronik

Die Bausteine der Mikroelektronik werden zur Verarbeitung von Daten, Texten, Bildern oder von Sprache verwendet. Sie prägen die Geräte und Anlagen der Industrie ebenso wie die der privaten Haushalte oder der Medizintechnik. Die Exponate, die diese Anwendungsbreite repräsentieren, reichen von Herzschrittmachern über automatische Photoapparate bis zu Antiblockiersystemen im Kraftfahrzeug. Eine Demonstration mit Robotern weist auf die Möglichkeiten einer automatisierten Lagerhaltung hin. Hier wird zudem deutlich, wie bei den Prozessen des Messens, Steuerns und Regelns zunehmend die Digitaltechnik die Analogtechnik verdrängt.

Mikroelektronik und Informatik

Rechenanlagen, die Integrierte Schaltungen verwenden, reichen vom programmierbaren Taschenrechner bis zu Höchstleistungsrechnern. Durch die Mikroelektronik wurden Arbeitsspeicher mit einer Kapazität bis zu einigen Milliarden Bit verfügbar. Die Rechengeschwindigkeit ließ sich auf über eine Milliarde Operationen pro Sekunde steigern. Die Frage nach der Grenze zwischen einer Realisierung durch Hardware (fest «verdrahtete» Bauelemente) oder durch Software (Programmieren eines Speichers) stellt sich gleichermaßen aus technischen und

Personalcomputer PCD-2 mit strategischen Spielen, 1989 (O)
Strategische Spiele – wie «Mühle» – folgen bestimmten Regeln, aber auch Zufallsentscheidungen. Diese realisieren die Personalcomputer mit Zufallsgeneratoren.

wirtschaftlichen Erwägungen. Demonstrationen aus dem Bereich der Spracherkennung und der computerunterstützten Konstruktion geben einen Einblick in die Lösungsmöglichkeiten. Strategische Spiele, die der Besucher auf Personal-Computern durchführen kann, weisen darauf hin, wie Zufallsentscheidungen durch Automaten simuliert werden können.

O. Blumtritt

Telekommunikation

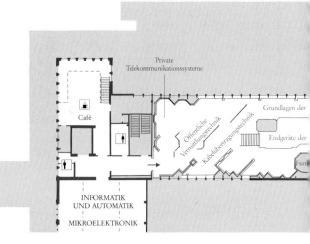

Telekommunikation umfaßt die Techniken und Verfahren, die dem Austausch und der Verbreitung von Informationen dienen. Die Informationen werden hierzu in optische oder elektrische Signale umgewandelt, übertragen und am Empfangsort rückgewandelt. Die Vorsilbe «Tele-» gleich «Fern-» deutet darauf hin, daß die Informationsübermittlung räumlich nahezu unbegrenzt ist: Man denke etwa an die Forschungssatelliten, die ständig Meßdaten von entfernten Planeten senden.

Der Gebrauch von technischen Mitteln zur Kommunikation ist beinah so alt wie der Gebrauch von Werkzeugen. Beide weisen auf den Bedarf an Technik bei unterschiedlichen Gesellschaftsformen hin, – wie sie auch umgekehrt die Gesellschaftsformen mit prägen. Berichten antiker Schriftsteller und Historiker zufolge sollen in Großreichen Feuersignaltechniken verwendet worden sein. So ließen sich griechische Herrscher seit ungefähr 700 v. Chr. mit einem vereinbarten Feuer- oder Rauchsignal das Nahen eines feindlichen Heeres melden. Eine differenzierte Nachrichtentechnik schlug um 150 v. Chr. der Historiker Polybios vor: das buchstabenweise Übertragen von Meldungen mit Hilfe von Fackeln.

Läßt sich in der Antike wie auch im Mittelalter der Einsatz von Telekommunikations-Techniken nur bedingt nachweisen, ändert sich die Situation zu Beginn der Neuzeit. Ein klassisches Beispiel ist der mechanisch-optische Telegraph von Claude Chappe (1792), den die Regierung der französischen Republik einführte. Kaiser Napoleon ließ zur Organisation seiner Feldzüge ein weitverzweigtes Netz von Telegraphenlinien errichten.

Um die Wende vom 18. zum 19. Jahrhundert kamen Vorschläge auf, Nachrichten als elektrische Signale zu übertragen. Der älteste erhalte-

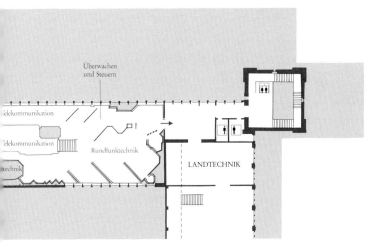

Überwachen
und Steuern

Telekommunikation

Telekommunikation

Rundfunktechnik

technik

LANDTECHNIK

ne Apparat ist der elektrochemische Telegraph des Münchener Arztes und Naturforschers Samuel von Soemmerring (1809). Auf der Grundlage physikalischer Erkenntnisse über den Elektromagnetismus sowie feinmechanischer Präzisionsarbeit entwickelten Wissenschaftler und Mechaniker die elektromagnetische Telegraphie bis Mitte der 1840er Jahre zu einem technisch sicheren und wirtschaftlich verwertbaren Nachrichtensystem. Die Übertragung erfolgte über Freileitungen oder Kabel. Je nach Anwendungsbereich bei Eisenbahn, Börse oder Militär kamen Zeiger-, Schreib- oder Drucktelegraphen zum Einsatz.

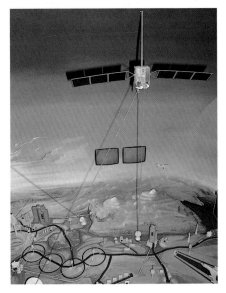

*Ausschnitt aus der Telekommuni-
kations-Landschaft,* 1990 (D)
Die Demonstration zeigt, wie
verschiedene Netze aufgebaut
und verknüpft werden, z. B. für
die Übertragung von Telefo-
naten und Rundfunksendungen
über Satellit.

Ein Nachrichtennetz, das ohne Codierung und daher von jedem Bürger zu bedienen wäre, wollte Alexander Graham Bell mit seinem 1876 entwickelten Telephon schaffen. Für die Sprachübermittlung waren jedoch neue Verstärkertechniken sowie die Automatisierung der Vermittlungstechnik nötig. Ab 1940 stieg die Teilnehmerzahl in den Industrienationen sprunghaft an. Das Telefonnetz ist heute das größte Nachrichtennetz, dessen Leitungen zudem für eine Vielzahl anderer Nachrichtendienste zur Verfügung stehen: in dem diensteintegrierenden digitalen Netz lassen sich seit 1989 gleichzeitig Sprache und Text oder Bilder und Daten übertragen.

Neben Drahtleitungen kann auch der freie Raum als Übertragungsmedium genutzt werden. Mit Funkenstrecken, Antennen und Detektoren, wie sie Guglielmo Marconi ab 1895 verwendete, entstand die drahtlose Telegraphie. Die Elektronenröhre, 1904 als Gleichrichter und später auch als Verstärker- und Sendebauteil eingesetzt, förderte die Entwicklung der drahtlosen Telephonie und schließlich des Hör- und Fernseh-Rundfunks. Halbleiterbausteine wie Transistoren (ab 1948) und Integrierte Schaltungen (ab 1958) ersetzten die Elektronenröhre in der Mehrzahl ihrer Funktionen. Sie bilden zudem die Grundlage für eine wirtschaftliche Rechnertechnik, die seit den 1970er Jahren die Übertragungs- und Vermittlungseinrichtungen der Telekommunikation steuert. Mit Fernmeldesatelliten als Relaisstationen im Weltraum (seit 1962) und Glasfaserkabeln als zusätzlichem Übertragungsmedium (seit etwa 1970) stehen Telekommunikations-Systeme zur Verfügung, die technisch die Möglichkeit bieten, komplexe Informationen als digitale Signale schnell und nahezu störungsfrei zu übermitteln.

Zur Ausstellung

Die «Telekommunikation», 1990 eröffnet, ersetzt die «Nachrichtentechnik», die über zwanzig Jahre im 1. Obergeschoß des Sammlungsbaus bestand. Die Differenzierung und Ausweitung der Informationstechniken machte es nötig, die Informationsverarbeitung (siehe «Informatik und Automatik» S. 281) sowie die Bauelemente (siehe «Mikroelektronik» S. 290) als eigenständige Abteilungen auszugliedern. Die «Telekommunikation» ist nun in deren räumlicher Nähe auf einer Fläche von circa 850 m² angesiedelt.

Betritt der Besucher die Ausstellung durch einen der beiden Eingänge, findet er in dem jeweiligen Einführungsbereich sowohl einen systematischen als auch einen historischen Überblick. So zeigt ein Leuchtschaubild den Weg, den eine Nachricht von der Quelle (zum Beispiel einer schreibenden Person) bis hin zur Senke (zum Beispiel einer lesenden Person) durchläuft. Die Nachricht, hier ein Text, wird zunächst codiert und in elektrische Signale umgewandelt. Ein Sender überträgt die Signale zur Vermittlungsstelle, die den gewünschten Partner aus der Vielzahl der Teilnehmer auswählt. Die Signale gelangen sodann zum Empfänger, der sie decodiert und in eine dem Leser verständliche Form zurückwandelt. Diese Abfolge liegt jeder Informationsübermittlung zugrunde und wird in der Praxis durch spezielle Techniken realisiert. Um dies verständlich zu machen, gliedert sich die Ausstellung in neun Themenbereiche, die in sich historisch aufgebaut sind. Die Telekommunikations-Landschaft in der Mitte des Raumes veranschaulicht erneut die Zusammenhänge.

Die Ausstellung nutzt die Mittel der Telekommunikation auch als Medium zu ihrer eigenen Darstellung. Ein Informationssystem, an sechs Orten aufgestellt, dient beispielsweise dazu, dem Besucher sowohl einen Überblick über die Ausstellung zu vermitteln als auch vertiefende Informationen zu einzelnen Themen anzubieten.

Grundlagen der Telekommunikation

Dieser Bereich greift das grundlegende Schema einer Nachrichtenübermittlung wieder auf und veranschaulicht die einzelnen Schritte mit Demonstrationen. Zunächst zeigt ein Modell, mit welchen Verfahren Nachrichten – beispielsweise Sprache oder Musik – in elektrische und weiter in optische Signale umgewandelt werden können. Mikrophone und Lautsprecher machen überdies deutlich, daß der Wandlung am Sender stets die Rückwandlung am Empfangsort zu folgen hat.

Ein wichtiger Schritt in gegenwärtigen Telekommunikations-Systemen besteht in der Analog/Digital-Umsetzung: Signalwandler, wie Mikrophone, liefern meist ein kontinuierliches, das heißt ein analoges Ausgangssignal. Zum Übertragen und Speichern sind jedoch häufig digitale Signale besser geeignet; diese Signale dürfen nur wenige festgelegte (quantisierte) Werte annehmen. Eine Demonstration veranschaulicht, bei welchen Abtast- und Quantisierungsintervallen ein analoges Signal in ein entsprechendes digitales Signal umgesetzt werden kann.

Zu den weiteren grundlegenden Verfahren gehören die Codierung und das Filtern. Ein Beispiel für die Codierung bildet das seit 150 Jahren in der Telegraphie gebräuchliche Morsealphabet. Mit Filtern lassen

Telephone von Philipp Reis, 1861 und 1863 (O)
Mit seinen Apparaten (1861 aus Zinkblech; links hinten) konnte Reis einzelne Töne in elektrische Signale umwandeln, diese übertragen und wieder in Töne rückwandeln.

sich etwa, wie es vom Radioapparat bekannt ist, Störsignale unterdrücken. Um den Weg vom Empfänger zum Sender, in der Telekommunikation «Übertragungskanal» genannt, optimal auszunutzen, werden Nachrichtensignale einem Trägersignal aufgeprägt (Modulation) sowie die Signale mehrerer Quellen zusammengefaßt (Multiplexen). In zeitlich verlangsamter Form lassen sich die zugehörigen Prozesse nachvollziehen.

Eine Ausstellungseinheit ist schließlich dem Thema Speicher gewidmet. Systematisch kann zwischen mechanischer, magnetischer, elektrischer und optischer Speicherung unterschieden werden. Die Objekte zeigen den historischen Weg von Edisons Phonograph (1877) und der Schallplatte von Berliner (1887) bis hin zur 1979 vorgestellten Compact Disc.

Kabelübertragungstechnik

Vorschläge, elektrische Nachrichtensignale über isolierte, unterirdisch verlegte Kabel zu übertragen, finden sich bereits in der wissenschaftlichen Literatur des 18. Jahrhunderts. Mit der Einführung der elektrischen Telegraphie um 1840 verstärkte sich die Suche nach zuverlässigen Materialien für die Isolation und Bewehrung der Kabel: Der Naturstoff Guttapercha sowie Eisen- und Bleiummantelungen setzten sich bald durch und waren bis in das 20. Jahrhundert in Gebrauch. Sie eigneten sich auch für Unterwasserkabel, beispielsweise für das erste betriebsfähige Tiefseekabel von Calais nach Dover (1851) oder für das Transatlantikkabel (1866).

Neben den ausgestellten Kabelmustern aus vielen Epochen finden sich in diesem Bereich auch Geräte und Bauelemente zur Dämpfungsminderung, Verstärkung und Regeneration der Nachrichtensignale. So hatte sich Ende des 19. Jahrhunderts das Problem gestellt, Telephoniesignale über lange Kabel zu leiten. Michael Pupin fand 1899 eine Lösung, indem er mit Induktionsspulen die Dämpfung der Kabel ausglich. Röhren- und transistorisierte Geräte boten anschließend die Möglichkeit, die Signale nahezu vollständig zu regenerieren.

Eine Gruppe präsentiert die Ende der 1970er Jahre eingeführte Lichtwellenleiter-Technik. Voraussetzungen hierfür bestanden in der Entwicklung der Laser-Technologie sowie der Herstellung dämpfungsarmer Glasfaserkabel. Kabelmuster und Demonstrationen machen die Vorteile gegenüber Kupferkabeln deutlich: Glasfasern haben ein geringeres Gewicht und eine größere Übertragungskapazität; zudem sind sie unempfindlich gegenüber elektrischen Störungen.

Öffentliche Vermittlungstechnik

An das Fernsprechnetz waren 1990 weltweit mehr als 600 Millionen Teilnehmer angeschlossen. Die Vermittlungstechnik bewältigt die Aufgabe, einen der Teilnehmer mit dem von ihm gewünschten Partner zu verbinden, ohne die Gespräche anderer Teilnehmer zu beeinträchtigen.

Handvermittlungsplatz für den Ortsbetrieb, 1905 (O)
Seit 1878 vermittelte das Bedienpersonal Telefongespräche an einem Klappenschrank: Das «Fräulein vom Amt» nimmt den Vermittlungswunsch entgegen und verbindet mit den Stöpseln die Anschlüsse der beiden Gesprächspartner.

Die Ausstellung zeigt den historischen Weg von den ersten Handvermittlungsämtern, die bald nach der Konstruktion des Telephons von Alexander Bell (1876) eingerichtet worden waren, bis zur Automatisierung der Vermittlungstechnik, die mit dem Hebdrehwähler, den Almon Strowger 1889 konstruiert hatte, begann. 1908 ging das erste öffentliche automatische Wählamt Europas in Hildesheim in Betrieb.

Die technische Entwicklung richtete sich zum einen darauf, die Wähleinrichtungen zu verbessern, beispielsweise durch den 1953 eingeführten Edelmetall-Motor-Drehwähler. Demonstrationen vermitteln einen Einblick in die verschiedenen Funktionsweisen. Zum anderen eröffnete die Halbleitertechnik neue Möglichkeiten: So wurde 1965 in den USA erstmalig ein rechnergesteuertes Vermittlungssystem für den Fernsprechverkehr in Betrieb genommen. Die Digitalisierung der Nachrichtensignale wies darüber hinaus den Weg, die Verbindungen von anderen nachrichtentechnischen Diensten (wie Telex, Telefax und Datex) im Fernsprechnetz zusammenzufassen. 1989 begann die Deutsche Bundespost, ISDN (Integrated Services Digital Network) flächendeckend einzuführen.

Private Telekommunikationssysteme

Private Telekommunikationssysteme hießen früher schlicht «Nebenstellenanlagen». Um 1900 in Deutschland eingeführt, dienten sie der Vermittlung des internen Telefonverkehrs bei Behörden oder größeren Unternehmen.

Private Telekommunikationssysteme besitzen einen ähnlichen Systemaufbau wie die öffentliche Vermittlungstechnik. Doch ist es hier möglich, zusätzliche Funktionen wie Rückruf oder Gesprächsumleitung bereitzustellen.

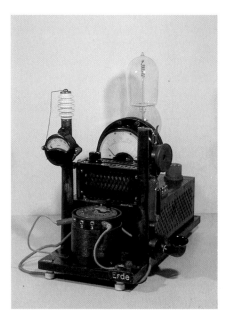

Röhrenschaltung als Sender,
1913 (O)
Mit der 1906 entwickelten Lie-
benröhre (hinten) konstruierte
Alexander Meißner einen
Funksender. Es gelang ihm damit eine drahtlose Telefonie
über 30 km.

Funktechnik

Nachdem Heinrich Hertz in der Zeit von 1886 bis 1888 die physikalischen Eigenschaften elektromagnetischer Wellen erforscht hatte, gab
es um 1895 erste erfolgreiche Versuche für eine drahtlose Telegraphie.
Anfang des 20. Jahrhunderts kamen neue Senderbauarten auf, wie der
Lichtbogensender von Valdemar Poulsen (1906). Deren ungedämpfte
Schwingungen erlaubten auch die Übertragung von Sprach-
signalen. Zur gleichen Zeit entwickelte sich die Elektronenröhre zum
zentralen Bauteil funktechnischer Anlagen. Um 1950 löste der Transistor die Röhre in vielen ihrer Funktionen ab. Integrierte Schaltungen
(ab 1960) ermöglichen es, immer höhere Frequenzen zu beherrschen.
Die Ausstellung präsentiert zunächst ausführlich die historische Entwicklung mit Originalen aus der jeweiligen Epoche. Sodann werden
einzelne Anwendungsgebiete systematisch vorgestellt und deren
Grundlagen mit Demonstrationen erläutert. Hierzu gehören der Mo-
bilfunk, beispielsweise mit den Autotelefon-Netzen. Es schließt sich
die Gruppe der Funkortung und Funknavigation an. Weitere Themen
sind der Richt- sowie der Satellitenfunk. Die Gruppe der Rundfunk-
sender leitet zu einem eigenständigen Bereich, der Rundfunktechnik
über.

Rundfunktechnik

Von der technischen Seite aus gesehen beruht der Rundfunk auf der
Entwicklung von Röhrenschaltungen zum Senden, Verstärken und
Empfangen kontinuierlicher elektromagnetischer Wellen. Der Aufbau
des Hörrundfunks begann nach dem Ersten Weltkrieg auf Lang-, Mit-

Blick in die Vitrine mit Fernsehkameras, seit 1955 (O)
Die Studio-Farbkamera LKD3 (Mitte) in Röhrentechnologie stammt aus dem Jahre
1967, als das Farbfernsehen offiziell in der Bundesrepublik eingeführt worden ist.
Seit Ende der 1980er Jahre verwendet man Kameras mit Halbleiter-Bildaufnehmern
(links unten).

tel- und schließlich Kurzwelle. In den 1930er Jahren nutzten faschisti-
sche Regimes das Massenkommunikationsmittel als eines ihrer wichtigsten Propagandainstrumente, wie hier am Beispiel des Volksempfän-
gers gezeigt wird. Nach dem Zweiten Weltkrieg richtete sich die
Hörfunk-Entwicklung wieder auf qualitative Verbesserungen, etwa die
stereophone Übertragung auf Ultrakurzwelle.
Das Beherrschen hoher Frequenzen (beziehungsweise von Wellen extrem kurzer Länge) ermöglichte nach 1945 auch den Ausbau des Fernseh-Rundfunks. Die Ausstellung dokumentiert die Geschichte des
Fernsehens von den elektromechanischen Anordnungen in den 1920er
Jahren über die rein elektronische Bildaufnahme und -wiedergabe (ab
1930) bis zur gegenwärtigen Technik hochauflösender Farbfernseh-
Systeme.

Überwachen und Steuern

Die Telekommunikation umfaßt den Informationsaustausch nicht nur
zwischen Personen, sondern auch zwischen Maschinen. Beispiele hierfür sind das Überwachen und Steuern von Energieverbundnetzen

(Fernwirktechnik) oder von Klimaanlagen (Gebäudeleittechnik). Den historischen Anfang markiert die Brandmeldetechnik, die um 1850 entstand und zunächst Bauelemente der elektromagnetischen Telegraphie verwendete. Eine weitere Ausstellungsgruppe beschäftigt sich mit Kommunikationstechniken im Pflegebereich, wo vor allem Lichtrufsysteme zum Einsatz kommen.

Endgeräte der Telekommunikation

Auf der Galerie in der Mitte des Ausstellungsraumes sind noch einmal die Geräte zusammengefaßt, die wir zu Hause oder am Arbeitsplatz zum Informationsaustausch benutzen. Vom Telefon bis zum Bildtelefon, vom Fernschreiber bis zum Telefaxgerät sind all diese Geräte in Betrieb zu nehmen, ihre Funktionen zu erkunden.

Daneben sind diese Endgeräte in ihrer geschichtlichen Entwicklung dargestellt. Der erste elektrische Telegraph (1809) findet sich dort ebenso wie die ersten Telephone von Philipp Reis (1861) und Alexander Bell (1876). Münzfernsprecher seit der Jahrhundertwende oder Bildtelegraphen seit den zwanziger Jahren deuten die ständig zunehmende Vielfalt der Dienste der Telekommunikation an. *O. Blumtritt*

Blick auf die Galerie mit Endgeräten der Telekommunikation
Endgeräte dienen zur Ein- und Ausgabe von Nachrichten, die Übertragungs- oder Vermittlungssysteme durchlaufen. Auf der linken Seite sind elektrische Telegraphen in ihrer historischen Abfolge aufgereiht. An den Ständen in der Mitte lassen sich die vielfältigen Funktionen von Telefonen erkunden.

Landtechnik

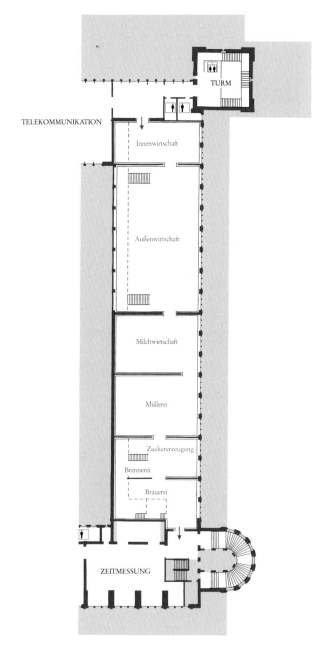

Unter Landwirtschaft versteht man die wirtschaftliche Nutzung des Bodens durch Acker- und Pflanzenbau sowie durch Tierzucht zum Zwecke der Erzeugung von Nahrungsmitteln und Rohstoffen. Die aus der Landwirtschaft hervorgegangenen und ihr nahe verwandten Nebengewerbe, wie etwa Milchwirtschaft, Müllerei, Brauerei, Brennerei und Zuckererzeugung, gehören deshalb im weiteren Sinne ebenfalls hierher. Den ersten Schritt zur Landwirtschaft, zum systematischen Ackerbau, machte der Mensch – nach neuesten archäologischen Funden im Niltal – in der Altsteinzeit (16000 v. Chr.). Er ging vom Jäger- und Sammlertum – von der aneignenden Wirtschaft – zum Ackerbau – der wiedererzeugenden Wirtschaft – über. Die Tierzucht – in der Art, wie sie auch heute noch bei den nomadisierenden Völkern ausgeübt wird – ist dagegen wesentlich älter.

Die technische Entwicklung in der Landwirtschaft, die in unserem Jahrhundert durch eine starke Mechanisierung und Motorisierung gekennzeichnet ist, hat einen neuen technischen Bereich hervorgebracht, die Landtechnik. Sie hat die schwere Hand- und Gespannarbeit in landwirtschaftlichen, forstwirtschaftlichen und Gartenbaubetrieben abgelöst mit dem Ziel, sie der Maschine zu übertragen und all denen zu helfen, die das Land bebauen, sowie durch Steigerung der Nahrungsmittelproduktion allen Menschen das tägliche Brot zu sichern.

Auf der Welt lebten 1975 über 4 Mrd. Menschen, von denen etwa 3 Mrd. ausreichend Nahrung erhielten, und über 1 Mrd. hungerte. Im Jahre 2000 rechnet man mit etwa 7 Mrd. Menschen. Geht man davon aus, daß von diesen etwa 5 Mrd. ausreichend Nahrung erhalten, so würden etwa 2 Mrd. Menschen hungern. Von den 1975 lebenden über 4 Mrd. Menschen übten fast zwei Drittel landwirtschaftliche Tätigkeiten aus; die Landwirtschaft ist damit noch immer der wichtigste Wirtschaftszweig der Menschheit.

Zur Ausstellung

Die während des Krieges stark zerstörte Abteilung Landwirtschaft wurde in den Jahren 1960 bis 1962 auf einer Grundfläche von 1230 m² wieder aufgebaut und am 7. Mai 1962 eröffnet. Die Darstellung einiger neuer Wissensgebiete beim Wiederaufbau brachte eine räumliche Einschränkung einiger älterer Abteilungen des Deutschen Museums mit sich. So mußte das Thema Landtechnik auf drei Viertel der früheren Grundfläche dargestellt und mehr auf die technischen Aspekte hin konzentriert werden.

Aus der Fülle des bäuerlichen Kulturgutes konnten einige besonders wertvolle Ausstellungsstücke erworben werden, um sie – wenigstens im Museum – der Nachwelt angesichts der insbesondere in den letzten 100 Jahren rasant fortschreitenden Technisierung der Landwirtschaft zu erhalten.

Die eigentliche Abteilung Landtechnik ist in Innen- und Außenwirtschaft unterteilt. Während in der Innenwirtschaft die Anwendung der Technik bei den einzelnen Arbeitsvorgängen im Bauernhof dargestellt wird, zeigt die Außenwirtschaft die technische Entwicklung bei der Bodenbearbeitung – Saat und Ernte werden von den ersten uns überlieferten Dokumenten bis zum Stand der Technik in den 1960er Jahren demonstriert.

Innenwirtschaft

Altväterliche Idylle umfängt uns in diesem Raum, wenn wir das naturgetreue Modell eines Bauernhofes aus der Mitte des vergangenen Jahrhunderts betrachten. Viele fleißige Hände regen sich auf diesem 40 Hektar großen Gesindebetrieb mit einer vielfältigen Tierhaltung und mannigfachen Anbauprodukten.

Das Modell eines hochmechanisierten Betriebes gleicher Größe ist durch die Spezialisierung auf wenige Produkte gekennzeichnet. Die täglich anfallende Arbeit kann mit wenigen Arbeitskräften und gezielt ausgewählten Maschinen rationell bewältigt werden. Die Entwicklung der Melkmaschine, der Dreschmaschine und der Futterbereitung wird durch einige wertvolle Ausstellungsstücke dargestellt.

Außenwirtschaft

Verlassen wir die Bauernhöfe, um uns der Feldarbeit zuzuwenden, so führt der Weg in einen als Scheune gestalteten Ausstellungsraum, in dem die Entwicklungsgeschichte der Geräte und Maschinen zur Bodenbearbeitung, für Saat und Ernte zu verfolgen ist. Vom ältesten Arbeitsgerät des Menschen – dem Grabstock – über Hacken, primitive Sohl- und Krümelpflüge bis hin zu Motorpflügen, Anbau- und Winkeldrehpflügen spannt sich eine vieltausendjährige Entwicklung. Aufschluß über Pflugformen und Anspannungen aller Zeiten und verschiedener Länder vermitteln anschauliche Modelldarstellungen. Die verschiedensten Grubber, Eggen und Walzen beschließen die Modellreihe der Bodenbearbeitungsgeräte.

Geräteträger im Bereich Außenwirtschaft, um 1960 (O)
Dieser Geräteträger ist der erste, an dem sämtliche Anbaugeräte von einer Person, innerhalb kürzester Zeit und ohne größere Anstrengungen, an- oder abgebaut werden können. Die Anbaugeräte können in drei Arbeitsräumen – vorn, zwischen den Achsen und hinten – werkzeuglos angebaut und unabhängig voneinander in einem Arbeitsgang eingesetzt werden. Der hier dargestellte Geräteträger ist mit einem Rübenvollerntegerät ausgestattet.

Wesentlich kürzer, aber nicht uninteressanter ist die Entwicklung der Sägeräte und Sämaschinen. Der chinesische Säpflug ist, neben einer indischen Sämaschine aus Bambusrohr, wohl die älteste bekannte Sävorrichtung. Der Säpflug von Locatelli aus dem Jahr 1663 leitet dann über zu den Reihensä- und Drillmaschinen. Ein besonders wertvolles Ausstellungsstück ist die über 100 Jahre alte finnische Sämaschine. Ein Lehrmodell einer Drillmaschine mit 72 Gangabstufungen schließt den Kreis.

Von der Feuersteinsichel bis zum Mähdrescher wird in anschaulicher Weise dargestellt, wie die Getreideernte mechanisiert, also die schwere, zeitraubende und teure Handarbeit nach und nach den maschinellen Einrichtungen übertragen wurde. Eindrucksvoll ist auch hier die Gegenüberstellung einer naturgetreuen Nachbildung des ersten Getreidemähers der Welt aus dem Jahre 1831 und eines selbstfahrenden Mähdreschers. Einem als Rübenvollerntegerät ausgestatteten Geräteträger steht das Modell einer in den zwanziger Jahren gebauten Rübenvollerntemaschine für Seilzug gegenüber.

Sämaschine aus Finnland, um 1840 (O)
Diese etwa 140 Jahre alte Sämaschine war noch bis vor etwa 30 Jahren auf dem Bauernhof des Eino Törmänen, ca. 20 km südlich des Polarkreises, in Gebrauch. Die Aufgabe einer Sämaschine ist es, die verschiedenen Samen ihrer Art entsprechend in möglichst gleichmäßiger Tiefe mit gleichem Reihenabstand und gleichmäßiger Kornentfernung innerhalb der Reihen unbeschädigt auszusäen. Das Lehrmodell zeigt die Wirkungsweise einer neuzeitlichen Sämaschine mit Nockenrädern und einem 72-Stufen-Getriebe. Mit Hilfe des Getriebes läßt sich die Drehzahl der Sä- bzw. Saatwelle in großen Grenzen verändern, so daß man, auch durch die Verstellbarkeit der Bodenklappen und Schieber, vom feinsten bis zum größten Saatgut die richtigen Mengen aussäen kann. Mit dem Mähdrescher, einer Getreidevollerntemaschine, läßt sich das Getreide in einem Arbeitsgang mähen und ausdreschen.

Sennhütte aus der Valepp,
Tegernsee-Gebiet, 1830 (O)
Hochgebirgsweiden werden in
Bayern und Österreich «Almen»
genannt; im Allgäu, in Vorarlberg
und in der Schweiz dagegen heißen sie «Alpen». Diese Hütte
wurde bis 1926 als Sennhütte
(alpenländische Käserei) bewirt-
schaftet. In den letzten Jahren
diente sie als Jungviehstall. Dem
auf diesem Photo zu sehenden
Wirtschafts- oder Arbeitsraum
waren ein Wohnraum und der
Stall angeschlossen. Die Sennhütte kam ohne Inneneinrichtung ins
Deutsche Museum und konnte
später durch Geräte zur Käse-
und Butterbereitung von der
Milchgenossenschaft Auffach,
Wildschönau in Tirol, vervollständigt werden.

Milchwirtschaft

Schon bei den Nomaden und den Völkern des Altertums hatte die
Milchwirtschaft große Bedeutung erlangt. Das älteste bekannte Doku-
ment der Milchwirtschaft ist der Tempelfries aus Al-Ubaid bei Ur aus
dem Jahre 3100 v.Chr. Das Schwergewicht liegt in diesem Bereich, genau wie in den nachfolgenden vier Gruppen, nicht auf der Erzeugung,
sondern auf der Verarbeitung eines landwirtschaftlichen Produkts auch
zu anderen Nahrungsmitteln.
Beim Betreten dieses Raumes steht der Besucher einer über hundert
Jahre alten Sennhütte gegenüber. Dies ist kein Zufall, denn nach dem
Willen des Gründers soll das Deutsche Museum lebendig sein in Art
und Mannigfaltigkeit der Darstellung, die beim Besucher Verstand und
Gefühl gleichzeitig ansprechen sollen. Die schwere Hand- und Körper-
arbeit, wie sie auf Sennhütten üblich war, ist durch entsprechende
Transporteinrichtungen, Zentrifugen, Butterungsmaschinen, weitgehend mechanisierte Käsereien, Kühl- und Erhitzungseinrichtungen sowie Milcheindickungs- und Trocknungsapparate überflüssig geworden.

Müllerei

Die Müllerei ist eines der ältesten Gewerbe der Menschheit. Die gewerbliche Entwicklung begann wohl mit den von Tieren angetriebenen
Mühlen, den Tiermühlen. Sie setzte sich dann mit der Erfindung der
Wassermühlen, um 120 v.Chr., schließlich mit den verschiedenen Wind-
mühlen ab der ersten Hälfte des 7.Jahrhunderts fort. Die Industrialisierung begann in der Müllerei mit dem Bau der ersten automatischen

Ölmühle aus Lohrhaupten, Spessart, um 1750 (O)
Fette gehören neben Eiweiß und Kohlenhydraten zu den drei Grundnahrungsmitteln.
Fette und selbstverständlich auch Öle waren deshalb jahrtausendelang etwas Begeh-
renswertes und Kostbares. In dieser von einem Wasserrad angetriebenen Mühle ver-
arbeitete man Ölfrüchte, wie etwa Raps, Mohn, Lein (Flachs), Hanf und Sonnen-
blumen, ferner Nüsse und Bucheckern. Die Ausbeute von einem Zentner Raps betrug
beispielsweise 24 Liter Öl.

Mühle von Oliver Evans im Jahr 1795. Eine wichtige Erfindung war
auch die der mechanischen Sichteinrichtung. Diese fehlte den mittelalterlichen Mühlen. Die früheste Erwähnung einer mechanischen Sichteinrichtung finden wir in einer Beschreibung der Abtei von Clairvaux
aus dem Jahr 1115. Eine weitere Verbesserung der Mehlsichtung gelang
um 1800 mit den *Beutelrollen* oder *Rohrbeuteln,* die ebenfalls von
O. Evans eingeführt wurden. Nach 1850 wurde schließlich der Zentrifu-
galsichter gebräuchlich. Die Ablösung des Mahlganges durch den Walzenstuhl in der zweiten Hälfte des 19. Jahrhunderts war sicherlich eines
der wichtigsten Ereignisse in der Geschichte der Müllerei.

Brauerei

Als die ältesten Dokumente des Braugewerbes gelten die *Monuments-
Blau* oder Blauschen Denkmäler. Die Schriftzeichen auf diesen Ton-
platten aus frühsumerischer Zeit (4. Jahrtausend v. Chr.) erläutern die

Verarbeitung von Hirse und einer weiteren Getreideart, vermutlich Emmer, zu einem Opfertrank. Die geschichtlichen Brauverfahren – das *Kaltbier* der Ägypter, das *Steinbier* der Germanen und die Braumethode der Osseten – werden durch modellartige Darstellungen näher erklärt. Vom Mittelalter bis in die Neuzeit war die Braukunst ein Hausgewerbe einzelner Familien. Als dann um die Mitte des 19. Jahrhunderts, gestützt auf Ergebnisse wissenschaftlicher Forschung, die ersten allgemeinen Lehrbücher erscheinen, nimmt die Brauereitechnik einen ungeahnten Aufschwung.

Das Kernstück einer modernen Brauerei – das Sudwerk mit seinen kupfernen Hauben – überragt den Raum, in dem auch die hochentwickelte Automation eines Flaschenkellers zu sehen ist. Mälzereieinrichtungen, Würzeklärung, Bierhefe und Gärung, Lagerung und Abfüllung sind weitere Themen, die in Originalen, Modellen oder Bildern dargestellt und erläutert werden. Ein Leuchtschaltbild ermöglicht schließlich einen «Rundgang» durch eine Mälzerei und Brauerei.

Brennerei

Das Wort Alkohol kommt aus dem Arabischen (*al-Kuhl*) und bedeutet das *Feinste.* Das lateinische Wort Spiritus bedeutet der *Geist.* Man gab der alkoholischen Flüssigkeit diese Namen, weil sie große Flüchtigkeit besitzt. Die Araber sollen schon um das Jahr 1000 n. Chr. ein Destillat aus Wein – den Weinbrand – gewonnen haben. Er wurde anfangs nur als Arznei benutzt. Mitte des 14. Jahrhunderts war der *geprannt weyn* schon ein beliebter Handelsartikel und ein oft mißbrauchtes Genußmittel.

In der Gruppe Brennerei findet der Besucher einige markante Ausstellungsstücke aus der Entwicklungsgeschichte der Branntwein- oder Alkoholherstellung aus Kartoffeln, Getreide, Obst und Wurzeln sowie der Likör- und Spirituosenherstellung.

Zuckererzeugung

Zucker wurde jahrhundertelang nur aus Zuckerrohr, einer tropischen Pflanze, gewonnen. Der Anbau von Zuckerrohr ist in Indien seit 400 v. Chr. bekannt. Das Modell einer westindischen Zuckersiederei läßt die Verarbeitung von Zuckerrohr zu Zucker erkennen. Die Entdeckung des Zuckers in der Runkelrübe, so hieß damals unsere heutige Zuckerrübe, und jahrzehntelange Züchtungsversuche gehen auf Andreas Sigismund Marggraf und Franz Carl Achard (1747–1801) zurück. Ein Modell der ersten praktischen Rübenzuckerfabrik der Welt aus Krayn in Schlesien zeigt die Einrichtungen und läßt den Fabrikationsprozeß deutlich erkennen. Den Stand der Entwicklung (1975) auf diesem Gebiet deutet das Gesamtmodell einer Rübenzuckerfabrik mit einer Tagesleistung von 200 Tonnen Zucker an.

K. Rohrbach

Zeitmessung

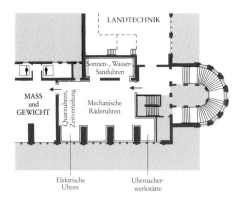

Der Wechsel von Tag und Nacht ist ein natürliches Zeitmaß. Menschliche Gemeinschaften haben diese Zeitspannen weiter unterteilt. Die römische Einteilung, den lichten Tag und die Nacht in zwei gesonderte Reihen von je 12 Tag- und 12 Nachtstunden zu teilen, übernahm das Mittelalter. Entsprechend den Jahreszeiten waren die Tagstunden unterschiedlich, länger im Sommer, kürzer im Winter. Im ganzen Jahr fiel aber das Ende der 6. Stunde auf die Mittagszeit (12 Uhr nach heutiger Zeitrechnung). Die Einführung der heutigen Stundenteilung mit gleichlangen (Äquinoktial-) Stunden folgte der Aufstellung mechanischer Schlaguhren nach der Wende vom 13. zum 14. Jahrhundert. Für den Beginn der Zählung mit Äquinoktialstunden gab es im Heiligen Römischen Reich Deutscher Nation ganz verschiedene Möglichkeiten: Die *Kleine Uhr:* Sie entspricht unserer heutigen Zählung. Die *Ganze Uhr:* Sie teilt den Tag in 24 Stunden und kann mit Sonnenuntergang zu zählen beginnen (Italienische Uhr) oder mit Sonnenaufgang (Böhmische Uhr). Beidesmal verschiebt sich während des Jahres laufend der Beginn der Zählung. Die *Große Uhr:* Tag und Nacht wurden in der Freien Reichsstadt Nürnberg in je einer Reihe gezählt, die jeweils morgens oder abends begann. Im Sommer zählte man maximal 16 Tag- und 8 Nachtstunden (Mittag war also um 8 Uhr, Mitternacht um 4 Uhr). Im Winter war es umgekehrt. Erst mit der Aufhebung der Freien Reichsstadt nach den napoleonischen Kriegen und Eingliederung Nürnbergs nach Bayern wurde die Stundenzählung nach der *Großen Uhr* abgeschafft.

Alle diese Zählungen gaben jeweils die Ortszeit an, die von der geographischen Lage eines Ortes abhängig war. Mit der Ausbreitung des neuen und schnellen Verkehrsmittels Eisenbahn wurden die Ortszeiten im Deutschen Reich vereinheitlicht, zunächst wurden die Ortszeiten eines politischen eigenständigen Territoriums nach der Ortszeit der jeweiligen Residenzstadt ausgerichtet (Eisenbahnzeit), dann folgte die Zonenzeit, die in einem großen Territorium die Zeit vereinheitlichte: Die Mitteleuropäische Zonenzeit (MEZ) wurde 1892/93 eingeführt.

Zur Ausstellung

Turmuhren

Seit dem 13. Jahrhundert versuchte man mehrfach, die Wasseruhr als Zeitmesser mit Mängeln durch ein langsam und gleichmäßig ablaufendes Räderwerk zu ersetzen. Seit dem 14. Jahrhundert waren in allen größeren Städten Europas Turmuhren mit Schlagwerken aufgestellt; sie regelten optisch und akustisch das öffentliche Leben in den Kommunen. Die hier aufgestellten Turmuhren sind zwischen 1562 und 1905 entstanden und zeigen die Entwicklung der Hemmungssysteme von der rückfallenden bis zur freien Hemmung.

Turmuhr mit Stunden- und Viertelstundenschlagwerk (O) aus der Kirche des Klosters Fürstenfeld bei Fürstenfeldbruck, gebaut 1721 von Frater Andreas Bardl, in Betrieb bis 1904.

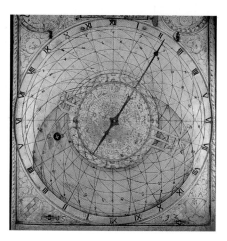

Zifferblatt mit unterschiedlichen Stundenangaben (O)
Signatur: «M.A. 1592».

Hauptuhr einer Uhrenanlage
hergestellt von Siegmund Riefler, 1905 (O)
Derartige Hauptuhren waren mit elektrischem Aufzug versehen und bei Sternwarten und geodätischen
Instituten zur Ausschaltung von Erschütterungen
und Temperaturschwankungen in Uhrenkellern
aufgestellt. Das Pendel aus Invar-Stahl schwingt in
einem luftdicht abgeschlossenen Glaszylinder; Luft-
dichteschwankungen wirken sich daher nicht auf
die Schwingungsdauer des Pendels aus, deshalb
liegt die tägliche Gangänderung der Uhr unter
0,01 Sekunden.

Mechanische Uhren

Nach der Wende vom 13. und 14. Jahrhundert entsteht die Räderuhr,
sie gibt unabhängig von den Gestirnen die Zeit an (trotzdem bleibt die
Sonnenuhr bis zum 18. Jahrhundert ein selbstverständlicher Zeitmesser)
und unabhängig von der Witterung (Wasseruhren konnten im Winter
im Norden einfrieren). Von Anfang an wurden mit dem mechanischen
Zeitmesser mechanische Schlagwerke für die akustische Zeitangabe
verbunden. Ständig versuchte man die Genauigkeit zu verbessern: Mit
der Erfindung des Pendels als Gangregler (veröffentlicht 1658) wurde
die Uhr zu einem astronomischen Beobachtungsinstrument. Mit dem
Bau des «Chronometers» von John Harrison (1759) konnte man mit
Uhren den Standort eines Schiffes auf See exakt bestimmen.

Sonnen-, Sand- und Wasseruhren

Täglich dreht sich die Erde um ihre Achse, der Stab einer Sonnenuhr
wirft deshalb einen Schatten, der gegenläufig zur Erdbewegung wan-
dert oder seine Richtung ändert und auf einem Liniennetz die Stunden
angeben kann. Wasser- und Sanduhren zeigen auf linearen Skalen das
Abnehmen eines Stoffes und damit das *Verfließen* oder *Verrinnen* der
Zeit.

Der Schatten der Sonnenuhr spiegelt die immerwährende scheinbare Bewegung am Himmel; Wasser- und Sanduhren dagegen gaben nur kurze Zeitspannen an.

Süddeutsche Tischuhren und Automaten

Die Freien Reichsstädte Augsburg und Nürnberg waren selbständige Städterepubliken, deren Unabhängigkeit zum Teil auf der «Veredelung von Rohstoffen», d.h. auf der Herstellung von Kunsthandwerk, ruhte. In ihnen blühten daher – streng reglementiert – viele Handwerke, auch das der Uhrmacher. Neben den von Uhrmachern gebauten Zeitmessern steuerten mechanische Räderwerke auch Bewegung und ahmten damit tierisches oder menschliches Leben nach. Das «Vermächtnis Werner Brüggemann» zeigt die Vielgestaltigkeit dieser süddeutschen Produktion.

K. Maurice

Figurenuhr «Bärentreiber», Augsburg, um 1580/90 (O)

Maß und Gewicht

Voraussetzung für jede Messung ist die Festlegung einer Maßeinheit, im Vergleich zu der eine zu messende Größe zahlenmäßig beurteilt werden kann.

Bereits in den Kulturen des Altertums wurden Repräsentanten bestimmter Längen, Rauminhalte und Massen als Einheiten festgelegt. Der Gültigkeitsbereich war aber damals wie auch in späteren Jahrhunderten mehr oder weniger örtlich und zeitlich begrenzt. Die Vielfalt der verschiedenen Ellen, Fußmaße und Pfunde führte im 17. und 18. Jahrhundert schließlich in den europäischen Ländern zu einem Maßchaos, das immer drückender empfunden wurde. Trotz gleicher Bezeichnung hatten Maße an verschiedenen Orten, oft auch je nach Warenart, unterschiedliche Größe. Um diesen Mißständen abzuhelfen, initiierte die französische Nationalversammlung 1790 ein einheitliches internationales Maßsystem, dem ein unveränderliches Naturmaß zugrunde liegen sollte, das für alle Zeiten und von allen Völkern gebilligt werden könnte. Als dieses Naturmaß, an das die übrigen Einheiten anzuschließen waren, wurde schließlich der zehnmillionste Teil des Erdmeridian-Quadranten als Längeneinheit gewählt. Es erhielt die Bezeichnung «Meter». In den Wirren der Französischen Revolution wurde auf der Grundlage dieser Einheit ein übersichtliches Maßsystem mit dezimaler Gliederung und klar definierten Einheiten auch für Fläche, Volumen und Masse aufgebaut, das metrische System.

Von den ersten provisorischen Festlegungen in den Revolutionsjahren bis zur Einführung des metrischen Systems auf breiter Basis vergingen noch Jahrzehnte. Um diese Einführung zu beschleunigen und das System zu vervollkommnen, wurde 1875 in Paris ein zwischenstaatliches Vertragswerk, die Meter-Konvention, von 18 Staaten unterzeichnet und das *Internationale Büro für Maß und Gewicht* gegründet. Seine erste Aufgabe war die Schaffung neuer, gegenüber den von 1799 besser geeigneten Prototypen für Länge und Masse: eines Urmeters und eines Urkilogramms aus der widerstandsfähigen Legierung Platiniridium.

Nach der Sanktionierung durch die erste Generalkonferenz für Maß und Gewicht im Jahre 1889 wurden an die einzelnen Signatarstaaten genaue Kopien verteilt. Sie bilden mit einer Hierarchie weiterer Normale in qualitativ absteigender Reihe die Grundlage des Meß- und Eichwesens in den jeweiligen Staaten.

Das *Internationale Büro für Maß und Gewicht* ist in Zusammenarbeit mit Staatsinstituten anderer Länder laufend damit befaßt, die Definition der Maßeinheiten in Anpassung an die Erfordernisse der Praxis und die wissenschaftlichen Möglichkeiten zu vervollkommnen. Ein Ergebnis dieser Bemühungen war 1960 die Schaffung eines internationalen Einheitensystems, des *Système Internationale d'Unités (SI)*, in dem außer für Länge, Masse und Zeit vier weitere Basiseinheiten international festgelegt wurden, und zwar für elektrische Stromstärke, thermodynamische Temperatur, Stoffmenge und Lichtstärke. Dieses internationale Einheitensystem ist seit 1970 in Deutschland verbindlich.

Zur Ausstellung

In der Abteilung ist die Entwicklung der Längeneinheit und der Masseneinheit dargestellt, die, ursprünglich ausgehend von zahllosen verschiedenen Ellen, Fußmaßen und Pfunden, schließlich zu Meter und Kilogramm führte.

Zum Teil an betriebsfähigen Demonstrationen werden außerdem Geräte und Hilfsmittel vorgestellt, die zur praktischen Messung von Länge und Volumen, zu Massenvergleich und Gewichtsermittlung Verwendung finden oder früher hierzu benutzt wurden. Dabei ist der Entwicklung zu steigender Genauigkeit, zu einfacherer und schnellerer Meßwertermittlung und zu selbständiger Anzeige und Weiterverarbeitung der Meßwerte Rechnung getragen worden. Auf die Bedeutung von Fehlergrenzen im Eichwesen und von Toleranzen im Austauschbau ist hingewiesen.

Längeneinheit

Bei der Längeneinheit hat man einen materiellen Repräsentanten, wie es das *Pariser Urmeter* darstellt, aufgegeben und ist zur Festlegung durch ein bestimmtes Vielfaches einer optischen Wellenlänge übergegangen. Die Längeneinheit ist auf diese Weise leicht unterteilbar und jederzeit reproduzierbar. Ein Lampengefäß zur Darstellung der Längeneinheit mit Krypton-Spektralröhre (1961) vermittelt einen Begriff von den Einrichtungen, die notwendig sind, um die der Meterdefinition zugrundeliegende Strahlung zu erzeugen.

Längenmessung

Die wichtigsten Arten von Längenmaßen, Längenmeßmitteln und -geräten sind im Original oder als Demonstrationen vertreten. Die jeweils erzielbare Meßgenauigkeit kann mit den im Austauschbau geforderten Toleranzen verglichen werden.

Selbstanzeigende Waagen (O)
Im Vordergrund eine Neigungs-Schaltgewichtswaage bis 10 kg (1961), im Hintergrund eine Einbau-Brückenwaage bis 3000 kg (1961); die Kinder stehen auf der Brücke einer Unterwaage, von wo aus über ein Hebelwerk die untersetzten Gewichtskräfte auf die Auswäge-Vorrichtung übertragen und angezeigt werden.

Volumenmessung

Bei der Volumenmessung ging die Entwicklung von einfachen Hohlmaßen zu direkt anzeigenden Meßgeräten, die das zu bestimmende Volumen mittels rotierender Meßflügel, sich selbständig periodisch füllender Meßkammern oder dergleichen erfassen.

Masseneinheit

Die Einheit der Masse im metrischen Maßsystem und im internationalen Einheitensystem ist der internationale *Kilogrammprototyp.* Das Original, ein Platin-Iridium-Zylinder von 39 mm Durchmesser und Höhe, wird im *Internationalen Büro für Maß und Gewicht* in Paris aufbewahrt. Alle geeichten Wägestücke und Anzeigeskalen von Waagen sind durch Kontrollwägungen indirekt mit dem Kilogrammprototyp verglichen.

Waagen

Das wohl älteste Meßgerät ist die Waage. Ihr Entwicklungsgang ist durch Beispiele von der einfachen Balkenwaage bis zur lochkartengesteuerten Auswägevorrichtung verdeutlicht.

H. Schmiedel

Vorschlag zur Fortsetzung des Rundgangs
Der Rundgang im 3. Obergeschoß ist nun beendet; Sie können ihn über die zentrale Rundtreppe in die nächsten Obergeschosse fortsetzen.

Amateurfunk

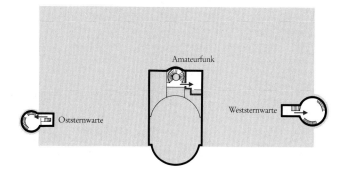

Funkamateure beschäftigen sich aus rein persönlicher Neigung mit der Funktechnik. Der Amateurfunk besitzt somit eine ebenso lange Geschichte wie die Funktechnik, die um 1895 mit der drahtlosen Telegraphie begann. Den Amateuren kam dabei häufig eine Pionierrolle zu, da ihnen Wellenbereiche zugewiesen wurden, die als technisch schwer beherrschbar galten. Fred Schnell (USA) und Leon Déloy (Frankreich) erreichten beispielsweise 1923 erstmals eine Transatlantik-Zweiwege-Verbindung auf einer Wellenlänge von 110 m; sie wiesen damit nach, daß ein Funkbetrieb auch im Bereich unter der bis dahin eingehaltenen Grenze von 220 m möglich war.

Neben dem technischen Interesse ist der Amateurfunk aber auch von der Motivation geprägt, weltweit zu kommunizieren. Um ihre vielfältigen Aktivitäten zu organisieren, gründeten Funkamateure ab 1911 nationale und internationale Verbände. Mit den Erfahrungen beim Funkbetrieb über politische Grenzen hinweg geht zusätzlich ein soziales Engagement einher: Unterstützt durch ihre einheitlichen Wellenbereiche bauten Funkamateure in zahlreichen Notfällen Verbindungen zwischen den eingesetzten Hilfsorganisationen auf.

Zur Ausstellung

Die in der Ausstellung präsentierten Objekte zeigen zum einen den historischen Weg von Sende- und Empfangsgeräten auf: angefangen vom Knallfunkensender und Detektorempfänger bis hin zu Geräten für den Datenfunk über Satellit. Da es sich hier meist um Selbstbauten handelt, wird exemplarisch deutlich gemacht, daß Amateurfunk-Geräte auch im Handel zu beziehen sind. Zum anderen sind Antennenformen für verschiedene Anwendungsbereiche zu sehen. Typische Bauarten sind die Yagi-, Parabol- und HB9CV-Antennen.

Ein Modell des Amateur-Satelliten OSCAR 13 (Original 1988) weist darauf hin, daß sich Amateure auch an wissenschaftlich-technischen Experimenten in der Raumfahrt beteiligen. OSCAR 1 erreichte 1961 seine Umlaufbahn – ein Jahr vor dem Start des ersten kommerziellen Fernmeldesatelliten Telstar.

Ein Schwerpunkt in der Ausstellung ist die Amateur-Station, die täglich von Mitgliedern des Fördervereins Amateurfunkmuseum und des DARC (Deutscher Amateur-Radio-Club) betrieben wird.

O. Blumtritt

Sender und Empfänger, 1919 (O)
Einer der Pioniere des Amateurfunks, der Belgier Jean Wolff, konstruierte diesen Knallfunkensender mit Morsetaste (oben) sowie den Koherer-Empfänger (unten). Die Reichweite der Anlage betrug maximal 10 km.

Astronomie

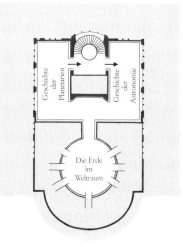

Die Astronomie ist eine der ältesten Wissenschaften in der Geschichte der Menschheit. Es waren im wesentlichen drei Motive, die den Menschen zur Beschäftigung mit den Sternen hinführten: zum ersten die religiöse Verehrung der Gestirne (in der Antike wurden die Planeten als göttliche Wesen angesehen), zum zweiten erzwangen Gewerbe, Handel und Verkehr eine Kalenderregelung, zum dritten wurden die Sterne für die Orientierung an Land und auf See wichtig.

Im alten Griechenland gab es bereits eine systematische Himmelsbeobachtung mit Sternkatalogen und ersten mathematischen Modellen für die Beschreibung der Planetenbewegung. Das astronomische Wissen dieser Zeit wurde um 150 n. Chr. von Ptolemäus in Alexandria zusammengefaßt. Die Überlieferung dieses Weltbilds bestimmte die kosmologischen und astronomischen Vorstellungen des Mittelalters. Beherrschend war der Gedanke, daß die Erde der ruhende Mittelpunkt des Weltalls sei.

Die neuere Astronomie beginnt mit den Arbeiten von Nicolaus Copernicus, Johannes Kepler, Galileo Galilei und Isaac Newton, die sich von diesem Gedanken lösen: N. Copernicus zeigt, daß sich die kompliziert erscheinenden Planetenbewegungen als Kreisbahnen um die ruhende Sonne berechnen lassen. J. Kepler gelingt es anhand genauer Himmelsbeobachtungen von Tycho Brahe, diese Bewegungen als Ellipsen nachzuweisen, in deren einem Brennpunkt die Sonne steht. G. Galilei richtet als erster ein Fernrohr zum Himmel und findet Hinweise für die Richtigkeit des Copernicanischen Weltbildes. I. Newton schließlich erklärt alle Bewegungen am Himmel mit dem Prinzip der Schwerkraft und verknüpft damit Astronomie und Physik.

Heute wissen wir, daß unser Sonnensystem Teil eines großen Spiralnebels ist, der aus 100 Milliarden Sonnen (Sternen) gebildet wird. Im Weltraum existieren Milliarden solcher Spiralnebel (Galaxien).

Zur Ausstellung

Die Abteilung Astronomie zeigt die Entwicklung astronomischen Wissens von den ersten überlieferten wissenschaftlichen Anfängen bei den Babyloniern bis zu einigen neueren Erkenntnissen über die Struktur des Weltalls.

Zeugnis davon, daß man sich im Zweistromland Mesopotamien bereits sehr früh mit Astronomie beschäftigt hat, geben astronomische Zeichen auf archäologischen Funden wie *Stelen* oder *Urkundensteinen* aus der Zeit der Babylonier. Als Beispiele dafür sind in Nachbildungen ein Babylonischer Urkundenstein mit Sternsymbolen (715 v. Chr.) und ein dreiteiliger Babylonischer Fries mit Tierkreisdarstellungen (etwa 1000 v. Chr.) zu sehen. Die Sterne wurden als Götter angesehen, die das menschliche Schicksal bestimmten.

Aus dem ägyptischen Kulturkreis weiß man Genaueres über die bei astronomischen Messungen verwendeten Instrumente. Ausgestellt sind Nachbildungen einer Streiflichtsonnenuhr (um 1480 v. Chr.), einer Wasserauslaufuhr (etwa 1400 v. Chr.) und einer Sternuhr, auch *Merkhet* genannt (um 600 v. Chr.). Besondere Beachtung verdient sicher die Nachbildung des Deckenreliefs aus dem Tempel von Dendera (Oberägypten, 22 v. Chr.).

Deckenrelief des Tempels von Dendera, Oberägypten, 22 v. Chr. (N)
Dieses Relief wurde 1798 von einem Offizier der napoleonischen Armee auf dem Dach einer Grabkammer in den Ruinen des Isistempels von Tentyra, einer einst bedeutenden Stadt des alten Ägypten nahe dem Fellachendorf Dendera (nördlich von Theben), gefunden. Das Relief zeigt im Zentrum den Tierkreis mit den 12 Tierkreisbildern. Diese sind umgeben von den Dekanen (Tiere und schreitende Männer), die Sternbilder symbolisieren, mit deren Hilfe man nachts die Zeit bestimmen konnte.

Astronomische Kunstuhr mit Planetarium und Himmels-globus, 1744 (O)
Signatur: «Phil. Gottfr. Schaudt in Ontsmettingen Balinger Amts im Württem-bergischen».

Vom hohen Wissensstand der Astronomie bei den Griechen zeugen die Darstellungen von der Messung des Erddurchmessers durch Eratosthenes (um 275–194 v. Chr.) und der Messung der Entfernung des Mondes durch Hipparch (um 190–120 v. Chr.). Die Einfachheit und Handhabung der damals verwendeten Meßinstrumente ersieht man aus Nachbildungen eines Obelisken *(Gnomon),* des *Diopters* des Hipparch und eines *Triquetum* des Ptolemäus, mit denen der Besucher auch selbst durch eine Wandöffnung ins Freie visieren kann.

Das *Astrolab* – einige historische Originale sind in den Wandvitrinen ausgestellt – und der *Quadrant* waren vor der Erfindung des Fernrohrs wichtige astronomische Instrumente unseres Kulturkreises. Hier verdient der große *Azimutalquadrant* von Georg Friedrich Brander von 1760/61 besondere Beachtung.

Das große Sendtner-Planetarium für das Ptolemäische System schließt diese erste Epoche der Astronomiegeschichte ab und weist gleichzeitig darauf hin, daß sich aufgrund neuer Erkenntnisse das bisherige Weltbild zu wandeln begann. Während bisher die Erde als Mittelpunkt der Welt angesehen wurde, kam man seit Ende des Mittelalters immer mehr zur Erkenntnis, daß sich die Erde um die Sonne bewegt und diese im Mittelpunkt unseres Planetensystems steht (Copernicanisches Weltsystem). Besonderen Anteil an dieser Wandlung hatten sicher die Erkenntnisse von J. Kepler (1571–1630), die zur Formulierung der drei Keplerschen Gesetze führten. Das zweite Keplersche Gesetz ist als Demonstration dargestellt. Aber auch die zu dieser Zeit revolutionären Beobachtungsergebnisse von G. Galilei (1564–1642) mit dem damals gerade erst entdeckten Fernrohr (eine Nachbildung seines zweiten Fernrohrs ist ausgestellt) trugen wesentlich zu einem neuen Weltbild bei. Der Blick durchs Fernrohr brachte für Galilei Dinge zum Vorschein, die man bisher nicht einmal erahnt hatte. So sah er Berge und Täler auf dem Mond, eine Unzahl neuer, mit dem bloßen Auge nicht wahrnehmbarer Fixsterne, er sah, daß auch der Jupiter Monde und die Sonne Flecken besaß und die Venus Phasen wie unser Erdmond zeigte.

Ein Diorama der Sternwarte des Johannes Hevelius (1611–1687) steht als Beispiel für eine der frühen Sternwarten der Neuzeit. Das Fernrohr wurde vom reinen Beobachtungsinstrument zum exakten Meßinstrument weiterentwickelt. In einem weiteren Diorama sieht man Ole Römer (1644–1710) an seiner *machina domestica* zum Messen von Meridiandurchgängen. Von ihm stammt auch die erste Bestimmung der Lichtgeschwindigkeit.

Aus Platzgründen konnte hier die historische Entwicklung der Astronomie bis in unsere Tage noch nicht fortgeführt werden. Die *Stellung der Erde im Weltraum* ist das Thema des abgedunkelten Rundraums, in dem durch mehrere Röhren der Blick auf verschiedene kosmische Objekte gerichtet werden kann.

Copernicanisches Planetarium in Armillarsphäre, 1754 (O)
Signatur: «Se Monte et se Vend chez Desnos, Rue St Julien le Pauvre. Quartier de la Place Maubert a Paris, 1754...». Entsprechend dem Copernicanischen Weltsystem bildet eine kleine vergoldete Sonnenkugel das Zentrum des Modells. An schwenkbaren Reifen angeheftete Pappescheibchen symbolisieren die Planeten Merkur, Venus, Mars, Jupiter und Saturn. Die Erde ist ebenfalls um die Sonne schwenkbar als kleiner Erdglobus ausgeführt, um die der Mond als kleines Pappescheibchen kreist. Ein bandförmiger Ausschnitt des Fixsternhimmels und die astronomischen Großkreise vervollständigen das Modell.

Ptolemäisches Planetarium in Armillarsphäre, 1754 (O)
Signatur: «... Se Fait A Paris Chez Desnos rue St Julien le pauvre...» Im Zentrum des kleinen Weltenmodells sitzt ein Erdglobus, der von zwei Pappescheibchen, Sonne und Mond darstellend, umkreist wird. Ein breites Band des Fixsternhimmels und die Großkreise der astronomischen Koordinatensysteme (Horizont- und Äquatorialsystem) vervollständigen das Modell. Solche Modelle wurden in größeren Stückzahlen hergestellt und für Unterrichtszwecke verwendet.

Zeiss-Planetariumsprojektor M 1015, 1987 (O)
Im Projektionsplanetarium wird ein künstlicher Sternhimmel mit 5000 Fixsternen bis zur Größenklasse 6 in Abstufungen von m = 0,1 gezeigt, entsprechend den bei günstigen Sichtbedingungen mit bloßem Auge wahrnehmbaren Sternen. Die Kuppel hat einen Durchmesser von 15 m.
Bewegungen und Helligkeiten des Projektors sowie die Zusatzprojektionseinrichtungen sind computergesteuert.

Eine Sonderausstellung über die mechanische Darstellung von Weltsystemen vervollständigt den Rundgang. Zu sehen sind hier Planetarien, Armillarsphären, Tellurien und Lunarien aus der Zeit zwischen 1700 und 1825, eine kleine Auswahl an historischen Himmelsgloben, das Sendtner-Planetarium zum Copernicanischen Weltsystem (Gegenstück zum Ptolemäischen System im ersten Teil der Ausstellung) und ein Tischplanetarium von Abraham und Jacob van Laun (um 1825). Mittlerweile historischen Wert besitzt der Zeiss-Planetariumsprojektor, Modell I, der auf Anregung von Oskar von Miller bei der Firma Zeiss gebaut und 1925 zur Eröffnung des Deutschen Museums in München aufgestellt wurde – der erste Planetariumprojektor der Welt.

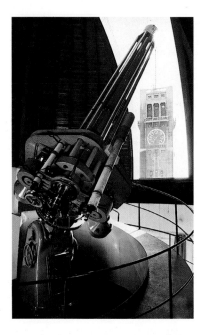

Zeiss-Refraktor in der West-Kuppel
(Sternwarte), 1924/25 (O)
Objektivdurchmesser 300 mm,
Brennweite 4960 mm,
Vergrößerung wahlweise 50fach bis
1000fach,
Sehfeld je nach Vergrößerung 1° 16'
bis 2'43",
Grenzauflösung 0.4",
Grenzgröße ≈ 14.^{m}5.

Die Abteilung Astronomie wurde im 2. Weltkrieg vollkommen zerstört. Die momentan bestehende Ausstellung ist nur eine Behelfslösung.

Planetarium

In der Mittelachse des Museums, über Eingangshalle und Ehrensaal, befindet sich das Planetarium. In einer Kuppel wird das Bild des Sternenhimmels projiziert: Durch Zeitraffung kann man den Lauf der Gestirne und die Bahnen der Planeten und des Mondes verfolgen, die Sternbilder des Südhimmels erscheinen ebenso wie die des Nordhimmels. Anhand der am nächtlichen Firmament zu beobachtenden Himmelsobjekte wird der Aufbau des Universums erläutert. Auf diese Weise werden die Himmelsbewegungen verständlich.
Der Zeiss-Planetariumsprojektor Modell I von 1925 wurde 1960 durch das Modell IV und 1987 durch das computergesteuerte Modell M 1015 ersetzt.

Sternwarte

Zur Abteilung Astronomie gehört auch eine Sternwarte. Sie ist in der Westkuppel untergebracht und über die Westtreppe zu erreichen. Hier ist ein Zeiss-Fernrohr von 30 cm Öffnung und 5 m Brennweite aufgestellt. Vorführungen finden täglich von 10.30–11.30 Uhr statt; bei schlechter Witterung ist nur Besichtigung des Gerätes möglich.
Für Mai 1992 ist eine Ausstellung über Astronomie und Astrophysik in erweiterten Räumen geplant; leider muß für die Umbaumaßnahmen die bestehende Ausstellung im 5. Obergeschoß ab Ende 1990 geschlossen werden. *G. Hartl*

Zusätzliche Einrichtungen
des Deutschen Museums

Die Bibliothek

des Deutschen Museums ist eine große Spezialbibliothek für die Geschichte der Technik und der Naturwissenschaften (730000 Bände; 4300 Zeitschriften, davon 1700 laufende Zeitschriften). Sie ist eine Präsenzbibliothek, d.h. jedes Buch steht jederzeit zur Verfügung. In der Sammlung *Libri Rari* werden vor 1750 gedruckte Quellenwerke zur Naturwissenschaft und Technik gesammelt. Sie umfaßt ca. 5000 wertvolle ältere Werke und bildet gewissermaßen ein kleines Buchmuseum (Tel. 089/2179224).

Sondersammlungen und Archive

Im 3.Obergeschoß beherbergt die Bibliothek eine der größten Dokumentensammlungen zur Geschichte von Naturwissenschaft und Technik. Der Inhalt reicht von geschlossenen Gelehrten-, Techniker- und Erfindernachlässen über Handschriften, Autographen und Urkunden, technischen Zeichnungen und Abbildungen, Landkarten, Plakaten, Firmenschriften (Kataloge, Betriebsanleitungen, Reports) und Werkzeitschriften, Porträts, Medaillen, Marken aller Art, Wasserzeichen- und Buntpapierbeständen bis hin zu audiovisuellem Material und einem umfangreichen Luft- und Raumfahrtarchiv (Tel. 089/2179220).
In der *Bildstelle* befinden sich ca. 40000 Negative aus der Geschichte der Naturwissenschaft und der Technik. Die Bildstelle nimmt Bestellungen für Abzüge und Neuaufnahmen entgegen (Tel. 089/2179231; Öffnungszeiten wie Sondersammlungen).

Studiensammlung

Vielerlei historische Geräte, Maschinen, Instrumente, Modelle und Muster werden in der Studiensammlung unseres Depots aufbewahrt und sind ausgewiesenen Fachleuten nach Anmeldung (mindestens zwei Wochen im voraus) zugänglich (Auskunft: Tel. 089/2179459).

Das Kerschensteiner Kolleg

führt Wochenkurse durch über die Geschichte der Technik und Naturwissenschaft für Lehrer aller Schularten, Ausbilder, Studenten und Wissenschaftler aus dem In- und Ausland. Die Kurse werden meistens in Zusammenarbeit mit Partnerinstitutionen organisiert mit individuell gestalteten Programmen. Außerdem veranstaltet werden Führungsseminare über moderne Museumsarbeit (Tel. 089/2179243).

Das Forschungsinstitut

für Technik- und Wissenschaftsgeschichte des Deutschen Museums arbeitet im Verbund mit dem *Institut für Geschichte der Naturwissenschaften der Ludwig-Maximilians-Universität* und dem *Zentralinstitut für Geschichte der Technik der Technischen Universität München*. Die regelmäßig stattfindenden Kolloquiumsvorträge sind im Vierteljahresprogramm angezeigt (Tel. 089/2179280).

Kongreßzentrum

Der Kongreßbau des Deutschen Museums bietet für Tagungen, Vorträge, Experimentalvorträge und Konzerte einen 2400 Personen fassenden Kongreßsaal mit den erforderlichen Nebenräumen wie Kongreßbüros und einem Erfrischungsraum. Ferner stehen vier zusätzliche Vortragssäle für 60 bis 320 Personen zur Verfügung. Voraussichtlich ab Juni 1991 wird der Saalbau zu einem *Forum der Technik* umgebaut, welches Mitte 1992 in Betrieb genommen werden soll (Tel. 089/2179242).

VERZEICHNISSE

Zur weiteren Erschließung dieses Führers finden Sie im folgenden zwei Verzeichnisse: *Schlagwortverzeichnis* und *Namenverzeichnis*. Ist das Suchwort nicht aufgeführt, so sollten Sie unter einem verwandten Oberbegriff nachschlagen.

Schlagwortverzeichnis

Namenverzeichnis

Von Meisterwerken
der Naturwissenschaft und Technik

Erik Eckermann
Automobile

1989. 165 Seiten mit 180 Abbildungen, davon 52 in Farbe. Gebunden
Reihe „Technikgeschichte im Deutschen Museum"

Erik Eckermann lädt ein zum Gang durch die Automobilgeschichte. Ausgehend
von den Sammlungen des Deutschen Museums, das weltweit eine der
bedeutendsten und vollständigsten Kollektionen zur Kraftfahrzeuggeschichte
beherbergt, führt er den Leser vom ersten Motorwagen bis zu den heutigen
Hochleistungsfahrzeugen, erzählt die Geschichte vom Volkswagen ebenso wie
die der amerikanischen Luxuslimousinen, der Motorräder und Lastwagen. Er
macht genaue Angaben zu den Typen, nennt ihre Charakteristika, Bauzeiten
und hergestellte Stückzahlen.
„Eine Anthologie, die eine Augenweide für Genießer darstellt und ein
kulinarisches Fest für Connaisseure." *E. J. Goertz*

Ludwig Schletzbaum
Eisenbahn

1990. 179 Seiten mit 180 Abbildungen, davon 52 in Farbe. Gebunden
Reihe „Technikgeschichte im Deutschen Museum"

Diese Technikgeschichte der Eisenbahn bietet eine abgeschlossene Darstellung
des Schienenverkehrs von seinen Anfängen bis heute. Sie gibt den historischen
Überblick, liefert eingehende Objektbeschreibungen und dokumentiert die
Entwicklung dieses ersten Massenverkehrsmittels und seiner technischen
Pionierleistungen in einem sachkundig ausgewählten, reichhaltigen Bildteil:
Eisenbahngeschichte wird in diesem Band aus dem historischen wie technischen
Blickwinkel entdeckt.

Deutsches Museum

von Meisterwerken der Naturwissenschaft und Technik
Herausgegeben von *Otto Mayr*
1990. 160 Seiten mit 205 Abbildungen, davon 164 farbig.
Broschiert (Der Band ist auch in englischer Sprache erhältlich)
Reihe „Museen der Welt"

„Der Band liefert neben einigen Anmerkungen zur Entstehung des imposanten
Ausstellungskomplexes vor allem das nötige Hintergrundwissen zu all den
Exponaten. Erfahrene Mitarbeiter des Museums beschreiben wichtige
Entwicklungen in den verschiedenen naturwissenschaftlichen und technischen
Bereichen; zahlreiche Abbildungen von Modellen oder Maschinen
veranschaulichen diese Erklärungen und regen an zu einem genaueren
Hinsehen bei künftigen Rundgängen." *Frankfurter Allgemeine Zeitung*

Verlag C. H. Beck München

Kultur & Technik

Zeitschrift des Deutschen Museums

&

Verlag C. H. Beck

Kultur & Technik
wird vom *Deutschen Museum*
in München herausgegeben,
dem größten technisch-kultur-
geschichtlichen Museum Europas.
Kultur & Technik erscheint
vierteljährlich.

Kultur & Technik
betrachtet die Technik als eine
wesentliche Äußerung menschlichen Lebens. Sie macht sich zur
Aufgabe, Technik als Bestandteil
der Kultur in ihren vielfältigen
Wechselbeziehungen und Wirkungen mit anderen Aspekten menschlichen Handelns darzustellen. Sie
ist nicht Advokat der Technik und
des technischen Fortschritts, sondern möchte unvoreingenommen
beobachten, berichten, analysieren.
Sie meint aber, daß Technik nicht
entbehrlich ist, daß sie, bei allen
Gefahren, ein wichtiges Mittel zur
Lösung von Problemen der
Menschheit ist und bleiben wird.

Kultur & Technik
ist das Magazin für Geschichte und
Gegenwart von Technik und Naturwissenschaften. Persönlichkeiten,
Ereignisse und neue Tendenzen der
Wissenschafts- und Technikgeschichte werden in der aktuellen
Diskussion lebendig und anschaulich vorgestellt.

Es gibt zwei Möglichkeiten
Kultur & Technik
zu beziehen:

1. Als Mitglied.
Für die Mitglieder des Deutschen
Museums ist der Bezug der Zeitschrift im Jahresbeitrag inbegriffen.
Außerdem erhalten Mitglieder
freien Eintritt auch für ihre Familie
(d. i. Ehegatte oder eine andere
Begleitperson und zwei Kinder im
Alter bis 18 Jahre) und können
kostenlos an allen Vorträgen teil-
nehmen. Der Mitgliedsbeitrag
beträgt DM 58,–; für Schüler und
Studenten DM 34,– (hier ist der
freie Eintritt für die Familie ausgeschlossen).

2. Im Abonnement.
Abonnenten beziehen die
Zeitschrift zum Jahresbeitrag
von DM 36,–.

Bitte fordern Sie ein kostenloses Probeheft an:
Deutsches Museum, Mitgliederabteilung, Postfach 26 01 02, 8000 München 26